Verstehen und Verantworten

Verstehen und Verantworten

Hermeneutische Beiträge aus
den theologischen Disziplinen

im Auftrag des Dozentenkollegiums
der Augustana-Hochschule
herausgegeben von
Friedrich Wilhelm Kantzenbach

Calwer Verlag Stuttgart

CIP-Kurztitelaufnahme der Deutschen Bibliothek

Verstehen und Verantworten: hermeneut. Beitr. aus d. theol.
Disziplinen im Auftr. d. Dozentenkollegiums d. Augustana-Hochsch. /
hrsg. von Friedrich Wilhelm Kantzenbach. – 1. Aufl. –
Stuttgart: Calwer Verlag, 1976.
ISBN 3-7668-0521-5

Satz und Druck: Wilhelm Röck, 7102 Weinsberg

INHALTSVERZEICHNIS

Vorwort 7

Horst Dietrich Preuß
Die Gattungsforschung als Beispiel für die Bedeutung
der Linguistik für die Theologie 9

August Strobel
Wohin geht der Weg? Wendepunkte und Tendenzen
der hermeneutischen Arbeit 28

Friedrich Wilhelm Kantzenbach
Analogie, Revolution, Evolution.
Zur Funktion der neuzeitlichen Christentumsgeschichte
in der Kirchengeschichtsschreibung 75

Wilhelm Andersen
Autorität — Auftrag und Versuchung.
Eine theologische Besinnung 120

Helmut Angermeyer
Die Kategorie der Erfahrung und der Religionsunterricht 141

Herwig Wagner
Die Weite der Missio Dei.
In memoriam Georg Friedrich Vicedom 172

Vorwort

Das Dozentenkollegium der Augustana-Hochschule Neuendettelsau hat beschlossen, »Studien der Augustana-Hochschule« in lockerer Folge herauszugeben. Da der Calwer Verlag Stuttgart für die Betreuung der Studien gewonnen werden konnte, besteht begründete Aussicht, daß dieses Buch und auch spätere Studien die Aufmerksamkeit des theologischen Lesers finden werden. Wir erhoffen uns Pfarrer, Studenten und in Lehre und Forschung tätige Kollegen als Interessenten unserer wissenschaftlichen Arbeit.

Mit dem ersten Band dieser Studien knüpfen wir an eine längere Tradition der Hochschule an, deren Dozentenkollegium bisher fünf Sammelveröffentlichungen herausgegeben hat, von einigen kleineren Fest- und Gedenkschriften nicht zu reden. Ich rufe diese Bücher hier in Erinnerung:

1. Das Wort Gottes in Geschichte und Gegenwart. Theologische Aufsätze von Mitarbeitern der Augustana-Hochschule in Neuendettelsau, herausgegeben anläßlich des 10. Jahrestages ihres Bestehens am 10. Dezember 1957 von Wilhelm Andersen, Chr. Kaiser Verlag München 1957;

2. Vom Dienst der Theologie an Amt und Gemeinde, Aufsätze und Vorträge von den Dozenten der Augustana-Hochschule und des Pastoralkollegs, zusammengestellt von Wilhelm Andersen, Claudius Verlag München 1965;

3. Das Mandat der Theologie und die Zukunft des Glaubens. Sechs Aspekte zur Gottesfrage, herausgegeben von Georg F. Vicedom, Claudius Verlag München 1971;

4. Kontinuität im Umbruch. Theologische Aufsätze von Mitarbeitern an der Augustana-Hochschule in Neuendettelsau, anläßlich des 25. Jahrestages ihres Bestehens am 10. Dezember 1972 herausgegeben von Wilhelm Andersen und Helmut Angermeyer, Claudius Verlag München 1972;

5. Der Tod — ungelöstes Rätsel oder überwundener Feind? Eine Ringvorlesung der Augustana-Hochschule Neuendettelsau, im Auftrag des Dozentenkollegiums herausgegeben von August Strobel, Calwer Verlag Stuttgart 1974.

Die beiden zuletzt genannten Bände sind noch im Buchhandel greifbar. Mit seinen Kollegen hofft der Herausgeber des vorliegenden Bandes der »Studien«, daß der Leser aus der Lektüre Gewinn für seine wissenschaftliche sowie praktisch-theologische Orientierung ziehen kann. Die diesmal um das Stichwort »Hermeneutik« sich locker gruppierenden Beiträge möchten Fachkollegen, Religionspädagogen, Pfarrer und Theologiestudenten ansprechen. Die Mitarbeiter sind sich in dem Streben einig, Forschung und Praxis in lebendigem Kontakt zu halten und so kirchlicher Arbeit in ihrer ganzen Breite zu dienen. Allen, die an der Gestaltung dieses Bandes mitwirkten, sei herzlicher Dank gesagt.

Das Dozentenkollegium grüßt Herrn Professor Dr. Helmut Angermeyer dankbar verbunden zum bevorstehenden 65. Geburtstag und freut sich, daß dieser Band die letzte von ihm gehaltene akademische Festvorlesung in Druck bringen kann.

Namens des Dozentenkollegiums:

Neuendettelsau,   F. W. Kantzenbach
Im Mai 1976

HORST DIETRICH PREUSS

Die Gattungsforschung als Beispiel für die Bedeutung der Linguistik für die Theologie

Das Stichwort »Linguistik« erweckt z. T. noch heute bei Theologen und besonders Exegeten deutscher Schule zumindest kritische Gefühle. Mag auch die Haltung eines nur gespannten Verhältnisses zwischen Theologie und Linguistik inzwischen mehr der einer abwartenden Beobachtung gewichen sein, so sind doch Versuche einer wirklich positiven Aufnahme linguistischer Anliegen und Arbeitsformen in die exegetische Arbeit vor allem im deutschen Sprachbereich – der sich damit z. B. stark vom französischen unterscheidet – immer noch relativ selten.

Nur zu oft weiß außerdem der Theologe auch einfach zu wenig von dem, was sich im Bereich der Linguistik tut, oder er bekommt es zu stark vorgefärbt vermittelt, und diese fehlende Information bzw. diese stark einseitig vermittelte Sicht verleitet zu weiteren Fehlurteilen, zu unnötigen Abkapselungen oder unguter Polemik.

Der vorliegende Beitrag möchte sich daher in die Reihe der Vermittlungsversuche zwischen Linguistik und Theologie einreihen, indem er anhand eines ausgegrenzten, aber gerade für die Bibelexegese wesentlichen Bereichs heutiger linguistischer Arbeit die Frage aufnimmt, was die Theologie aus der Arbeit der Linguistik zu ihrem eigenen Nutzen übernehmen kann und soll. Zugleich soll damit in eben diesem Bereich etwas »Information« vermittelt werden, um schließlich Pauschalurteile über »die« Linguistik und ihre Brauchbarkeit für exegetische Arbeit fernerhin etwas mehr zu verhindern – man kann auch direkt sagen: um manche »Angst« der Theologen vor dieser Linguistik abbauen zu helfen. Ein relativ ausführlich gehaltenes Literaturverzeichnis zu den hier verhandelten Themen wird schließlich beigefügt, um eigenes Einarbeiten in die anstehenden Fragen zu erleichtern.

I

Wer in die Arbeit und die Forschungsdiskussion heutiger Linguistik auch nur etwas hineinhorcht, wird sich zuerst sehr bald davon überzeugen können, daß der oft pauschalisierende Generalvorwurf »Strukturalismus!« nicht (mehr) aufrechterhalten werden kann. Wurde angesichts dieses lange Zeit hindurch immer wieder laut werdenden Vorwurfs schon bald die differenzierende Frage gestellt, ob es sich bei diesem Strukturalismus innerhalb der Sprachwissenschaft um eine Mode oder (nur) um eine Methode handele (Schiwy), so zeigt die fortschreitende Diskussion, daß z. B. von einer geschichtslosen Textbetrachtung keine Rede mehr sein kann, daß ferner Linguistik nicht schwerer mißverstanden werden kann, als wenn man sie zur Computerlinguistik herabwürdigen zu können meint, und daß schließlich von enthistorisierter Sprachbetrachtung oder gar von einer Entleerung der Sprache von ihrem Inhalt nicht mehr gesprochen werden kann. Linguistik ist heute weder ahistorisch noch formalistisch; sie hat auch die Trennung von Form und Inhalt, von Sprachgestalt und Sprachgebrauch, ja selbst die von Synchronie und Diachronie überwunden. Eine einerseits herzerfrischende, andererseits aber auch verzeichnende Kritik wie die von Storz (»Sprachanalyse ohne Sprache«) ist inzwischen möglich, und die Kritik am damaligen Funkkolleg »Sprache« kennzeichnet als solche, wie in ihrer Aufnahme in der zweiten Auflage der Studienbegleitbriefe zu dieser Sendereihe, einen wichtigen und bezeichnenden Schritt innerhalb linguistischer Arbeit.

Wenn jedoch der Linguistik zuweilen immer noch der Vorwurf der Texthypostasierung gemacht wird, muß sich der Theologe, wenn er diesen Vorwurf aufnimmt oder unterstützt, daran erinnern lassen, daß auch er Sprache und vor allem Geschichte (z. B. des alttestamentlichen Israel) nur als Text hat, was oft zu schnell vergessen oder nicht ausreichend beachtet wird.

Die Linguistik ist außerdem inzwischen weitergeschritten, nämlich von der Wort- und Satzanalyse zur Textlinguistik, von der Untersuchung sprachlicher Mikrostrukturen zu den Makrostrukturen, und hierbei hat sich z. T. auch eine gewisse Methodenerklärung, ja eine Annäherung verschiedener Schulen vollzogen. Von der Textlinguistik ging inzwischen der Weg weiter zur Textpragmatik, bei der man nicht mehr nur fragt, wie Texte adäquat zu beschreiben sind, sondern wie Texte und wie Sprache funktionieren. Auf die genannten Wandlungen wird näher einzugehen sein (vgl. unter II und III).

Folglich sollte man nicht gegen eine Linguistik von gestern polemisieren, auch nicht gegen ihre Geheimsprache oder gegen einen zuweilen prätentiös empfundenen Anspruch, der gerade wegen der üblichen Ablehnung nicht selten aggressiv oder einseitig polemisch vorgetragen wurde. Für die Geheimsprache gibt es jetzt gute Nachschlagewerke, die selbst bei noch unterschiedlicher oder gar wechselnder Terminologie helfen (vgl. Lit.-Verz.). Ihren Methodenmonismus hat die Linguistik inzwischen selbst überwunden, und außerdem gibt es »die« Linguistik ebensowenig wie »die« Theologie, was wiederum manche Theologen zu vergessen scheinen.

Linguistik macht allerdings deutlich, daß auch wir Theologen ab und zu etwas dazulernen oder sogar umlernen müssen, auch wenn es schwerfällt; und ein Theologe des »Wortes« sollte nicht zu sicher sein, daß er weiß, was Wort, Text und Sprache wirklich »sind«, zumal darüber in üblichen theologischen Breiten viel zuwenig nachgedacht wird. Daß z. B. die überlieferungsgeschichtliche Fragestellung unserer Schulexegese, die nach der (mündlichen) Vorgeschichte eines Textes fragt, die umstrittenste und zweifelhafteste Methode ist, die viel weniger Zutrauen verdient, als wir gewöhnlich meinen, kann man aus der Linguistik neu erlernen. Daß eine linguistische Textanalyse den hermeneutischen Aspekt biblischer Exegese sowie biblischer Texte nicht ausschließt, sondern diesem komplementär ist, wird sich hoffentlich immer mehr erweisen. Und der manchmal gehörte Vorwurf, die linguistische Textanalyse klammere die Wahrheitsfrage aus, schlägt auf denjenigen zurück, der diesen Vorwurf erhebt und damit letztlich eine Hilfe von außen erstrebt, die weder die Linguistik noch eine andere Wissenschaft für die Theologie leisten kann.

Wer nach der Bedeutung der Linguistik für die Theologie — und sei es auch kritisch — fragt, sollte folglich zuerst zur Kenntnis nehmen, daß sich innerhalb der Linguistik, und dort vor allem innerhalb der letzten zehn Jahre, wesentliche Wandlungen und Klärungen vollzogen haben, unter denen die von der Satzgrammatik über die Textgrammatik zur Sprechaktgrammatik (S. J. Schmidt) die wohl wichtigste ist. Da diese sich erst innerhalb des letzten Jahrzehnts linguistischer Forschung herauskristallisiert hat, sollte man zur eigenen Orientierung nur neueste Literatur zur Linguistik heranziehen. Aus diesem Grunde enthält auch das beigegebene Literaturverzeichnis überwiegend Werke aus den letzten Jahren, was somit nicht nur mit Aktualität, sondern mit sachgerechter Information zu tun hat.

Der auf diese Weise knapp skizzierten Entwicklung und darin besonders den Arbeitsbereichen von Textlinguistik und Textpragmatik soll nun genauer nachgegangen werden, wobei sich abschließend alles in einer Darstellung neuerer Arbeiten zur Gattungsforschung verdichten soll. Die Frage, ob die im Bereich der neutestamentlichen Exegese als Programm und in ersten ausgeführten Ansätzen entworfene »Generative Poetik« nicht (noch) zu sehr auf strukturalistischen Grundlagen und Theorien basiert und die generative Transformationsgrammatik als linguistische Grundlagentheorie in einer nicht mehr vertretbaren Weise benutzt, sei hier nur erwähnt, nicht jedoch explizit weiterverfolgt, zumal die Diskussion darüber bereits von anderer Seite her begonnen hat und aufgenommen wurde (vgl. M. Bamberg und E. Güttgemanns in LingBibl 33, 1974). Wenn jedoch im folgenden die Bedeutung der konkreten Zusammenhänge für die Analyse von Text und Sprache betont werden wird, so kann dies als ein impliziter Beitrag für das Gespräch auch in dem erwähnten Bereich angesehen werden.

II

Etwa seit dem Ende der sechziger Jahre hat die Linguistik den »Text« als das primäre Objekt der Linguistik (P. Hartmann) erkannt. Damit wurde dann auch der weitergehende Schritt der Analysen über die Satzgrenze hinaus vollzogen, und satzübergreifende Zusammenhänge wurden untersucht. Gleichzeitig war damit aber auch schon der nächstfolgende Schritt der Entwicklung angelegt, da Textlinguistik eben auch »mehr« ist als erweiterte Satzlinguistik. Die Fragen nach Textstruktur oder Textsemantik sind nicht nur ein Mehr gegenüber den bisherigen Untersuchungen von Satzstruktur, Satzsemantik usw., sondern sie nötigen sehr bald zur Untersuchung des Textes von seinem Gebrauch, seinem Vollzug her.

Auf diesen Weg wurde man schon sehr bald gewiesen, als die simpel anmutende Frage eine Klärung verlangte, was denn nun eigentlich ein *Text* sei. Definitionen wie »sprachliches Gebilde« oder (primär mündliche) sprachliche Äußerung faßten »Text« bewußt weit — zu weit, wie sich zeigen sollte. Im Text werden Wörter, ja Sätze erst wirklich eindeutig bestimmt. Wörter bringen zwar bestimmte Referenzpotentiale in diesen Text ein, werden aber mit diesen erst innerhalb des Textes klar verbunden und damit determiniert bzw. monosemiert. So wurde »Text« dann als kohärente Folge von Sätzen näherbestimmt, und Kohärenz wurde zur ersten Beschreibungskategorie des Textes — aber auch zum ersten großen Problem der Textlinguistik.

Wodurch ist ein Text in sich geschlossen, gefügt, strukturiert, kohärent? Da gibt es zunächst die sog. Textphorik mit ihren Vor- und Rückverweisen, mit Verknüpfungen, Wiederaufnahmen und Substitutionen, mit Konjunktionen und Implikationen. Nennt man letzteres oder denkt man sich Textbeispiele aus, wird bald deutlich, daß Textkohärenz nicht nur syntaktisch aufweisbar ist, sondern daß es auch semantische Verknüpfungen gibt und neben der syntaktischen Bedeutungsmatrix (P. Hartmann) auch die semantisch-theoretische Struktur, die semantische Textbasis steht, die Einheit der Thema-Rhema-Abfolge, die sich zwar auch in der Kohärenz von Lexikalisierung, Referenzen, temporalem Aufbau usw. zeigt, aber neben der syntaktischen auch die semantische Isotopie einschließen muß, zumal es z. B. auch eine semantische Anapher im Textgefüge gibt.

Texte liegen als konkrete Äußerungen der Sprachverwirklichung vor, als Performanztexte in sog. Oberflächenstruktur. Eine bisher noch nicht geklärte Frage ist die nach möglichen Rückschlüssen auf die Tiefenstruktur eines Textes, auf die Textkompetenz, die Sprechintention. Wenn semantische Verknüpfungen zu einem Text gehören und in ihm aufweisbar sind, sollte an sich auch die Tiefenstruktur dieses Textes erschließbar sein, woran auch immer wieder gedacht und was immer wieder versucht bzw. postuliert wird. Im Gegensatz dazu muß nun aber betont werden, daß erstens dieser Begriff »Tiefenstruktur« (noch) sehr unklar ist und nicht exakt genug beschrieben werden kann. Zweitens muß ein Erschließungsversuch dieser Tiefenstruktur notwendig dann auch das mit im Blick haben, was der jeweilige Sprecher bzw. Hörer an inneren und äußeren Voraussetzungen, an sog. Präsuppositionen in seinen Text miteinbringt. Damit ist insgesamt gerade auch hier (vgl. unter III) die Sprechsituation mitzubedenken. Aus allen diesen Gründen ist folglich die Frage, ob Tiefentexte aus Performanztexten erschließbar sind, genauer: ob letztlich eine Kompetenzgrammatik als Textgrammatik letztes Ziel der Textlinguistik ist, nach wie vor umstritten — besonders noch dann, wenn es sich, wie bei den biblischen Texten, nur um schriftliche Texte toter Sprachen handelt.

Aber schon bei den weiteren Untersuchungen der Performanztexte leistete die Linguistik manches, was für die Exegese biblischer Texte von Bedeutung ist.

Wird Text (zunächst) als eine kohärente Folge von Sätzen definiert, stellt sich von selbst die Frage nach Textanfang und Textschluß. Wie sieht ein Textanfang aus, wie ein Textende? Da die Bibel überwiegend sog. emische Texte enthält — abgesehen etwa von manchen Psalmen —, die in ihrer Abgrenzung nicht markiert, sondern erst ausgegrenzt werden müssen, wird die Bedeutung dieser Fragestellung schnell deutlich. Wie sehen Textanfangssignale aus, wie kataphorische, erwartungsweckende Texteinsätze, und wie werden sie weitergeführt, wie gelangen sie zum Abschluß? Dann werden linguistische Bestimmungen des Phänomens Stil versucht, oder die Eigenart von Poesie wird linguistisch näher bestimmt, wobei Inkohärenz, Metapher, Abweichung, Interpretationsnotwendigkeit, Leserwirkung, besondere Funktion usw. wichtig werden (vgl. U. Oomen).

Da nun ein Text jedoch einerseits sehr umfangreich sein kann (mehrbändiges wissenschaftliches Werk) oder zumindest aus Abschnitten besteht (zu diesen: T. Silman), anderseits nur ein einziges Wort umfassen kann (»Halt!«), führt die Untersuchung dieser Texte mit innerer Notwendigkeit zur Frage nach dem Text und seinem Vollzug, nach der Textsituation. Man entdeckte zudem, daß »Kohärenz« allein nicht ausreicht, um die Größe »Text« ausreichend zu beschreiben. Neben der Kohärenz muß nämlich von »Kompletion« gesprochen werden, d. h. davon, daß der Text die von der vorgegebenen Situation her notwendige Informationsmenge auch wirklich enthält, daß er in sich geschlossen ist und seine Funktion erfüllen kann und erfüllt.

Dieses Argument oder diese Erkenntnis ernst nehmen heißt aber nichts anderes, als daß das Phänomen »Text« nicht mehr ausschließlich lingui-

stisch beschreibbar ist, daß »Text« nicht mehr eine nur innerlinguistische
Kategorie ist und bleiben kann. So kam es zur sog. pragmatischen Wende der Linguistik, die kurz näher zu skizzieren ist.

III

Text ist mehr als Wort und Satz, aber auch mehr als Textgefüge. Text
ist in seiner Kohärenz und Kompletion eine Äußerungsmenge in Funktion (S. J. Schmidt). Damit wird die Texttheorie eingebettet in eine
Theorie der (sprachlichen) Kommunikation und wird darin verwen-
dungsorientiert. Sie löst sich dabei allerdings in keiner Weise von der
Semantik, da Anrede und Sinngehalt ja nicht voneinander zu trennen
sind (vgl. Schelkle, ThLZ 1975). So spricht man übergreifend jetzt auch
öfters lieber von Texttheorie (S. J. Schmidt) statt von Textlinguistik.
Mit allem wird die Frage nach der Eigenart eines Textes über dessen
syntaktische und semantische Strukturbeschreibung hinaus weitergetrie-
ben, damit aber auch entscheidend präzisiert, da er als sprachliche Handlung, als Text in Funktion erforscht wird. Und schließlich ist es ja eben
die Sprache in Funktion und im Vollzug, die dem Linguisten vorgegeben ist, nicht aber nur Wörter oder Sätze als solche. Auch die »Bedeutung« eines Textes hängt mit der Sprachsituation zusammen. Die einzelnen Wörter bringen für diese zwar etwas mit, werden jedoch erst in ihrem und durch ihren Gebrauch semantisch näherbestimmt.
Der Text wird damit als sprachliche Handlung, als sprachlich-kommu-
nikative Handlung zwischen Handlungspartnern, als kommunikatives
Handlungsspiel (S. J. Schmidt) sehen gelehrt. Er ist sozial vermittelt und
hat eine soziale Funktion. So fragt man jetzt nach dem »Sender« und
»Empfänger«, nicht nur nach dem sprachlichen Code. Ort und Zeit des
Kommunikationsvorganges werden wichtig, sozialer Status der Beteilig-
ten wie überhaupt der gesellschaftliche Kontext. Welches ist die beabsichtigte, welches die reale Wirkung des Textes in seiner Situation? Diese
Fragen der Textpragmatik sind z. B. auch gerade für die Untersuchung
der religiösen Sprache in ihrer Eigenart wesentlich, die ja keine eigene
Grammatik, wohl aber eine besondere Pragmatik hat, da »religiös« eine
textpragmatische Kategorie ist. In welcher »Welt« sind die zu untersu-
chenden bzw. verwendeten Sprachaussagen wahr oder falsch? Welche
Gruppenzugehörigkeit von Sender und (oder) Empfänger ist wesentlich? Sprachhandlungen sind durch konventionelle Bestandteile mitgeprägt und hängen in ihrem Gelingen stark von diesen ab. Jede Situation
hat ihre bestimmten Normen, und die Abfolge sprachlicher Handlungen ist durch sie mitbestimmt. Rollenerwartung und Verhaltensnormen,
Präsuppositionen und Erwartungen allgemeiner wie spezieller Art über-

haupt sind zu bedenken, denn Sprache hängt als soziales Phänomen eng mit »Gesellschaft« in all deren Ausprägungen zusammen. Sie schließt Regeln sozialer Interaktion ein, und zwar verbale wie nonverbale, und jeder sprachliche Kommunikationsakt, der sich zu einem »Text« verdichtet und in ihm vollzieht, hat auch außersprachliche Komponenten.

Mit allem ist letztlich nicht nur die Soziolinguistik berücksichtigt, sondern ein wesentliches Stück der Kommunikationstheorie in die Textanalyse hereingeholt. Die textimmanente Analyse wird in gewisser Weise überschritten, und textexterne Kriterien werden für die Beschreibung des Textes wichtig, da z. B. nach Textkonstitution und Textrezeption gefragt wird und der Zusammenhang von Redekonstellation und Sprachverhalten erkannt ist. Diese Wendung zur Kommunikationswissenschaft kann nach allem keineswegs nur negativ gewertet werden — auch nicht durch die Theologie! Es war auch die »Kompletion« des Textes, die nach seiner Situation fragen ließ, denn nur von ihr her ist diese seine Kompletion bestimmbar. »Text« wird dann als »das Gesamt der in einem Kommunikationsakt verwendeten Zeichen« (W. Klein) beschrieben, womit das alleinige Fragen nach der Kohärenz des Textes als seiner primären Eigenart überschritten wird. Damit ist aber zugleich gesagt, daß Texte nicht nur durch generative und transformationelle Gesetzlichkeiten entstehen, sondern auch durch historisch evolutive Sinnnotwendigkeiten, was z. B. in der »Generativen Poetik« des Arbeitskreises um E. Güttgemanns nicht ausreichend berücksichtigt wird. Sprache hat neben ihrem syntaktischen und semantischen Aspekt auch den pragmatischen, womit nach der Sprachverwendung zu fragen ist, die auf den soziokulturellen Kontext der Texte achten lehrt: Wie und wo wird der Text vom Hörer/Leser aufgenommen und verarbeitet? Was will er erreichen?

Daß diese Textpragmatik auf die Zusammenarbeit mit anderen Wissenschaften angewiesen ist, sei nur kurz angedeutet und unterstrichen. Soziologie, Psychologie, Literaturwissenschaft, Geschichtswissenschaft usw. sind mit heranzuziehen, und durch ihre enge und wesenhafte Bindung an Text und Sprache ist die Verbindung von Theologie und Linguistik dann auch notwendig die von Theologie und Sozialwissenschaften — und dies schon via »Text«! Sprache ist nach allem nicht nur ein System von Zeichen, sondern ein Verbund von Bedeutungsstrukturen, da die Referenz jedes Textes auch die Funktion seines Gebrauches ist. Innerhalb des kommunikativen Handlungsspieles wird Wirklichkeit gesetzt (z. B. in Form religiöser Sprache), und auch »Wahrheit« hat eine pragmatische Dimension, da sie an Situation, Hörer, Sprecher, Zeit usw. gebunden ist, was man gut an der alttestamentlichen Wertung der Lüge, aber auch an Bonhoeffers schönen Ausführungen über »Die Wahrheit sagen« zeigen kann.

Sprechakte sind damit Formen regelgeleiteten Verhaltens, sind auf die Situation bezogen und von ihr her geprägt. Wer Sprache lernt, lernt nicht nur Regeln zur Generierung von Sätzen oder Texten, sondern darin zugleich Regeln sozialer Interaktion (S. J. Schmidt), die auch aus außersprachlichen Faktoren bestehen. Aber nicht nur das viel zitierte Speiserestaurant oder der Fahrkartenschalter haben ihre »Pragmatik«, sondern auch die Welt des Glaubens, der Religion, der Glaubensaussagen mit ihrer eigenen Erfahrung, Situation, Welt und Intention.

Beim Umgang mit den schriftlichen Texten der Bibel, die nur in toter Sprache der Vergangenheit uns zugänglich sind und wo somit literarisch realisierte Theologie in schriftlicher, und d. h. noch dazu sekundärer, Strukturierung vorliegt, ist Vertrautheit mit Literaturtheorie notwendig. Ob es allerdings möglich sein wird, die hinter diesen schriftlichen Performanztexten liegende literarische Kompetenz zu erschließen, ist nicht nur wegen des zeitlichen Abstandes und angesichts literarischer Texte in für uns toten Sprachen, sondern schon deswegen zu bezweifeln, weil die genauen Beziehungen zwischen Performanz und Kompetenz noch keineswegs klar sind.

Schaut man zurück, so wurde der Weg der Linguistik von der Wort- und Satzlinguistik zur Textlinguistik, von dieser zur übergreifenderen Texttheorie kurz skizziert und dabei zu zeigen versucht, daß und wie die Fragen nach dem Text mit innerer Notwendigkeit zu dem Fragen nach der Textverwendung führten — damit von der Analyse satzübergreifender Sprachgebilde zur Theorie der Sprechakte überhaupt. Letztere hat nun die Situation des jeweiligen Textes wichtig gemacht — oder sagen wir (und dies nun in bewußt dem Theologen »vertrauterer« Form!) den jeweiligen »Sitz im Leben«. Wer sich als Theologe heute mit der Texttheorie der Linguisten näher beschäftigt, stößt damit auf einen merkwürdigen Tatbestand: er findet ihm seit langem vertraute Dinge, entdeckt Fragestellungen und Arbeitsweisen, die innerhalb rechter Exegese schon immer praktiziert wurden (hoffentlich jedenfalls!), und er wird — durch die Debatte innerhalb der Linguistik bereichert, durch deren andere Fragestellungen angeregt — neu an seine eigenen exegetischen Methoden zurückverwiesen.

Denn wenn der Linguist von situationsbezogenen und situationsgeprägten, regelgeleiteten, normbestimmten Sprechhandlungen spricht, spricht er letztlich von den »Gattungen«, vom »Sitz im Leben« usw. Und so ist es nicht verwunderlich, wenn die linguistische Debatte der Gegenwart, die sich um eine umfassende Texttheorie müht und dabei die Pragmatik, die Sprachverwendung nicht mehr übergehen will noch kann, mit ebenfalls beinahe innerer Notwendigkeit bei der Frage der Textgattungen, der Textsorten, der Texttypen angelangt ist, da Textsorte und Kommunikationssituation ja Korrelate sind.

Damit ist der Weg gebahnt zu einem Blick in die linguistische Debatte um die »Gattungen«, wobei dieser Blick nicht nur das Ziel hat, diese Debatte etwas kennenzulernen, sondern aus ihr und durch sie bereichert und sozusagen mit neuer »Optik« versehen in die exegetische Arbeit zurückzukehren.

Wurde die Linguistik selbst den Weg zu Text, Textverwendung, Situation, Textkohärenz und Kompletion geführt, so besteht für den Theologen erst recht keinerlei Anlaß (mehr), nicht ein Stück Wegs zusammen mit der Linguistik zu gehen und sich dabei getrost auch ihrer Führung anzuvertrauen — vielleicht, um dann später wieder selbst oder besser noch in ständiger Partnerschaft mit den anderen Text- und Sprachwissenschaften laufen zu können.

IV

Wenn nun das bisher zu Textlinguistik bzw. Texttheorie und zur Textpragmatik Ausgeführte im Blick auf die heutige linguistische Gattungsforschung konkretisiert und summiert werden soll, so soll dies in drei Arbeitsschritten geschehen. Zuerst ist darzustellen, was aus den Bereichen der Linguistik zu den Gattungen allgemein bzw. allgemein zu den Gattungen gesagt wird. Danach ist der Klassifizierung der Einzelgattungen nachzugehen. Schließlich soll abschließend nochmals auf das Problem der schriftlichen Texte eingegangen werden, da ja diese dem Theologen in seinem Umgang mit biblischen Texten von besonderem Interesse und besonderer Wichtigkeit sind.

Wenn »Text« eine vollständige, kommunikationsrelevante Äußerung (Henning) ist, dann sind Gattungen nicht nur Vertextungstypen, nicht nur Textsorten mit bestimmten Textkonstituenten. Auch an dieser Stelle hat folglich die linguistische Pragmatik das Bild vom Text ergänzend korrigiert.

Wenn in der Linguistik zunächst oft zwischen Gattungen und Textsorten unterschieden wird, so wird der Begriff »Gattung« in mehr historisch fragender und historisch untersuchender Weise verwendet, während »Textsorte« mehr auf den gegenwärtigen Gebrauch zielt und Textvorkommen (Gülich-Raible, 1975) die konkrete Manifestation einer Textsorte im Einzeltext bezeichnet (W. Richter: »Form«). Ist die Textsorte als systematische Einheit, so ist das konkrete Textvorkommen sowohl textintern wie textextern zu beschreiben. Zuweilen wird noch weiter in Textsortenklasse (z. B. Erzählung) und Textsorte (z. B. Novelle) unterschieden.

Werden Textsorten nun näher beschrieben — und zwar zunächst im Rahmen der Textlinguistik —, so spricht man von Textkonstituenten,

d. h. etwa von Wortarten, Satzarten, Satzverknüpfungsarten, insgesamt von einem Vertextungstyp mit bestimmter syntaktischer Matrix (P. Hartmann), vom Zusammenhang literarischer Formen mit linguistischen Strukturen. Formkritik hängt dann für uns Theologen mit Textstrukturanalyse zusammen, und die Formanalyse literarischer Gattungen wäre stärker mit der Analyse syntaktischer Normen zu verbinden. Insofern ist und wird wichtig, daß neuerer Hebräisch-Unterricht stärker nach der Syntax fragt (vgl. W. Schneider, Grammatik des Biblischen Hebräisch, 1974).

Doch nun muß auch hier die »pragmatische Wende« der neueren Linguistik berücksichtigt und eingebracht werden. Textsorten haben in der Tat bestimmte (Gruppen von) Textbildungsnormen, jedoch sind diese nicht allein von der Syntax, von der Grammatik her bestimmt, sondern diese Normen sind durch Redesituation und Intention, die beabsichtigte Wirkung des Textes in der Textsituation mitgeprägt — damit durch das, was man im vollsten Sinn des Wortes »Sitz im Leben« nennt. Jeder Text hat seinen soziokulturellen Ort und seine Absicht. Er wird insgesamt wie in seinem konkreten Ziel auf diese Situation hin ausgewählt und gestaltet. Die Textkonstituenten sind dann kontextnotwendig. Es sind die gesellschaftlichen Situationen, die hier normenbildend wirken. Folglich ist nicht nur zu fragen: Wovon ist die Rede? Wie ist davon die Rede? Wodurch ist davon so die Rede? Sondern dieser Katalog muß ergänzt werden durch: Was soll mit diesem Text, dieser Sprechhandlung bei wem und wo erreicht werden? Wodurch ist hier ein entsprechendes Verstehen möglich? Eine Sprache ist eine Art Organoid oder Systemoid, und Textgattungen zeigen mit ihren Textstrukturen auch bestimmte Verstehensstrukturen auf, Gattungen religiöser Texte damit etwas über Glaubensstrukturen (Klage, Bitte, Lob usw.). Da aber darüber hinaus Redekonstellation und Texttyp zusammenhängen und nach Form, Funktion und Intention zu fragen ist, muß über die Textstrukturen hinaus nach Textfunktion(en) gefragt werden.

Textintern wäre etwa das lexematische Repertoire einer Textsorte zu erstellen, dann ihr syntaktisches Strukturmuster mit Satzarten und vor allem den Arten der Satzverbindungen (Hebräisch!). Merkmalsoppositionen sind dabei von Wichtigkeit. Die handelnden Personen und ihre Funktionen wie ihre Beziehungen zueinander sind zu untersuchen. Dann jedoch ist der Text nicht mehr allein textintern und nur linguistisch-kontextuell untersuchbar, sondern muß auch textextern-kontextuell und damit übergreifend texttheoretisch analysiert werden, d. h. als situationsbezogene Sprechhandlung. Die Textsorten werden damit zur Typologie von Vertextungen, zu Sprechhandlungstypen, die Kommunikationsnormen unterliegen und verschiedene Kommunikationstypen, genauer: Interaktionstypen (S. J. Schmidt) darstellen, wie Fragen, Befehlen, Versprechen, Belehren, Bitten usw. Die Textsorte ist damit vorwiegend an der Situation und Intention, an ihrer beabsichtigten Wirkung und somit am Empfänger orientiert, nicht nur am sprachlichen Code und am Sender: welche Reaktion wird erstrebt, und was wird bewirkt? Man kann sich dies schlicht am Kontrastbeispiel verdeutlichen: Ist das Handlungs- und Kommunikationssystem der Gesellschaft für Textauswahl und Textverwendung entscheidend, dann wirken Texte, die der jeweilig vorgegebenen Situation gerade *nicht* voll verrechenbar sind, auf den Hörer oder Leser als Provokation. Werden sie z. B. als schriftliche Texte in dieser Art bewußt gestaltet und gewählt, ist diese Provokation Absicht, will sie in einer Kontrastsituation mit voller Absicht an deren genaues Gegenteil erinnern bzw. auf dieses hoffen, für dieses mit einem großen »Dennoch« wirken lehren bzw. Mut zur hoffenden Gestaltung oder zu geduldigem Harren wecken (Erzählung vom Auszug aus Ägypten in babylonischer Exilssituation). So kann nicht nur nach dem gefragt werden, worüber geredet wird (Thema) und wie dies geschieht (Rhema) bzw. was darüber gesagt wird, sondern es sind die jeweils situationsbezogenen Präsuppositionen zu berücksichtigen. Was wird in dieser Situation erwartet und »mitgebracht«, was kann dort womit erreicht werden, was nicht? Es gibt dort Voraussetzungen logischer, kontextueller, situationsbedingter Art (bisherige Erfahrungen in Analogsituationen z. B.). Ist somit eine Textsorte als situationstypische Sprechhandlungsweise näher zu bestimmen und sind bestimmte texttypische Sequenzen sowohl mit bestimmten Denkkategorien als auch mit bestimmten Kommunikationssituationen verbunden, so ist weiter nach den Kommunikationssituationstypen und den für diese typischen Textsorten sowie nach deren konkreten Eigenarten zu fragen.

Auf diesem Gebiet vor allem liegt nun der Beitrag neuerer linguistisch-pragmatischer Textsortenforschung, den der Theologe für seine exegetische Arbeit kennen sollte, da hier über die in der Bibelexegese geläufigen Gattungskennzeichnungen und deren Merkmalsbeschreibung hinaus Wichtiges und Hilfreiches erarbeitet wurde.

Aus der formkritischen Forschung am Alten Testament sind wir die Gattungsbezeichnungen gewohnt: Sage, Legende, Novelle, Hymnus, Klagelied des einzelnen wie des Volkes, Heilsorakel, Sprichwort, Brief, Weheruf usw. Neuere Linguistik und Pragmatik fragt darüber hinaus bzw. anders (weiter führend besonders: Hardmeier).

Werlich unterscheidet z. B. zuerst die beiden großen Gruppen der fiktionalen und nichtfiktionalen Texte. Ist ein Text situationsabstrakt und damit nicht an einmalige historische Situation gebunden, sondern kann er jeweils mit anderen Situationen verknüpft werden, so daß er sozusagen seine jeweilige Situation autonom schafft, dann ist er fiktional, da die in ihm gegebenenfalls dargestellte oder angesprochene Situation nicht die einer konkreten Kommunikationssituation zwischen einem bestimmten Sprecher und Hörer ist.

Weitere Merkmalsoppositionen zur Bestimmung von Gattungen sind dann: mündlich – schriftlich, spontan – nicht spontan, monologisch – dialogisch, öffentlich – privat. Welche Texttypen sind welchen sozialen Gruppen geläufig, welche nicht (und zwar aktiv und/oder passiv)? Manche Texte sind mehr expressiv, und der Sprecher bringt in ihnen sich selbst zum Ausdruck (Monolog, Glaubensbekenntnis). Er verschafft sich (emotional) sprachlich Luft oder äußert seine Meinung. Redet er appellativ, so will er etwas erreichen, Kontakt aufnehmen oder auf seinen Partner einwirken. Oder die Merkmalsopposition subjektiv/objektiv wird verfolgt, so daß sich die Gegensätze von Schilderung und Beschreibung, von Kommentar und Abhandlung, von Anweisung und Gesetz, von Erzählung und Bericht ergeben. Geschieht die Darstellung ferner zur Unterhaltung, zur Belehrung, als Ausdruck, als Mitteilung? Wird Handlung als Reaktion erstrebt? Wie kommen Sprecher und Hörer, Intention und beabsichtigte Reaktion, wie ihr beiderseitiges Vorwissen zum Ausdruck?

Auch hier ist wiederum der Textanfang wichtig. Welche Erwartungen weckt er und mit welchen Mitteln? Der Textanfang zeigt den Blickwinkel des Sprechers, grenzt ein, zielt auf bestimmte Spannung, läßt aber auch bestimmte Textlänge und Textentfaltung sowie sprachliche Darstellungsart erwarten (»Es war einmal...«; »Wer Banknoten nachmacht...«). Spätere Sequenzsignale des Textes nehmen dann (wie?) auf den Anfang Bezug; Terminatoren fungieren als Textschlußsignale (welche in welchen Textsorten?). Für beschreibende Texte sind z. B. lokale Initiatoren und phänomenregistrierende Satztypen, für die Erzählung handlungsauszeichnende Verben im Imperfektum, für die Darstellung explikative Verben und Sätze, für die Argumentation dagegen kontrastive Sequenzen konstitutiv (vgl. Werlich). Welche textsortentypischen Initiatoren werden durch welche dominanten Sequenzen entfaltet? Bei konsequenter Anwendung der genannten (und anderer) Kategorien sollte es auch gelingen, nicht nur – wie bisher – eine Erzählung linguistisch genauer beschreiben zu können, sondern auch aufzuzeigen, was für eine Sage, was für eine Novelle usw. konstitutiv ist. Dabei wird auf die *Merkmalskombination* zu achten sein, da ja Einzelkomponenten einer Textsorte kaum spezifisch oder ausschließlich auf eine Gattung eingeschränkt auftreten. Texttypen bieten Merkmalskombinationen. Als Sprechakttypen fragen sie zugleich wiederum nach einer Typologie der Kommunikationsprozesse, und auch aus diesem Grund ist der Blick der Theologie auch fernerhin auf die Kommunikationstheorie zu richten.

Welches sind jeweils die Absichten und Erwartungen des Textherstellers? Welche Mittel hat er benutzt? Verwendet er einen universellen

oder einen speziellen Texttyp? Welches sind dagegen die situationsspe-
zifischen Erwartungen des Textempfängers? Welches sind die Rollen,
welches die allgemeinen wie die speziellen Voraussetzungen der Kom-
munikationspartner?
Inzwischen sind manche der hier angesprochenen Fragestellungen in der
alttestamentlichen Exegese (besonders durch W. Richter und seine Schüler) aufgenommen worden. Da fragt man nach den »kleinen Texteinhei-
ten« und ihren formkritischen Eigenarten, und dies überwiegend durch
Primäruntersuchung der Syntax (Verbinder, Verweiser, Rückverweise,
Brüche, Kohärenz, innere Form, Satzarten, Wortklassen, Verben und
ihre Funktion, Verhältnis von Rede und Handlung, Textabgrenzungen).
Strukturelle Semantik hilft bei der Untersuchung von ähnlichen Verben
oder Verbkombinationen. Epische Formeln, kombinatorische Techniken
und ihre Absichten usw. werden untersucht, und auf dem Umweg über
die Linguistik ist jetzt auch die Wissenschaft des alten vorderen Orients
zur Formkritik und Gattungsforschung gekommen. So gibt Aßmann
eine erste grobe Gliederung der ägyptischen Literatur in Anlehnung an
oben zitierte Textsortenbestimmungen, und Hecker arbeitet wesentliche
Unterschiede zwischen Hymnus, Fabel oder Streitgespräch und Epos im
akkadischen Sprachbereich heraus. Görg kann sogar einen ersten lite-
raturwissenschaftlich begründeten Vergleich zwischen alttestamentlichen
und ägyptischen Texten durchführen.
Die Textsortenbestimmung ist innerhalb der Linguistik noch im Unterwegs; die Typologie der Kommunikationsakte ist weithin noch ein De-
siderat. Wenn jedoch die hier aufgezeigte Entwicklung der Linguistik
hin zur Textsortenuntersuchung, zur Texttypologie als der Typologie
der (sprachlichen) Kommunikation und der damit verbundenen Frage
nach der Situation, nach dem »Sitz im Leben« auch nur entfernt zutrifft,
dann wird hier dem Theologen möglicherweise ein verfeinertes, berei-
chertes Instrumentarium für seine Arbeit an den Bibeltexten geliefert.
Vielleicht stellt dieser Theologe auch nur erstaunt oder belustigt fest,
daß die so viel gepriesene oder auch verdächtigte Linguistik jetzt eigentlich nur zu dem gefunden hat, was der Bibelexegese längst geläufig war.
Und was z. B. Plett (UTB 328, S. 79 f) als die sog. Lasswell-Formel dar-
bietet, hätte man in der Tat schon vor Jahrzehnten bei H. Gunkel lesen
können. G. Storz kann daher dann auch mit einem gewissen Recht feststellen, daß die Suche nach Theorien wieder und wieder auf das Selbstverständliche treffe (a.a.O., S. 51 f). Völlig abgedeckt ist jedoch damit
die pragmatische Wende der Linguistik und ihre Fragen nach den Textsorten und ihren Beschreibungskriterien nun doch nicht. Sondern hier
sind neue Anregungen, Bereicherungen, auch Korrekturen für unsere Arbeit zu finden, wenn auch in der Tat vieles nicht so umstürzend und aufregend ist, wie zuweilen getan wird.

Die Bereicherung und Anregung, die von der Linguistik her der exegetischen Theologie widerfahren kann, sei abschließend noch am Phänomen der Beschreibung schriftlicher (gegenüber mündlichen) Texte aufgezeigt. Wir Theologen gehen mit schriftlichen Texten toter Sprachen bei unserer Beschäftigung mit der Bibel ständig um, und doch kann man manchen Zunftgenossen in Verlegenheit bringen, wenn man ihn bittet, doch einmal genau zu sagen, was eigentlich ein schriftlicher Text ist und worin er seine Besonderheiten hat.

Biblische Texte dürften nur in geringer Zahl allein für den Emittenten des Textes ausgeschrieben sein (Tagebuch, Notiz usw.). Es waren vielmehr andere Menschen, die diese Texte zur Kenntnis nehmen sollten — mit welcher genaueren Absicht auch immer. Schriftliche Texte entschränken den Textrezipienten, sind anderseits jedoch als Einwegkommunikation prinzipiell monologisch, da sie keine Reaktion des Partners aufnehmen können. Die außertextuale Wirklichkeit ist bewußt eingeschränkt vermittelt, damit auch die pragmatische Kontextualität. Die Wahl des Mediums »Schrift« ist ebenfalls bereits eine kommunikationsorientierte Entscheidung. Mit der Verschriftlichung wird der Text in seinem Sprachniveau außerdem meist auf einen bestimmten (höheren) Soziolekt festgelegt, bei dem sehr gefragt werden kann, ob er dem mündlich gesprochenen Wort entspricht bzw. entsprochen hätte. Verschriftlichung eines Textes gliedert diesen einem sekundären Zeichensystem ein, schafft damit letztlich neue Realität und verändert die vorherige. Räumliche und zeitliche Distanz zwischen Sprecher/Schreiber und Hörer/Leser wird aufgehoben und soll bewußt überbrückt werden. Damit wird der Text aber auch stärker situationsabstrakt. Die Präsuppositionen zwischen Schreiber/Leser sind andere als die zwischen Sprecher/Hörer, und ob wirkliche Kommunikation stattfindet, ob das im schriftlichen Text vorliegende Angebot zur Kommunikation wirklich aufgenommen wird und wie diese Aufnahme dann aussieht, ist dem Schreiber entwunden. Werden nicht ausdrückliche Situationsangaben beigefügt, was an sich der Absicht der Verschriftlichung in gewisser Weise sogar zuwiderläuft, schafft eine Verschriftlichung eine größere Zahl »fiktionaler« (s. o.) Texte. Da mündliche Texte z. B. durch Tonhebungen oder ähnliches noch andere Verknüpfungsmittel als schriftliche Texte haben, Gesten, Tonfall, Klanggestalt, Spontaneität und außersprachliche Zeichen aber beim schriftlichen Text entfallen, muß der Sinn einzig und allein erlesen werden, muß dann aber auch erlesbar *sein*, was nur durch eine genauere Strukturierung des Textes erreichbar ist. Gliederung, Tonführung, dadurch aber auch Intention (Ironie darin?!) müssen erschlossen werden können, obwohl der »Sitz im Leben« bei der Verschriftlichung des Textes sich (vielleicht schon zum mehrfachen Mal) gewandelt hat. Textgliederungsmerkmale usw. sind hier dann von noch größerer Bedeutung —

und Aufnahme literaturwissenschaftlicher Arbeitsmethodik in die biblische Exegese noch notwendiger. Die Fragen nach Textanfang und Textende sowie nach deren Eigenarten werden neu aktuell (Prophetische Texte!). Vom Leser wird bei schriftlichen Texten zwar weniger »Vorwissen« gefordert, als dies bei mündlicher Kommunikation in bestimmten Kommunikationssituationen der Fall ist; er muß aber dafür um so mehr Interpretation leisten können, wozu wiederum der Text ihm die Anhaltspunkte liefern muß. Denn alle vor- und außersprachlichen Mittel der Kommunikation sind uns — und dies besonders bei der Analyse schriftlicher Texte toter Sprachen aus einem anderen soziokulturellen Bereich — wiederum nur in den Texten gegeben und aus ihnen nur erschließbar. Archäologie und andere Texte (!) aus der Umwelt tragen nur wenig zu konkreter Textinterpretation bei, wenn man auch nicht den textimmanenten Purismus übertreiben und das sonstige Wissen des Exegeten künstlich abblocken sollte. Schriftliche Texte sind gegenüber mündlichen bewußter gestaltet, was manches der fehlenden Informationen ersetzen kann. Sie sagen z. B. auch einiges über Absicht und Erwartung des Emittenten, dafür aber wiederum nichts über die Reaktion des jeweiligen Rezipienten. Da schriftliche Texte aus dem Alltag relativ selten sind und die Produktion schriftlicher Texte im Alltag der biblischen Zeit des Alten Testaments von den vorauszusetzenden Situationen her nicht als besonders häufig anzunehmen ist, wird man von schriftlich überlieferten Texten nicht wenig erwarten dürfen — zumal dann, wenn sie, in einem »Kanon« gesammelt, mit voller Absicht immer neue Rezipienten suchen sollen und suchen.

Die Frage nach den Textsorten und ihrer Näherbestimmung kommt somit angesichts schriftlicher Texte neu, wenn auch in etwas modifizierter Form, auf die Textwissenschaftler zu, und zu diesen gehören auch die Theologen. Abgrenzung der Einheiten, Anfangs- und Schlußsignale mit den Erwartungshaltungen, die sie wecken bzw. füllen, innere Struktur der Texteinheit, Kommunikationssituation usw. sind auch hier zu erfragen. Und wenn der Theologe dann noch z. B. daran denkt, daß man schriftlich konzipierte Texte, die aus langer Denkarbeit entstanden sind, nicht in 20 Minuten unverändert und ungebrochen als mündliche Rede vortragen kann, wobei hier an die Predigt gedacht ist, wäre auch auf diesem anders gelagerten Gebiet manches gewonnen. Auf den Gebieten der Fragen nach Textkohärenz und Textkompletion, nach Texttypen, Kommunikationstypen und Sprechhandlungstypen kann die Exegese auch fernerhin von der Linguistik lernen. Linguistische Textanalyse ist dann zwar niemals die ganze Exegese, liefert aber eine bessere Basis und eine in vielem überprüfbare Methodik.

Verzeichnis wichtiger Literatur zu den verhandelten Fragen

I. Nachschlagewerke, Einführungen, allgemeine Orientierungen

M. Bierwisch, Strukturalismus. Geschichte, Probleme und Methoden, in: Kursbuch 5, 1966, S. 77–152 (auch in: J. Ihwe [Hrsg.], Literaturwissenschaft und Linguistik I, S. 17 ff.)

J. Hermand, Synthetisches Interpretieren, München 1968

G. C. Lepschy, Strukturale Sprachwissenschaft, München 1969

H. Glinz, Linguistische Grundbegriffe und Methodenüberblick, Bad Homburg 1970

E. Leibfried, Kritische Wissenschaft vom Text, Stuttgart 1970

K. D. Bünting, Einführung in die Linguistik, Frankfurt/M. 1971

J. Ihwe, Linguistik in der Literaturwissenschaft, München 1972

S. Schödel, Linguistik, München 1972

H. Blumensath (Hrsg.), Strukturalismus in der Literaturwissenschaft, Köln 1972

C. Heeschen, Grundfragen der Linguistik, (Urban-TB 156) Stuttgart 1972

S. und S. Vietta, Literaturtheorie, München 1973

Funk-Kolleg Sprache 1 und 2, (Fischer-TB 6111/6112) 1973 und 1974 (dazu: Studienbegleitbriefe »Lehrgang: Sprache«, 2 Bde., Weinheim und Basel 1974)

W. A. Koch (Hrsg.), Perspektiven der Linguistik I/II, Stuttgart 1973/74

Grundzüge der Literatur- und Sprachwissenschaft 1 und 2, (DTV-TB 4226/7) 1973/74

G. Helbig, Geschichte der neueren Sprachwissenschaft, (rororo-Studium 48) 1974

H.-D. Kreuder, Studienbibliographie Linguistik, Wiesbaden 1974

W. Welte, Moderne Linguistik: Terminologie/Bibliographie, 2 Bde., München 1974

J. Lyons (ed.), Neue Perspektiven der Linguistik, (rororo--Studium 66) 1975

H. Stammerjohann (Hrsg.), Handbuch der Linguistik, München/Darmstadt 1975

Th. Lewandowski, Linguistisches Wörterbuch, 3 Bde., (UTB 200, 201, 300) Heidelberg 1973 und 1975

G. Storz Sprachanalyse ohne Sprache, Stuttgart 1975

II. Zur »Textlinguistik«

P. Hartmann, Syntax und Bedeutung, Assen 1964

P. Hartmann, Text, Texte, Klassen von Texten, Bogawus 1, 1964, H. 2, S. 15 bis 25 (auch in: W. A. Koch [Hrsg.], Strukturelle Textanalyse, Hildesheim 1972, S. 1 ff.)

R. Harweg, Pronomina und Textkonstitution, München 1968

R. Harweg, Textanfänge in geschriebener und gesprochener Sprache, Orbis 17, 1968, S. 343–388

Replik 2, 1968 (darin die Beiträge von Hartmann, Harweg, Isenberg; letzterer auch in: J. Ihwe [Hrsg.], Literaturwissenschaft und Linguistik I, S. 155 ff.)

P. Hartmann, Textlinguistik als linguistische Aufgabe, in: Konkrete Kunst — konkrete Dichtung (Hrsg. S. J. Schmidt), Karlsruhe 1968, S. 62–77

K. Baumgärtner, Linguistik und konkreter Text, ebd., S. 46–61

F. Daneš, Zur linguistischen Analyse der Textstruktur, Folia Linguistica 4, 1970, S. 72–78

E. Wittmers, Ein Beitrag zur funktionalen Textlinguistik, Sprachpflege 19, 1970, S. 49–52

24

K. Brinker, Aufgaben und Methoden der Textlinguistik, Wirkendes Wort 21, 1971, S. 217–237 (Lit.!)

W.-D. Stempel (Hrsg.), Beiträge zur Textlinguistik, München 1971

J. S. Petöfi, Transformationsgrammatiken und eine ko-textuelle Texttheorie, Frankfurt/M. 1971

H. Glinz, Soziologisches im Kernbereich der Linguistik. Skizze einer Texttheorie. Sprache und Gesellschaft (Jahrbuch 1970), Düsseldorf 1971, S. 82–86

U. Fries, Zur Textlinguistik. Linguistik und Didaktik 7, 1971, S. 219–234

Aspekte der linguistischen Behandlung von Texten, in: Textlinguistik 2, Dresden 1971, S. 132–176

J. Ihwe (Hrsg.), Literaturwissenschaft und Linguistik, 3 Teile in 4 Bänden, Frankfurt/M. 1971/72

J. Ihwe, Linguistik in der Literaturwissenschaft, München 1972

W. A. Koch (Hrsg.), Strukturelle Textanalyse, Hildesheim 1972

S. J. Schmidt (Hrsg.), Zur Grundlegung der Literaturwissenschaft, München 1972

N. E. Enkvist (u. a.), Linguistik und Stil, Heidelberg 1972

T. A. van Dijk (u. a.), Zur Bestimmung narrativer Strukturen auf der Grundlage von Textgrammatiken, Hamburg 1972

T. A. van Dijk, Beiträge zur generativen Poetik, München 1972

W. Dressler, Einführung in die Textlinguistik, Tübingen 1972

G. Wienold, Semiotik der Literatur, Frankfurt/M. 1972

Zeitschrift für Literaturwissenschaft und Linguistik 2, 1972, Heft 5

Der Deutschunterricht 24, 1972, Heft 4 (darin besonders Beitrag von S. J. Schmidt, Text als Forschungsobjekt der Texttheorie, S. 7–28)

W. Sanders, Linguistische Stiltheorie, Göttingen 1973

W. U. Dressler/S. J. Schmidt, Textlinguistik. Kommentierte Bibliographie, München 1973

H. Glinz, Textanalyse und Verstehenstheorie I, Frankfurt/M. 1973

U. Oomen, Linguistische Grundlagen poetischer Texte, Tübingen 1973

H. Sitta/K. Brinker (Hrsg.), Studien zur Texttheorie und zur deutschen Grammatik (FS H. Glinz), (Sprache der Gegenwart, Bd. 30) Düsseldorf 1973

C. Schwarze, Zu Forschungsstand und Perspektiven der linguistischen Textanalyse. Linguistik und Didaktik 15, 1973, S. 218–231

R. Lachmann, Zum Umgang mit Texten. In: Neue Ansichten einer künftigen Germanistik, (Reihe Hanser 122) München 1973, S. 219–225

W. Ingendahl, Was kann die Textlinguistik einer Gestaltungslehre nützen? LB 23, 1973, S. 53–64

I. Kerkhoff, Angewandte Textwissenschaft, Gütersloh 1973

S. J. Schmidt, Texttheorie, (UTB 202) München 1973

R. Harweg, Textlinguistik, in: W. A. Koch (Hrsg.), Perspektiven der Linguistik II, Stuttgart 1974, S. 88 ff

P. Hartmann/H. Rieser (Hrsg.), Angewandte Textlinguistik I, Hamburg 1974

E. Gülich / K. Heger / W. Raible, Linguistische Textanalyse, Hamburg 1974

T. Silman, Probleme der Textlinguistik (UTB 326) Heidelberg 1974

B. Spillner, Linguistik und Literaturwissenschaft, Stuttgart 1974

R. Eigenwald, Textanalytik, München 1974

W. Kallmeyer (u. a.), Lektürekolleg zur Textlinguistik, 2 Bde., (FAT 2050/2051) Frankfurt/M. 1974

H. F. Plett, Textwissenschaft und Textanalyse, (UTB 328) Heidelberg 1975

W. Kummer, Grundlagen der Texttheorie, (rororo-Studium 51) 1975

III. Zur Textpragmatik

D. Wunderlich, Die Rolle der Pragmatik in der Linguistik. Der Deutschunterricht 22, 1970, Heft 4, S. 5–41

D. Wunderlich (Hrsg.), Linguistische Pragmatik, Frankfurt/M 1972

U. Maas / D. Wunderlich, Pragmatik und sprachliches Handeln. Mit einer Kritik am Funkkolleg »Sprache«, Frankfurt/M. 1972

B. Sandig, Beispiele pragmalinguistischer Textanalyse. Der Deutschunterricht 25, 1973, S. 5–23

S. J. Schmidt (Hrsg.), Pragmatik I, München 1974

D. Breuer, Einführung in die pragmatische Texttheorie, (UTB 106) München 1974

R. M. Kempson, Presupposition and the delimination of semantics, Cambridge 1975

J. Hennig / L. Huth, Kommunikation als Problem der Linguistik, Göttingen 1975

H. J. Schneider, Pragmatik als Basis von Semantik und Syntax, Frankfurt/M. 1975

IV. Zum Problem der Gattungen (Textsorten)

E. Gülich / W. Raible (Hrsg.), Textsorten, Frankfurt/M. 1972

C. Gniffke-Hubrig, Textsorten. Erarbeitung einer Typologie von Gebrauchstexten. Der Deutschunterricht 24, 1972, H. 1, S. 39–52

G. Beck, Textsorten und Soziolekte. Sprache der Gegenwart 30, Düsseldorf 1973, (FS H. Glinz), S. 63–72

H. Sitta, Kritische Überlegungen zur Textsortenlehre. Sprache der Gegenwart 30, Düsseldorf 1973, (FS H. Glinz) S. 73–112

K. W. Hempfer, Gattungstheorie, (UTB 133) München 1973

E. Gülich / W. Raible, Textsortenprobleme. Sprache der Gegenwart 35, Düsseldorf 1975, S. 144–197

E. Werlich, Typologie der Texte, (UTB 450) Heidelberg 1975

V. Linguistik und (alttestamentliche) Exegese (bzw. Theologie)

A. Grundsatzfragen

Bibliographie in »Linguistische« Theologie (Hrsg. U. Gerber / E. Güttgemanns), (Forum Theol. Ling. 3) Bonn 1972, S. 197 ff. (2. A. 1975)

Zeitschrift »Linguistica Biblica«, Bonn (vor allem in Nr. 1; 3; 19; 25/26; 29/30; 32; 33)

Reihe »Forum Theologiae Linguisticae«, Bonn (dort auch Beispiele)

W. Richter, Exegese als Literaturwissenschaft, Göttingen 1971

F. Bovon, Strukturalismus und Exegese, WuP 60, 1971, S. 16–26

R. Lapointe, La valeur linguistique du Sitz im Leben, Bibl 52, 1971, S. 469–487

E. A. Nida, Implications of contemporary linguistics for Biblical scholarship, JBL 91, 1972, S. 73–89

P.-G. Müller, Die linguistische Kritik an der Bibelkritik. Bibel und Liturgie 46, 1973, S. 105–118

E. Güttgemanns, Einleitende Bemerkungen zur strukturalen Erzählforschung, LingBibl 23/24, 1973, S. 2–47

R. Kieffer, Die Bedeutung der modernen Linguistik für die Auslegung biblischer Texte, ThZ 30, 1974, S. 223–233

H. Weder, Der Strukturalismus in der Theologie, KBRS 130, 1974, H. 25, S. 386–389

E. J. Krzywon, Literaturwissenschaft und Theologie, StdZ 99, 1974, S. 108–116
P. Hartmann, Religiöse Texte als linguistisches Objekt, in: ders. und H. Rieger
(Hrsg.), Angewandte Textlinguistik, Hamburg 1974, S. 133–158
H. Frankemölle, Exegese und Linguistik — Methodenprobleme neuerer exege-
tischer Veröffentlichungen, ThRev 71, 1975, H. 1, Sp. 1–12
E. Schmalenburg, Sprachanalyse und Wahrheitsfrage, KuD 21, 1975, S. 176–192
W. Schenk, »Wort Gottes« zwischen Semantik und Pragmatik, ThLZ 100, 1975,
Sp. 481–494

B. Anwendungsbeispiele
W. Richter (s. o. unter Va)
W. Richter, Traditionsgeschichtliche Untersuchungen zum Richterbuch, Bonn
1963 (2. A. 1966; BBB 18)
W. Richter, Die Bearbeitungen des »Retterbuches« in der deuteronomischen
Epoche, (BBB 21) Bonn 1964
W. Richter, Recht und Ethos, München 1966
W. Richter, Die Überlieferungen um Jephtah Ri 10,17 — 12,6, Bibl 47, 1966,
S. 485–556
W. Richter, Die sogenannten vorprophetischen Berufungsberichte, (FRLANT
101) Göttingen 1970
E. Zenger, Die Sinaitheophanie (fzb 3) Würzburg 1971
W. Gross, Bileam, (StANT 38) München 1974
H. Schweizer, Elischa in den Kriegen (StANT 37) München 1974
K. Hecker, Untersuchungen zur akkadischen Epik, (AOATS 8) Kevelaer/Neu-
kirchen 1974
F. Schicklberger, Jonatans Heldentat. Textlinguistische Beobachtungen zu I Sam
XIV 1–23a. VT 24, 1974, S. 324–333 (Lit.!)
J. Assmann, Der literarische Text im Alten Ägypten. OLZ 69, 1974, Sp. 117
bis 126
K. Koch, Was ist Formgeschichte? 3. A. Neukirchen 1974
M. Görg, Gott-König-Reden in Israel und Ägypten, (BWANT 105) Stuttgart/
Berlin/Köln/Mainz 1975
H. H. Witzenrath, Das Buch Rut, (StANT 40) München 1975

Nach Abschluß des Manuskriptes erschienen:
P. G. Meyer, Satzverknüpfungsrelationen, Tübingen 1975
B. Casper, Sprache und Theologie, Freiburg 1975
M. A. Braunroth (und andere), Ansätze und Aufgaben der linguistischen Pra-
gmatik, FAT 2091, 1975

Besonders sei aber hingewiesen auf:
Chr. Hardmeier, Kritik der Formgeschichte auf texttheoretischer Basis am Beispiel der prophetischen Weheworte, Diss. Heidelberg 1975 (maschinenschr.).

AUGUST STROBEL

Wohin geht der Weg? Wendepunkte und Tendenzen der hermeneutischen Arbeit

Wenn nicht alle Anzeichen trügen, steht die neutestamentliche Wissenschaft vor einer entscheidenden Wende. Wir wissen noch nicht, was kommt. Es ist aber erkennbar, daß man vielfach nach einer neuen tragfähigen Hermeneutik Ausschau hält. Das Bewußtsein nimmt zu, daß die herkömmliche Deutung, die eine ganze Theologenschaft geprägt hat, jenen Anforderungen nicht gewachsen ist, die sich seit einiger Zeit unüberhörbar anmelden. Es gibt sogar Stimmen, die von einer »Krise« des Fachs sprechen[1]. Der Sachverhalt ist zu aufregend, als daß man ihm von seiten des Theologen nicht nachgehen müßte. Hier meldet sich somit mehr an als die Aufgabe, einen Literaturbeitrag zu liefern. Es geht zugleich um die Frage nach der Berechtigung der Disziplin und eben damit um die Möglichkeiten heutiger Theologie überhaupt[2]. Denn: eine Krise auf dem Gebiet der neutestamentlichen Auslegung stellt sich immer auch dar als eine Krise der christlichen Theologie. Zufolge des hilfreichen Einsatzes anderer Disziplinen mag das Problem verschiedentlich nur vage ins Bewußtsein treten. Es läßt sich aber auf die Dauer zum Schaden der Gesamtverkündigung nicht verschleiern. Die Abhängigkeit der Kirche vom Neuen Testament ist mehr als das Produkt einer dogmen- und kirchengeschichtlichen Entwicklung; sie ist ein Lebenszusammenhang, dessen Gefährdung sich für alle betroffenen Teile auswirken muß.

1. Das Erbe der Aufklärung

Wir bedenken zuerst die Voraussetzungen heutiger Arbeit. In der Hermeneutik geht es ganz allgemein um die Frage nach der verstehenden Aneignung des Neuen Testaments und seiner einmaligen Botschaft[3]. Die

[1] P. Stuhlmacher, Neues Testament und Hermeneutik. Versuch einer Bestandsaufnahme, ZThK 68, 1971, S. 121–161; W. Pannenberg, Die Krise des Schriftprinzips, in: Grundfragen systematischer Theologie. Ges. Aufsätze 1967, S. 11–21; E. Gräßer, Wort Gottes in der Krise? Gütersloh 1969

[2] Vgl. C. H. Ratschow, Standort-Bestimmung gegenwärtiger Evangelischer Theologie, ThLZ 94, 1969, Sp. 721 ff; J. Sperna Weiland, Orientierung. Neue Wege in der Theologie, Hamburg 1968

[3] Vgl. die ältere informationsreiche Arbeit von E. Fascher, Vom Verstehen des NTs. Ein Beitrag zur Grundlegung einer zeitgemäßen Hermeneutik, Gießen 1930; H. Diem, Grundfragen der biblischen Hermeneutik, Theol. Existenz heute 24, München 1950; dazu G. Ebeling, Art. »Hermeneutik«, RGG³, Bd. III,

Aufgabe der hermeneutischen Besinnung ist in der Neuzeit, vor allem seit dem Aufkommen der historisch-kritischen Wissenschaft, eine sehr dringliche. Das Grundproblem ist damit aufgeworfen, daß das Christentum — religionsgeschichtlich gesehen — in gewisser Hinsicht eine Buch- und Offenbarungsreligion bezeichnet. Unsere »heilige Schrift« sind die Bücher des Alten und Neuen Testaments, Dokumente, die selber ein Jahrtausend umspannen und von deren erstmaliger Sammlung wir gar durch einen »garstigen Graben« von nahezu 2000 Jahren getrennt sind. Wie werden wir also der darin niedergelegten Wahrheit und wie dem notwendigen Zeugnis in der Gegenwart gerecht? Wie weit geht unser Verstehen und wie weit unser Glaube? Was ist geschichtlich und was ist übergeschichtlich? Was ist zeitbedingt und was ist unaufgebbar? Das Problem gewinnt für die evangelische Kirche, die sich von der Reformation ableitet, besondere Aktualität dadurch, daß wir uns — im Unterschied etwa zum römischen Katholizismus — ausschließlich auf die Schrift und das darin niedergelegte Zeugnis berufen. Verständlicherweise mußte die skizzierte Problemstellung für die evangelische Theologie stets von besonderer Aktualität und Bedeutung sein. Martin Luther selbst hat eine bis heute wegweisende Antwort gegeben, als er die »Klarheit der Schrift« allein von dem einen Christus und seinem Heilswerk her zu bestimmen versuchte: *sola scriptura, solus Christus, sola gratia*[4]. Sie entbindet aber am wenigsten davon, die damit herausgestellte Grundwahrheit selbst zu bedenken[5]. Hermeneutik stellt sich bei ihm noch dar als ausschließlich christliche Lehre von der Schrift, so daß gesagt werden kann: »Die Schrift legt sich selbst aus.« Das Verstehen ist nach damaligem spätmittelalterlichem Bewußtsein dem Glauben in gewisser Hinsicht streng untergeordnet. Trägt Luther auch bereits gelegentlich den Gründen der »Vernunft« Rechnung, so doch nur dort, gleichsam am Rande, wo es das eigentliche Glaubensgut nicht betrifft oder ihm sogar zugute kommt. Wir erinnern an seine abwertenden Urteile über den Hebräer- und Jakobusbrief sowie über die Offenbarung. Mit dem Aufkommen der Geschichtswissenschaft in der Zeit der Aufklärung änderte sich die Situation insofern grundlegend, als die Problemstellung nicht nur zu einem eindeutigen Nebeneinander, sondern sogar zu einem kritischen Gegenüber von »Glauben und Verstehen« geführt hat. Das Streben nach einer »natürlichen« und »vernunftgemäßen« Ge-

Sp. 242–262; M. Honecker, Art. »Hermeneutik«, in: Religion und Theologie, hrsg. v. E. Fahlbusch, Bd. 2, Göttingen 1971, S. 26 ff

[4] Vgl. G. Ebeling, »Sola Scriptura« und das Problem der Tradition, in: E. Käsemann, Das Neue Testament als Kanon, Göttingen 1970, S. 282 ff; W. Maurer, Luthers Verständnis des neutestamentlichen Kanons, in: Fuldaer Hefte 12, 1960, S. 47 ff

[5] U. Duchrow, Die Klarheit der Schrift und die Vernunft, KuD 15, 1969, S. 1 ff

schichtsschau mußte im Raum der evangelischen Theologie von ihren Voraussetzungen her verständlicherweise zuerst zum tiefempfundenen Problem werden. Tatsächlich hat sie stellvertretend für andere in solcher Position Niederlagen erlitten und Siege erfochten[6].

Die Lage der Theologie der Aufklärungszeit ist kurz zu bedenken. Sie stellte sich — ganz einfach gesehen — so dar, daß die Sacra Scriptura der Reformation, die Norma normans der orthodoxen Dogmatiker, das geisterfüllte Buch des Pietismus mehr oder weniger schutzlos der kritischen rationallogischen und zunächst sehr subjektiven Methodik des Historikers ausgesetzt war[7]. Das brachte nicht nur einen umfassenden Substanzschwund mit sich, sondern zugleich einen gefährlichen »Gewißheitsverlust« (W. Elert)[8]. Die früher oder später unvermeidliche, zunächst aber sicherlich sehr devote Anerkennung der rein rationalen Maßstäbe führte hinsichtlich der Offenbarungsfrage sogar in eine letzte Krise. G. E. Lessing (1729–1781) wartete damals mit einer wegweisenden Lösung auf, indem er der Erkenntnis zum Durchbruch verhalf, daß Bibel und Christentum, Geschichte und Glaube, historisches Buch und der Tatbestand der Religion an sich streng zu unterscheiden seien[9]. »Die Bibel ist nicht die Religion ... Folglich sind Einwürfe gegen die Bibel auch nicht Einwürfe gegen die Religion.« Der Glaube bedarf demzufolge letztlich keiner Begründung, weil er die Evidenz der inneren Erfahrung besitzt. Lessing, der den Streit um die Wahrheit der christlichen Religion anfachte, hat ihn für sich und die vielen anderen, die in seiner Zeit Theologie und Wissenschaft vereinigen wollten, auch zugleich geschlichtet[10]. Neben der im Endeffekt positiven Beantwortung der kritisch gewordenen Offenbarungsfrage zugunsten einer letzten religiösen Wahrheit, die man das »neue ewige Evangelium« nennen kann, steht ein Ja zu einer vernunftgemäßen kritischen Geschichtswissenschaft. Damit ist die hermeneutische Grundfrage für die folgende Zeit im Sinne eines klaren Nebeneinander von Glauben *und* Verstehen entschieden worden. In Anerkenntnis dieser Einsicht vermochte sich das biblische Wort als christliche Wahrheit gegenüber seinen Verächtern zu behaupten, und es konnte im

---

[6] Vgl. die umfassende Darstellung bei W. G. Kümmel, Das Neue Testament. Geschichte der Erforschung seiner Probleme, Orbis Academicus III, 3, 1958

[7] Vgl. hierzu H. Kimmerle, Typologie der Grundformen des Verstehens von der Reformation bis zu Schleiermacher, ZThK 67, 1970, S. 162 ff

[8] W. Elert, Der Kampf um das Christentum. Geschichte der Beziehungen zwischen dem evangelischen Christentum in Deutschland und dem allgemeinen Denken seit Schleiermacher und Hegel. München 1921, bes. S. 15 ff

[9] Vgl. H. Schultze, Lessings Toleranzbegriff. Eine theologische Studie. Forschungen zur systematischen und ökumenischen Theologie 20, Göttingen 1969, bes. S. 63 ff, 86 ff

[10] W. von Loewenich, Luther und Lessing. Sammlung gemeinverst. Vorträge 232, Tübingen 1960, bes. S. 4–18

19. Jahrhundert jene geschichtswissenschaftliche Arbeit geleistet werden, die im Rahmen der gesamten Wissenschaftsgeschichte der Neuzeit etwas Einmaliges bezeichnet. Das Problem lag freilich darin begründet, wie lange das Gleichgewicht der Kräfte halten würde[11].

Sehen wir recht, dann muß das wesentliche hermeneutische Bemühen des 19. Jahrhunderts, soweit es einen konstruktiven Beitrag geben wollte, samt und sonders im Rahmen des vorgezeichneten Kompromisses begriffen werden. Es geht zunächst immer irgendwie um den Ausgleich der Rechte des Glaubens und der Ansprüche wissenschaftlicher Arbeit. Man übte Kanonkritik, aber die Schrift als Wort Gottes blieb normativ[12]. Man stellte das christologische Dogma in Frage, aber Jesus galt dennoch als eigentlicher Grund des Glaubens[13]. Man stieß vor zur Mythenkritik, aber das letzte Geheimnis wurde nicht geleugnet, wie immer man es definiert hat[14]. Man beleuchtete vor allem mit Hilfe des religionsgeschichtlichen Vergleiches kritisch die Ansprüche, die das Wesen des Christentums ausmachen, doch der eigentliche Anspruch der sog. »neuen Religion« Jesu blieb unangetastet[15]. Das hermeneutische Ringen verlief im Rahmen der gesteckten Grenzen, wobei man sich, wie es im Wesen der Aufgabe lag, im allgemeinen nicht gescheut hat, die Frage des Verstehens in engster Tuchfühlung mit dem allgemeinen Zeitdenken zu beantworten.

Um den Gegensatz von Seele und Leib, Idealem und Realem, Vernunft und Natur, der uns angeboren sei, zu überbrücken, unterscheidet F. D. Schleiermacher (1768–1834), dem wir den theologischen Durchbruch im 19. Jahrhundert verdanken, die Vernunft an sich und die Vernunft der Seele des einzelnen[16]. Er geht von der Überzeugung aus, daß die Ver-

---

[11] J. Wach, Das Verstehen. Grundzüge einer Geschichte der hermeneutischen Theorie im 19. Jahrhundert. I. Die großen Systeme, Tübingen 1926; II. Die theologische Hermeneutik von Schleiermacher bis Hofmann, 1929

[12] Vgl. schon J. S. Semler: »Heilige Schrift und Wort Gottes ist gar sehr zu unterscheiden«, vgl. W. G. Kümmel, Das Neue Testament, S. 74

[13] Vgl. R. Slenczka, Geschichtlichkeit und Personsein Jesu Christi. Studien zur christologischen Problematik der historischen Jesusfrage, Forsch. z. syst. u. ök. Th. 18, Göttingen 1967

[14] Vgl. E. Buess, Die Geschichte des mythischen Erkennens, Forsch. z. Gesch. u. Lehre d. Prot., X. R., 4. Bd., München 1953, bes. S. 85 ff

[15] H. Gunkel, Zum religionsgeschichtlichen Verständnis des NTs, 1903, 2. Aufl., Göttingen 1910; vgl. W. G. Kümmel, Das Neue Testament, S. 325 ff

[16] Vgl. hierzu W. Schultz, Die unendliche Bewegung in der Hermeneutik Schleiermachers und ihre Auswirkung auf die hermeneutische Situation der Gegenwart, ZThK 65, 1968, S. 23 ff; M. Redeker, Friedrich Schleiermacher, Göschen 1177/1177 a, Berlin 1968, S. 253 ff (»Die Hermeneutik Schleiermachers«); H.-G. Gadamer, Das Problem der Sprache in Schleiermachers Hermeneutik, ZThK 65, 1968, S. 445 ff; F. D. Schleiermacher, Hermeneutik, hrsg. v. H. Kimmerle, 1959

nunft immer Seele aktiviere. Ihre verstehende Tätigkeit sei demnach eine Art Liebe, um die Natur im Tiefsten zu erfassen und das Leibhaftige zu vergeistigen. Nach Schleiermacher gibt es keinen unendlichen Gegensatz zwischen der geistigen und der materiellen Wirklichkeit, sondern nur die unendliche Bewegung zwischen den Gegensätzen, und eben sie erscheint als etwas Göttliches. Seine biblische Hermeneutik ist von solcher Vorüberlegung her unmittelbar geprägt. Die Kirche wird konsequenterweise als ein bewegliches Ganzes gedacht, das von Christus als dem absoluten Bezugspunkt her lebt. Dieser selbst sei ständig neu und immer tiefer zu verstehen. »Daher der eminente Wert, den die protestantische Kirche auf die Auslegung legt«. Das ständige Zurückfragen und das fortlaufende Sich-Verständigen erscheinen als ihre wesentlichen Aufgaben. Würde dem Prozeß nämlich ein Ende gesetzt werden, so wäre ein toter mechanischer Buchstabendienst die Folge. »Unsere Überzeugung absolut zu setzen, dazu sind wir niemals befugt.« Demnach sei die Liebe als Wille zum Verstehen ein Grundzug echter hermeneutischer Arbeit, vielleicht sogar in der Weise, daß wir das biblische Wort besser verstehen als es sich selbst. Glauben und Verstehen sind bei Schleiermacher nicht nur zwei nebeneinander denkbare Größen, sondern im Grunde wesensmäßig einander zugeordnet und im Innersten miteinander verwandt.

Was bei ihm ein Aufbruch hin zu neuen Ufern ist, stellt sich bei W. Dilthey (1833—1911), von dem die Theologie lernen wird, als Ausbau und Vertiefung eines prinzipiellen Standortes dar[17]. Was bei jenem wie ein welthafter Prozeß gesehen wird, ist bei diesem ganz und gar eine Sache des Lebens und des Menschen, der sich im Endlichen bewegt, um sich des Ewigen zu versichern, aber gerade in solchem Streben der Grenzen seiner Möglichkeiten inne wird. Der Begriff des Verstehens bekommt jedenfalls von daher seine Füllung. Leben hat im Grunde Leben zu erfassen. Der Verstehende kann es dem toten Buchstaben, dem »Magazin der Geschichte«, dem »Staub der Vergangenheit« geben. Leben darf auch letztlich nicht vor den »Richterstuhl der Vernunft« gebracht werden. Die Erkenntnis Schleiermachers bleibt insofern wegweisend: »Wir verstehen nur durch Liebe.« »Hingebung macht das Innere des wahren kongenialen Historikers zu einem Universum, welches die ganze geschichtliche Welt abspiegelt.« Nach Dilthey liegt alles daran, das Ich im Du zu finden. Aber es könne sein, daß wir uns letztlich selbst nicht verstehen. Der Sinn, soweit wir ihn erfassen, deutet jedenfalls über das Erfahrbare hinaus, auf ein Übersinnliches. Geschichte hat es folglich in diesem Entwurf elementar mit Religion zu tun. Es geht darum, »das Innerste des religiösen Lebens in der Historie zu erfassen«. Verstehen ist hier — wir

[17] W. Dilthey, Die Entstehung der Hermeneutik, in: W. Dilthey, Ges. Schriften V, 1924, S. 318 ff

brechen ab — im Grunde selbst eine Form der Religiosität und damit des Glaubens.

Am Theologen F. D. Schleiermacher und am Philosophen W. Dilthey läßt sich aufzeigen, welche geistigen Strömungen die historisch-kritische Arbeit der evangelischen Theologen abgesichert und ermöglicht haben. Sie bezeichnen das umgreifende Klima, in dem der Historismus des 19. Jahrhunderts, auch der theologische, kraftvoll gedeihen konnte[18]. Seine Ausprägungen in der sog. liberalen Theologie und im Bereich der religionsgeschichtlichen Forschung sind zu bekannt, als daß wir darauf eingehen müßten. Zu erwähnen bleibt, daß die Synthese von Glauben und Verstehen unter dem Sog der mehr und mehr rein rationalen Fragestellung nicht dauernd in der für fast ein Jahrhundert gültigen Weise durchgehalten werden konnte. W. Wrede (1897) stellte jedenfalls am Ende einer Epoche fest[19]: »Ein Mittelding zwischen inspirierten Schriften und geschichtlichen Dokumenten kann es für folgerichtiges Denken nicht geben.« »Wie sich der Systematiker mit ihren Resultaten (sc. der Auslegung) abfindet und auseinandersetzt, das ist seine Sache.« Die Grundlagenkrise kann an solchen Äußerungen hinreichend deutlich gemacht werden, denn es kommt hinzu, daß bald danach das Christentum als eine synkretistische Religion definiert wird, deren Erlösungsgedanke als fremde orientalische Zutat zu begreifen sei. Die ntl. Christologie aber wird in bombastischer Hohlheit dennoch einem allgewaltigen Hymnus verglichen, den die Geschichte auf Christus singe. Das aus der Fremde übernommene Bild des Gotterlösers sei im Judentum und mehr noch im Urchristentum aufs stärkste umgebildet und der jüdisch-christlichen Religion amalgamiert worden[20], weshalb man folgert: »Es ist die Aufgabe der ntl. Forschung, im einzelnen zu zeigen, wie diese Umbildung des Übernommenen geschehen ist.« Die Forderung, die dogmatische Methode aufzugeben, um an ihre Stelle die historische und religionspsychologische Methode als alleinberechtigte zu setzen, fand ihren bekanntesten Vertreter in E. Troeltsch, der als der »Dogmatiker des Historismus« gilt[21]. Die Synthese von Glauben und Verstehen begann damals auseinanderzubrechen.

---

[18] Vgl. H.-G. Gadamer, Hermeneutik und Historismus, PhR 9, 1961, S. 241–276

[19] W. Wrede, Über die Aufgabe und Methode der sog. Neutestamentlichen Theologie. Göttingen 1897, S. 8

[20] Vgl. Anm. 15

[21] E. Troeltsch, Der Historismus und seine Probleme. Tübingen 1922

2. Karl Barths theologisches Vermächtnis

Es war 1903, als Fr. Overbeck, Theologe in Basel, ein Freund Nietzsches, den vernichtenden Satz schrieb[22]: »Unsere heutige Theologie ... weiß nicht nur nichts mehr von einer anderen Interpretation der christlichen Religionsbücher als der historischen, sondern huldigt überhaupt dem fast unbegreiflichen Wahne, daß sie des Christentums auf historischem Wege wieder gewiß werden könne, was jedoch, wenn es gelänge, höchstens eine Gelehrtenreligion ergäbe, d. h. nichts, was sich mit einer wirklichen Religion vergleichen läßt.«

Es war 1919, als Karl Barths Römerbriefkommentar die Lawine einer theologischen Neubesinnung ins Rollen brachte. Damals sammelten sich jene, »die nur noch vorwärts, nicht mehr rückwärts schauen wollten«. Und der Protest kam, »weil man uns auf der Universität nichts als die berühmte Ehrfurcht vor der Geschichte beigebracht hatte«. Die Aufgabe der Theologie wird nun wieder in eins gesetzt mit der Aufgabe der Predigt, die es mit dem Wort Gottes zu tun hat. Geschichtliches Wissen und kritisches Denken haben darin eine Aufgabe, aber freilich nur in der Weise eines vorbereitenden Dienstes[23]. Wiederum kommt es zur Synthese von Glauben und Verstehen. Fast ist man geneigt zu sagen: noch einmal. Der wissenschaftliche Bruch ist jedenfalls nicht zur Katastrophe der Kirche geworden. Mit K. Barth und seinem Theologenkreis beginnt das, was wir die »neuere Auseinandersetzung in der hermeneutischen Fragestellung« nennen. Man hat die Theologie des Neuaufbruches der 20er Jahre sehr verschieden bezeichnet: u. a. als »dialektische Theologie« und als »Theologie der radikalen Krisis«. Erstere Charakteristik will sagen, daß wir in einer dialektischen Sprachsituation stehen. Wir sollen als Theologen von Gott reden; wir sind aber Menschen und können es als solche nicht. Wir vermögen es offenbar nur insoweit, wie wir auf das Wort Gottes trauen und von ihm her zeugen. Eben durch das Wort ist Gott in diese Welt hineingekommen. Nur dieses Wort gibt eine Antwort auf alles Fragen, die echte Transzendenz besitzt. Ihm allein eignet die Kraft, das Rätsel der Immanenz aufzulösen. Was die obige zweite Charakteristik betrifft, so schwingt darin die Überzeugung mit, daß das Wort Gottes, wie es in der Bibel steht, die »permanente Krisis« aller verobjektivierenden Religiosität ist. Der Protest gilt daher der Orthodoxie in Gestalt der Neuorthodoxie, dem Kulturprotestantismus bürgerlicher Prägung und dem liberalen Historismus. Will man K. Barths Pro-

---

[22] Fr. Overbeck, Über die Christlichkeit unserer heutigen Theologie. Leipzig ¹1873, 2. Aufl. 1903; vgl. W. G. Kümmel, Das Neue Testament, S. 294
[23] Vgl. hierzu J. Moltmann, Anfänge der dialektischen Theologie, Teil I (Theol. Büch. 17). München 1962, S. 77 f (»Vorwort zur 1. Aufl.«)

gramm einigermaßen sachgemäß formulieren, so empfiehlt sich am ehesten das Etikett einer »Theologie des Wortes«, weil als erster Erkenntnisgrundsatz gilt[24]: »Die Aufgabe der Theologie ist das Wort Gottes.« »Wenn ich wählen müßte zwischen der historisch-kritischen Methode der Bibelforschung und der der alten Inspirationslehre, ich würde zu der letzteren greifen ... Aber meine ganze Aufmerksamkeit war darauf gerichtet, durch das Historische hindurch zu sehen in den Geist der Bibel, der der ewige Geist ist[25].«

Der erzielte Umschwung des theologisch-hermeneutischen Denkens läßt sich auf Grund einer Äußerung des frühen R. Bultmann erweisen, der ganz im Sinne Barths erklärt, daß der Gegenstand der Theologie Gott ist[26]. Folglich müsse der Vorwurf gegen die liberale Theologie dahingehend lauten, daß sie nicht von Gott, sondern vom Menschen gehandelt habe. Gott aber bedeute seine radikale Verneinung und Aufhebung. Obschon die Geschichtswissenschaft nicht im geringsten zu einem Ergebnis führen könne, das für den Glauben als Fundament brauchbar sei, gehe es doch nicht darum, sie abzuschaffen. Vielmehr müsse ihr Sinn erfaßt werden als eben der[27]: »Sie hat radikal zur Freiheit und Wahrhaftigkeit zu erziehen, nicht nur, indem sie von einem gewissen Geschichtsbild der Tradition frei macht, sondern indem sie von einem jeden für die wissenschaftliche Erkenntnis möglichen Geschichtsbild frei macht und zum Bewußtsein bringt, daß die Welt, die der Glaube erfassen will, mit der Hilfe der wissenschaftlichen Erkenntnis überhaupt nicht erfaßbar wird.« Offenbar ist dies die neue Synthese von Glauben *und* Verstehen, die in der Folgezeit ihre Bewährungsprobe bestehen mußte. Wir halten vor allem fest, daß R. Bultmann die letzte historische Rückfrage verboten hat. Es geschah nicht nur aus wissenschaftlichen Gründen (s. die »Geschichte der synoptischen Tradition«), sondern zuallererst aus einer hermeneutischen Vorentscheidung heraus, die dem Glauben als einer eigenen Größe mit Gewalt einen freien und sicheren Raum hat verschaffen wollen. »Wer es etwa noch nicht weiß (und wir wissen es alle immer noch nicht), daß wir Christus nach dem Fleisch nicht mehr kennen, der mag es sich von der kritischen Bibelwissenschaft sagen lassen: je radikaler er erschrickt, um so besser für ihn und die Sache[28].« Daraus wird die zusammengezwungene Synthese von Glauben *und* Verstehen deutlich. R. Bultmann hat gewußt, daß es gleichsam um die vorläufige Versöhnung

[24] K. Barth, Das Wort Gottes als Aufgabe der Theologie, in: Moltmann I, S. 197 ff, 217
[25] Anmerkung 23
[26] R. Bultmann, Die liberale Theologie und die jüngste theologische Bewegung (1924), in: Glauben und Verstehen I, Tübingen 1954, 2. Aufl., S. 1 ff
[27] A.a.O. S. 4
[28] Ebd.

zweier feindlicher Brüder geht. Zwei Anschauungen sind hier zu vereinigen gesucht, die in der Tat hart aufeinanderprallen: die Forderung, radikal wissenschaftlich zu sein, *und* die Überzeugung, Glaube sei radikal ernst zu nehmen. Indessen gab es wohl zunächst heimliche Beziehungen hin und her, die eine Verbindung ermöglichten[29]. Die Problematik des Entwurfes konnte erst dann ans Licht treten, als die Fäden rissen.

Man hat darauf aufmerksam gemacht[30], daß sich schon früh unter den »Theologen des Wortes« zwei Richtungen abzuzeichnen begannen, die beide in der Folge bedeutsam werden konnten. J. Moltmann unterscheidet eine »Theologie der Verkündung« und eine »Theologie der Hermeneutik«. Dort ist allem Denken ein theologischer Wortbegriff zugrunde gelegt, hier ein anthropologisch-philosophischer. Dort steht als Subjekt allen theologischen Zeugnisses Gott im Mittelpunkt, hier wird von der Worthaftigkeit und Sprachlichkeit der menschlichen Existenz her argumentiert. Besonders hervorhebenswert ist in diesem Zusammenhang die offenbar in den Anfängen einflußreiche Schrift von F. Ebner: »Das Wort und die geistigen Realitäten. Pneumatologische Fragmente« (1921)[31]. Diesem Entwurf zufolge verstünde sich die lebendige Sprache als das Erfahrungs- und Bewährungsfeld, auf dem das Ich — ein Seinwollen, das auf ein unbedingtes Seinsollen in tragischer Aussichtslosigkeit gerichtet sei — der Wirklichkeit teilhaftig werde. Es geschehe dadurch, daß es sich dem Anderen aussetzt. Die Sprache und das Wort gelten hier als die »pneumatologische Urintention«, in der dialogische Strukturen angelegt seien und womit sich dialogische Existenz entfalten und vollenden könne. F. Ebner war von einem ausgesprochen christlichen Anliegen bewegt, weshalb er nicht verschweigt, daß im Sich-Einlassen auf Christus der Sprechende das Wort Gottes schlechthin werden könne. Wie bei K. Barth ergeben sich Folgerungen für eine christliche Theologie. Sie hat gleichfalls in keiner Weise als Wissenschaft von Gott, um so mehr aber im Bedenken des Wortes ihre unumstößliche Berechtigung. Der hermeneutische Aufbruch der 20er Jahre trug augenscheinlich bereits den Keim einer künftigen Auseinandersetzung in sich, weil die Zuordnung von »Glauben und Verstehen«, die bei K. Barth unter einem eindeutigen theologischen Vorzeichen vorgenommen ist, unschwer bei veränderten Bedingungen anthropologisch umgestellt werden konnte.

---

[29] Vgl. R. Bultmann, Das Problem d. Hermeneutik, Glauben und Verstehen II, 1952, S. 211 f

[30] J. Moltmann, Anfänge I, S. XVII. Vgl. auch Th. Lorenzmeier, Exegese und Hermeneutik. Eine vergleichende Darstellung der Theologie R. Bultmanns etc., Hamburg 1968, S. 29 ff, 38 ff

[31] Vgl. B. Caspar, Das dialogische Denken. Eine Untersuchung der religionsphilosophischen Bedeutung Franz Rosenzweigs, Ferdinand Ebners und Martin Bubers, Freiburg i. Br. 1967

Der gleiche Sachverhalt läßt sich auch an R. Bultmanns Position veranschaulichen, die zunächst mit dem Standort K. Barths im wesentlichen identisch war: »Der Gegenstand der Theologie ist Gott ... Gott bedeutet die radikale Verneinung und Aufhebung des Menschen; die Theologie, deren Gegenstand Gott ist, kann deshalb nur den ›logos tou staurou‹ (= ›Wort vom Kreuz‹) zu ihrem Inhalt haben; dieser aber ist ein ›skandalon‹ (= ›Anstoß‹) für den Menschen [32].« Es ist bekannt, daß es darüber hinaus zu einer starken Beeinflussung des Neutestamentlers durch M. Heidegger [33] gekommen ist. Über Karl Barth hinaus, der das Wort Gottes zum unreflektierten Ausgangspunkt der Neubesinnung gemacht hat, fragt Bultmann nach den tieferen Möglichkeiten des Verstehens auf seiten des Menschen, um sich an dieser Stelle stärkstens der Philosophie anzuschließen. Heideggers existentiale Analyse des menschlichen Daseins gibt ihm alle wesentlichen Kategorien in die Hand, um darzustellen, was es mit dem Menschen vor der Situation des Glaubens sei. Der erste Band von »Glauben und Verstehen« ist daher dem Philosophen und Kollegen der frühen Marburger Zeit gewidmet. Das gemeinsame Anliegen ist deutlich. Es lautet: Wie werden überlieferte Texte, von denen uns die Kluft geschichtlicher Distanz trennt, zur existentialen Anrede, die uns zutiefst in unserem Selbstverständnis berühren? Bei Heidegger konnte man lernen (Sein und Zeit, § 58): »Das Anrufen des Man-Selbst bedeutet Anrufen des eigensten Selbst zu seinem Sein-Können, und zwar als Dasein, d. h. besorgendes In-der-Welt-Sein und Mit-Sein mit anderen.« Die Sprache besitzt hier den Rang eines existential-ontologischen Phänomens. Bultmann hat die existentiale Analyse des menschlichen Daseins übernommen, um darin dem christlichen Kerygma die Aufgabe der Daseinserhellung zuzuweisen. eine Beschreibung des Menschen »vor dem Glauben« beweist es [34]. »Der Mensch, geschichtlich existierend in Sorge um sich selbst auf dem Grunde der Angst, jeweils im Augenblick der Entscheidung zwischen der Vergangenheit und der Zukunft, ob er sich verlieren will an die Welt des Vorhandenen, des ›Man‹, oder ob er seine Eigentlichkeit gewinnen will in der Preisgabe aller Sicherungen und in der rückhaltlosen Freigabe für die Zukunft.« Die Philosophie tritt bei Bultmann zunächst ganz als Dienerin der Theo-

---

[32] R. Bultmann, Die liberale Theologie etc., op. cit., S. 2
[33] M. Heidegger, Sein und Zeit, 1927; auch H.-G. Gadamer, Martin Heidegger und die Marburger Theologie, in: Zeit und Geschichte. Dankesgabe an R. Bultmann zum 80. Geb., Tübingen 1964, S. 479 ff; H. Ott, Denken und Sein. Der Weg Martin Heideggers und der Weg der Theologie, Zürich 1959; H. Franz, Das Denken Heideggers und die Theologie, ZThK, Beih. 2, 1961, S. 81 ff
[34] R. Bultmann, Neues Testament und Mythologie, in: Kerygma und Mythos I, 1951, S. 33

logie auf, wird aber schließlich mehr und mehr zur unentbehrlichen Haustochter[35], die in der erzwungenen Vernunftehe von »Glauben und Verstehen« leichter Hand Unruhe gestiftet hat, um am Ende sogar zur wohlbestallten Maitresse zu werden. Bultmann, der durch eine streng methodische Arbeitsweise zur Einsicht gelangt ist, daß das historische Christusgeschehen nicht in nötiger Klarheit erkannt werden könne, stieß konsequenterweise vor zur Forderung einer neuen Interpretation, die der existentialen Daseinsanalyse eine entscheidende Bedeutung beimaß, ohne je der neutestamentlichen Verkündigung den Kerygmacharakter abzusprechen[36]. Er konnte dies bewerkstelligen, weil er — wie man neuerdings formuliert hat — noch von der »hermeneutischen Divergenz (= Grundverschiedenheit) von Sprache und Verstehen« aus dachte[37]. Dies will sagen, daß bei ihm die ontologisch-philosophische Betrachtung letztlich noch nicht das Zeugnis des Glaubens vereinnahmt und erdrückt hat. Indessen hat er sehr wohl bald danach mit Entschiedenheit die Forderung der »existentialen Interpretation« gerade der »mythologischen Begrifflichkeit« erhoben[38]. Es war ein folgenschweres Unternehmen! Die Problematik der Bultmannschen Hermeneutik liegt nämlich gewiß nicht darin, daß er in seiner Anthropologie auf die existentialen Kategorien Heideggers zurückgriff. Man wird sie vielmehr darin zu suchen haben, daß sie dort, wo der Kern der Botschaft tangiert ist, wissenschaftlich verobjektiviert wurden, so daß sie dem Kerygma zur Zwangsjacke geworden sind. Wenn es einen gravierenden Mangel im Programm gibt, dann liegt er darin, daß Bultmann genau dies getan hat, was er von seinem einstigen Ansatz her hätte vermeiden müssen, nämlich die Verabsolutierung eines hermeneutisch beanspruchten philosophischen Systems, das außerhalb der Christuswahrheit ansetzt[38]. In fast tragischer Verkennung der Realitäten hat der Neutestamentler das Kerygma gerettet, aber seinen Inhalt verflüchtigt[40]. Gewiß nicht aus feindlicher Absicht!

[35] Vgl. hierzu auch P. Stuhlmacher, Neues Testament und Hermeneutik, S. 136–143
[36] Vgl. bes. auch R. Bultmann, Jesus Christus und die Mythologie, in: Glauben und Verstehen IV, 1965, S. 141–189; ders., Zum Problem der Entmythologisierung, ebd., S. 128–137
[37] G. Hummel, Theologie der Hermeneutik der christlichen Religion. Zum Selbstverständnis einer Wissenschaft, NZSystTh 13, 1971, S. 44 ff, 51
[38] Vgl. Anm. 34
[39] Vgl. oben Anm. 35; auch U. Mann, Hermeneutische Entsagung, in: W. Böld, Beiträge zur hermeneutischen Diskussion, Wuppertal 1968, S. 62 ff, 72; G. Haufe, Auf dem Weg zu einer theologischen Hermeneutik, S. 59: »Die mythologischen Aussagen sollen nicht einfach eliminiert, sondern auf das in ihnen enthaltene Existenzverständnis (gleich Kerygma) in interpretiert werden. Daß sie als objektivierende Vorstellungen faktisch doch eliminiert werden, läßt sich gleichwohl nicht bestreiten.«
[40] So stellt es sich jedenfalls für den Außenstehenden dar. Vgl. W. D. Davies,

Bultmann hat den christlichen Glauben stets als eschatologische Existenz verstanden und seinen Bestand immer auf das Wort der Verkündigung, das ein Neues setzt, zurückgeführt[41]. Die Spannung von Glauben und Verstehen wurde permanent im Sinne des anfänglichen Programms durchgehalten, und zwar auch dann noch, als das Verstehen der mythologischen Begrifflichkeit bereits ernstliche Schwierigkeiten bereitete[42]: »Christus, der Gekreuzigte, und Auferstandene, begegnet uns im Wort der Verkündigung, nirgends anders. Es wäre nämlich eine Verirrung, wollte man hier zurückfragen nach dem historischen Ursprung der Verkündigung, als ob dieser ihr Recht erweisen könnte ... Das Wort der Verkündigung begegnet als Gottes Wort, demgegenüber wir nicht die Legitimationsfrage stellen können, sondern das uns fragt, ob wir es glauben oder nicht.« Jede historische Rückversicherung stellt sich demnach dar als Unglaube, ja ist im Grunde bereits identisch mit der Ablehnung des Wortes.

Die ursprüngliche Nähe dieser Konzeption zur Barthschen Theologie des Wortes ist deutlich. Dennoch hatte sich im Laufe der Zeit ein tiefgreifender Unterschied herausgebildet, der im genannten Zitat anklingt. K. Barth selbst hat ihn dahingehend bestimmt[43]: »Kerygma vom Christusgeschehen? Das würde ich verstehen. Aber so scheint es Bultmann nicht zu meinen. Also Christusgeschehen im Kerygma und durch das Kerygma? So scheint es Bultmann zu meinen. Eben das kann ich nicht verstehen.«

Daraus geht hervor, daß der spätere K. Barth das Christusgeschehen in Rückfrage nach dem Offenbarungsursprung wieder zunehmend verobjektiviert hat[44]. Bultmann dagegen hat es — wenn man den Begriff gebrauchen darf — aktualisiert und damit verstärkt subjektiviert. Eine gewisse Übereinstimmung blieb freilich immer dadurch gesetzt, daß hier wie dort aus verschiedenen Motiven die Absicherung des christlichen Zeugnisses durch eine historische Jesusforschung schroffe Ablehnung erfuhr.

A Quest to be Renewed in New Testament Studies, in: M. E. Marty, New Directions in Biblical Thought, New York 1960, S. 50

[41] E. Ellwein, Fragen zu Bultmanns Interpretation des neutestamentlichen Kerygmas, in: Ein Wort lutherischer Theologie, hrsg. v. E. Kinder, München 1952, S. 7 ff

[42] R. Bultmann, Offenbarung und Heilsgeschichte, 1941, S. 66 f

[43] K. Barth, Rudolf Bultmann — Ein Versuch, ihn zu verstehen, Theol. Studien 34, 1952, S. 17

[44] Eine Beschreibung der Entwicklung gibt Fr. Schmidt, Verkündigung und Dogmatik in der Theologie K. Barths. Hermeneutik und Ontologie in einer Theologie des Wortes Gottes, Forsch. z. Gesch. u. Lehre d. Prot. 29, München 1964, bes. S. 41 ff. Hierzu vgl. W. Wiesner, Ontologie und Hermeneutik bei K. Barth, ThLZ 91, 1966, Sp. 567 ff

3. Das neue Kriterium: der »historische« Jesus

Ein folgenreicher Umschwung wurde durch E. Käsemanns Aufsatz »Das Problem des historischen Jesus« (1954) eingeleitet[45]. Die Ausführungen liefen darauf hinaus, der historischen Jesusforschung im Widerspruch zu R. Bultmanns Verdikt erneut die notwendige Berechtigung zu verschaffen. Leitendes Motiv ist die Einsicht in die schon angedeutete Tatsache, daß das Kerygma als »Entscheidungsruf« zum neuen Selbstverständnis eine Sache reiner Abstraktion zu werden drohte. E. Käsemann hält selbstverständlich fest, daß der historische Jesus als der Herr seiner Gemeinde im Wort des Neuen Testaments begegnet, betont aber andererseits, daß schon der Osterglaube dessen inne geworden ist, »daß Gott gehandelt hat, ehe wir gläubig wurden«. Logischerweise müsse der Glaube die »irdische Geschichte Jesu in seine Verkündigung« einbeziehen. Die veränderte Gesprächssituation zeigt der nachstehende Gedankengang[46]: »Die Problematik unseres Problems besteht darin, daß der erhöhte Herr das Bild des irdischen fast aufgesogen und die Gemeinde dennoch die Identität des erhöhten mit dem irdischen behauptet. Die Lösung dieser Problematik aber kann nach unseren Feststellungen nicht von vermeintlichen ›bruta facta‹, sondern einzig von der Verbindung und Spannung zwischen der Predigt Jesu und der seiner Gemeinde angegriffen werden.« Als Vertreter der kerygmatischen Position läßt Käsemann das Grundaxiom des entscheidenden Wortgeschehens unangetastet, aber er erweitert es erheblich durch die Betonung des Rechtes der historischen Rückfrage zum Zwecke der inhaltlichen Füllung des Kerygma[47]. Seine Begründung lautet[48]: »Die Frage nach dem historischen Jesus ist legitim die Frage nach der Kontinuität des Evangeliums in der Diskontinuität der Zeiten und in der Variation des Kerygmas. Solcher Frage hatten wir uns zu stellen und darin das Recht der liberalen Leben-Jesu-Forschung zu sehen, deren Fragestellung wir nicht mehr teilen.« Somit stellt sich in der Folge die Aufgabe, »die Begründung der Geschichtlichkeit des Kerygmas im historischen Jesus zu prüfen«, wie es J. M. Robinson[49] formuliert hat. Und auch R. Bultmann mußte der gegen ihn gerichteten neuen Position im Schülerkreis Rechnung tragen, um zu konstatieren[50]:

[45] ZThK 51, 1954, S. 125 ff (in: Exegetische Versuche und Besinnungen I, 1964, S. 187 ff)
[46] A.a.O., S. 152 (S. 213)
[47] Vgl. auch E. Käsemann, Vom theologischen Recht historisch-kritischer Exegese, in: ZThK 54, 1967, S. 259 ff
[48] Vgl. Anm. 46
[49] J. M. Robinson, Kerygma und historischer Jesus, Zürich 1960, S. 114
[50] R. Bultmann, Das Verhältnis der urchristlichen Christusbotschaft zum historischen Jesus, Heidelberg 1960, S. 5 (2. Aufl. 1961). Zur damaligen Beurteilung der Situation vgl. auch P. Althaus, Der gegenwärtige Stand der

»Ging es einst um die Differenz zwischen Jesus und dem Kerygma, so heute um die Einheit des historischen Jesus mit dem Christus des Kerygmas.« Seine These, daß der historische Jesus nicht in eine Theologie des Neuen Testaments gehöre, die er erst mit dem urchristlichen Kerygma beginnen läßt, wurde damit ernsthaft erschüttert. Das Tor zu einer neuen Betrachtungsweise war aufgestoßen.

Die Problemstellung verschob sich sehr schnell dahin, daß die Frage nach dem historischen Jesus von vorrangiger hermeneutischer Bedeutung wurde. Das nachösterliche Kerygma gilt schließlich bei E. Fuchs nur noch soviel, wie sein Inhalt dem vorösterlichen Jesus entspricht. Dieser gesteht in der Vorrede zum 2. Band seiner Gesammelten Aufsätze[51], er sei sich der »Kurve« in seinem exegetischen Bemühen — in Wahrheit sogar eine Kehrtwendung — zur Genüge bewußt: »Interpretierten wir früher den historischen Jesus mit Hilfe des urchristlichen Kerygmas, so interpretieren wir heute dieses Kerygma mit Hilfe des historischen Jesus.« In demselben Werk fallen gewichtige Sätze, die zeigen, wie konsequent ein neuer hermeneutischer Ansatz entwickelt wurde. Der Glaube wisse darum, daß in der Verkündigung der Auferstehung »gerade der historische Jesus auf uns zugekommen ist«[52]. Der sog. Christus des Glaubens sei in der Tat kein anderer als der historische Jesus. Aber viel wichtiger sei freilich die Aussage, »daß uns im historischen Jesus Gott selbst begegnet sein will«. Entsprechend empfangen das Wirken und die Verkündigung des historischen Jesus, die im wesentlichen als die Konkretion der »Liebe« definiert werden, allen Nachdruck[53]. Bei solcher Betrachtung meldet sich die Frage an, wie denn die Begegnung des modernen Menschen mit dem Gott Jesu in der heutigen Situation erfahrbar sei. Oder anders formuliert: Wie kann bei einem solchen Denkansatz das Historische zum Grund eines Glaubens in der Moderne werden? Um eine Antwort zu geben, wurde E. Fuchs in Wahrung des allgemeinen Programms der existentialen Interpretation[54] zu einer eigentümlichen Hermeneutik des Sprachgeschehens geführt, in der bewußt auf sprachphilosophische Arbeiten, wiederum primär auf Heidegger, zurückgegriffen ist[55]. Damit

Frage nach dem historischen Jesus, Sb. d. Bayer. Ak. d. Wiss., phil. hist. Kl., 1960, H. 6, München 1960

[51] E. Fuchs, Die Frage nach dem historischen Jesus, Tübingen 1960

[52] E. Fuchs. Die Frage nach dem historischen Jesus, in: Zur Frage nach dem historischen Jesus, S. 166

[53] Vgl. E. Fuchs, Das Neue Testament und das hermeneutische Problem, in: Glaube und Erfahrung, 1965, S. 136 ff, 160 ff; ders.: Alte und neue Hermeneutik, in: op. cit., S. 193 ff, 229 f

[54] Vgl. E. Fuchs, Was ist existentiale Interpretation? in: Zum hermeneutischen Problem in der Theologie, 1959, S. 65 ff, 91 ff, 107 ff

[55] E. Fuchs, Die Sprache im Neuen Testament, in: Zur Frage nach dem historischen Jesus, S. 258 ff; ders.: Was ist ein Sprachereignis? in: op. cit., S. 424 ff

wird E. Fuchs zum herausragenden Vertreter jener Richtung, die wir eben als »Theologie der Hermeneutik« unterschieden haben. Der Gedankengang zur Lösung des Problems mag im folgenden kurz skizziert sein:
a) Es scheint, als ob der historische Jesus als Ereignis der Geschichte etwas Neutrales und Drittes sei, das weder dem Glauben noch dem Denken angehöre.

b) Da sich indessen Glauben und Denken geschichtlich ereigneten, müsse gefragt werden, in welchem Geschehen der Glaube, das Denken und der historische Jesus zusammenträfen.

c) Offenbar seien wir in besonderer Weise an die Befragung der sog. Sprachereignisse gewiesen, die den Sprachweg vom Worte Jesu zum Bekenntnis zu Jesus kennzeichnen. Eben hierüber habe eine »Sprachlehre (= Hermeneutik) des Glaubens« zu befinden. Im Grunde sei das Neue Testament selber das »hermeneutische Lehrbuch«[56], ist es doch Zeugnis der Sprache des Glaubens, um mit Gott vertraut zu werden. Daraus geht hervor, daß der Exeget nicht eigentlich gläubig sein müsse, wenn freilich er Glauben mitbringen kann. Wesentlich ist vielmehr, daß nach dem Glauben *gefragt* wird.

d) Das Geschehen sei wortgebunden, wie auch andererseits das Wort des Glaubens eine gewisse Geschichtsgebundenheit aufweise[57].

An diesem Programm ist zweierlei hervorhebenswert[58]. Erstens: Das Phänomen des Glaubens und der historische Jesus werden ohne theologische Zwischenglieder in ein Verhältnis zueinander gebracht[59]. Zweitens: Die Verbindung von Glauben und Denken ist mit Nachdruck festgehalten[60] und ebenso die andere von Glauben und Erfahrung, nämlich im handelnden Akt der Liebe[61]. Sie bemißt sich nicht nach irgendeinem theoretischen Maßstab, sondern nach dem von Jesus gesetzten Grundverhalten: »Sein Geschrei am Kreuz kann nicht anders verstanden werden

---

[56] E. Fuchs, Das Neue Testament und das hermeneutische Problem, S. 169

[57] E. Fuchs, Marburger Hermeneutik. 1968, S. 90 f

[58] Vgl. auch die Darstellungen bei G. Haufe, Auf dem Weg zu einer theologischen Hermeneutik, S. 63 ff; R. W. Funk, Language, Hermeneutics, and Word of God, The Problem of Language in the New Testament and Contemporary Theology, New York/Evanston/London 1966, S. 47 ff; R. Heijne, Sprache des Glaubens. Systematische Darstellung der Theologie von Ernst Fuchs, Tübingen 1972

[59] Vgl. E. Fuchs, Die Frage nach dem historischen Jesus, in: Zur Frage nach dem historischen Jesus, S. 143 ff; ders.: Glaube und Geschichte im Blick auf die Frage nach dem historischen Jesus, op. cit., S. 168 ff; ders.: Der historische Jesus als Gegenstand der Verkündigung, in: Glaube und Erfahrung, S. 433 ff; ders.: Einleitung. Zur Frage nach dem historischen Jesus, op. cit., S. 1 ff

[60] Vgl. bes. E. Fuchs, Die Theologie des NTs und der historische Jesus, in: Zur Frage nach dem historischen Jesus, S. 398 ff (»Glauben und Denken«)

[61] E. Fuchs, Jesus Christus, in: Glaube und Erfahrung, S. 445 ff, 451

als seine Worte: hier schrie die Liebe[62].« Jesus ist nach Fuchs in gewisser Hinsicht »ins Wort der Liebe auferstanden«[63].

Aus beiden Merkmalen läßt sich der diametrale Unterschied zu R. Bultmann ersehen. Für die Position des letzteren gilt es zu beachten, daß alles an der Relation »Glaube und kerygmatischer (nachösterlicher) Christus« hängt, weshalb die Synthese »Glauben und Verstehen« durchgehalten werden mußte. Anders bei E. Fuchs! Der Begriff des Denkens meint bei ihm die klare kritische Arbeitsweise des Exegeten *und* existentialen Interpreten, der in Auseinandersetzung mit dem Text steht. Ist »Verstehen« bei R. Bultmann das »Lebensverhältnis des Interpreten zur Sache«, die das Zeugnis der Schrift direkt oder indirekt zum Inhalt hat[64], so schafft bei E. Fuchs gerade das Sprachereignis das Wort, das dem Glauben zum Text wird[65]. Dem biblischen Text selbst, nicht dem gläubigen Verstehen, kommt letztlich die »entscheidende Funktion« zu. Der Ausleger hat durch entsprechende Interpretation dafür zu sorgen, daß der Text (und damit doch wohl die Liebe Jesu) am Leben bleibt. Die Umkehrung der hermeneutischen Position des Lehrers untersteht keinem Zweifel. Die Bultmannsche Synthese von »Glauben und Verstehen« ist auf den Nenner von »Sprache und Verstehen (besser: Hören)« gebracht[66]. Das theologiegeschichtliche Problem der feindlichen Brüder ist damit auf ein Scheinproblem reduziert.

R. Bultmanns Kritik läßt sich unschwer erschließen. Sie mußte vom eigenen Ansatz auf den Vorwurf der »historisch-psychologischen Interpretation« zielen. Natürlicherweise ist nach R. Bultmann ein solches hermeneutisches Vorgehen, das ausschließlich vom Verhalten des historischen Jesus her denkt, identisch mit dem unmöglichen Unternehmen, Jesu Seelenleben zu explorieren. Ihn selbst hat niemals die »Sprachlichkeit«, sondern immer nur die »Fraglichkeit« der Existenz interessiert. R. Bultmanns Einwand liegt daher auf der angedeuteten Ebene[67]: »Wenn nach der sachlichen Kontinuität zwischen Jesus und dem Kerygma gefragt wird, so kann doch nicht nach Jesu persönlichem Glaubensleben gefragt werden, sondern höchstens danach, ob das in Jesu Wirken als Möglichkeit und Forschung begegnende Existenzverständnis den Glauben an ihn einschließt; so daß man also fragen kann: Ist — oder wieweit ist — das verstehende Hören der Jünger schon vor Ostern als ein Glauben an Je-

---

[62] E. Fuchs, Das Neue Testament und das hermeneutische Problem, S. 162

[63] E. Fuchs, Marburger Hermeneutik, S. 200

[64] R. Bultmann, Das Problem der Hermeneutik, Glauben und Verstehen II, S. 211 ff

[65] E. Fuchs, Marburger Hermeneutik, S. 247

[66] E. Fuchs, Marburger Hermeneutik, S. 239: »Verstehen und Sprache gehören untrennbar zusammen«

[67] R. Bultmann, Das Verhältnis der urchristlichen Christusbotschaft, S. 19 ff

sus Christus, den Gestorbenen und Auferstandenen zu bezeichnen ...
Nun reden weder die Evangelien von Jesu eigenem Glauben noch weist
das Kerygma auf Jesu Glauben zurück.«

Ähnlich wie bei E. Fuchs ist auch bei G. Ebeling, dem herausragenden
Systematiker der hermeneutischen Fragestellung, die historische Rückfrage notwendige Voraussetzung des Glaubens an Jesus[68]. Schließlich
könne man von ihm nur soviel glauben, wie man wisse. Wir lesen[69]:
»Der Glaubensgrund ist in historischer Arbeit zur Sprache zu bringen,
weil er in der Geschichte zur Sprache gekommen ist. Die Frage nach
dem historischen Jesus ist die Frage nach diesem Sprachgeschehen, das
der Grund des Glaubensgeschehens ist.« Ganz anders aber früher R.
Bultmann[70]: »Jesu Worte gewinnen ihre Verstehensmöglichkeit erst in
der Wirklichkeit der gläubigen Existenz!«

Damit können wir eine erste Zusammenfassung geben. Während dort
(bei E. Fuchs, auch bei G. Ebeling) das Sprachgeschehen dem Glaubens-
geschehen vorgeordnet ist, um im Grunde bereits Heilsgeschehen zu sein,
wird hier (bei Bultmann) die gläubige Existenz dem Verstehen vorge-
setzt. Die erhebliche Divergenz des Standpunktes mit ihren je ganz verschiedenen Folgen für die Interpretation des Neuen Testaments sollte
gesehen werden. Ist die Kontinuität zwischen vorösterlichem Jesus und
nachösterlicher Situation durch den kerygmatischen Entscheidungsruf bedingt, so kann natürlicherweise das Konstante nicht als Verhaltensakt
der Liebe bestimmt werden. Ist andererseits die Kontinuität durch die
Grundbefindlichkeit eines gleichsam ontischen Geschehens, etwa der
Sprache, angenommen, so ist diese Deutungsmöglichkeit sehr wohl eröffnet. Diesen Weg beschreitet E. Fuchs, dem es auf diese Weise gelingt, die
eigentliche Verstehensproblematik des mit Jesus gesetzten Sachverhalts
in eleganter Weise zu umgehen. Die Frage der Gewißheit erscheint nämlich nicht im geringsten mehr als eine solche der Sache, sondern ausschließlich als eine solche des Hörers[71], der einem Text konfrontiert ist.
Sowohl die historisch-kritische Methode als auch das hermeneutische Bemühen streben in E. Fuchs einem Kulminationspunkt zu, insofern er die
absolute Gleichzeitigkeit von Sache und Interpret, von Jesus und heuti-
gem Menschen erreicht hat oder jedenfalls erreicht zu haben meint. Und
zwar auf völlig undogmatischem Wege! Wo sich die vorlessingsche Theo-

---

[68] Vgl. G. Ebeling, Wort Gottes und Hermeneutik, ZThK 56, 1959, S. 224 ff;
auch in: James R. Robinson — John B. Cobb, Die neue Hermeneutik, Neuland der Theologie II, 1965, S. 109 ff; Wort und Glaube, 1960, S. 319 ff; G.
Ebeling, Der Grund christlicher Theologie, ZThK 58, 1961, S. 227 ff

[69] Vgl. R. Bultmann, Das Verhältnis, S. 30

[70] R. Bultmann, Das Evangelium des Johannes, Meyer II [14], 1956, S. 452

[71] E. Fuchs, Marburger Hermeneutik, S. 239: »Im Verstehen kommt schon um
des Gespräches willen dem Hören der Primat zu«

logie auf die »Sprache des göttlichen Geistes« gestützt hat, beruft er sich im Grunde auf den »Geist der göttlichen Sprache« bzw. auf den »Geist der Sprache Gottes«[72].

Wie stark die Interpretation des Neuen Testaments durch den beschriebenen Umschwung in eine neue Bahn gelenkt wurde, sei noch an einem anderen Punkt verdeutlicht. Wurde früher (bei R. Bultmann) Jesus in der Hauptsache von Paulus aus interpretiert, so jetzt Paulus von Jesus her. Als Ergebnis einer Auslegung von Röm 7 kann daher E. Fuchs z. B. festhalten[73]: »Gott will unser Urteil über Jesus haben, um uns durch diese Nötigung zu Personen zu machen, die glauben können, so wie Jesus selbst den Gehorsam der Liebe für uns durchzuhalten vermochte. Die Glaubenden bestätigen ihr Urteil über Jesus, indem sie selbst ihre Person gegen den Tod aufbieten.« Es lohnt sich, die Aussage zu durchdenken! Offenbar bezeichnet sie die unmythologische Version jener konventionellen dogmatischen Betrachtungsweise, die sagen würde, Gott wolle Christi Urteil über uns haben, damit er dadurch Personen gewinne, die glauben und den Gehorsam der Liebe für ihn durchhalten. Jesus habe das Urteil über die Glaubenden bestätigt, indem er seine Person gegen den Tod für sie in die Waagschale warf. Bei solcher Betrachtung stellt sich unschwer heraus, daß der von Fuchs vertretene sprachontologische Ansatz eine bestimmte Form von radikaler existential-anthropologischer Auslegung gestattet. Während man herkömmlicherweise von Gott spricht, um den Menschen zu meinen, handelt diese Interpretation zuerst vom Menschen, um Gott ins Gespräch zu bringen[74]. E. Fuchs steht damit nicht allein. Ähnlich ist G. Ebeling der Überzeugung[75]: »Der Sinn des Wortes ›Gott‹ ist die Grundsituation des Menschen als Wortsituation.« Die Konzeption ist revolutionär. Man wird aber nicht sagen, daß solche Sehweise negativ oder destruktiv sei. Sie spricht die Sache zwar

---

[72] Wir betonen das »im Grunde«. E. Fuchs, Was ist ein Sprachereignis? in: Zur Frage nach dem historischen Jesus, S. 429: »Damit hat sich das hermeneutische Problem verlagert. Es gilt nun nicht nur, die Bedingungen zu erforschen, unter welchen der Text verständlich wird, sondern ebenso danach zu fragen, was durch das Phänomen des ›Textes‹ erschlossen werden soll. Der Text ist also nicht nur der Diener, der kerygmatische Formulierungen hervorbringt, sondern noch weit mehr ein Herr, der uns in den Sprachzusammenhang unserer Existenz einweist, in welchem wir ›vor Gott‹ existieren. Ich sage nun nicht, daß die Sprache ein Werk des Heiligen Geistes sei...«

[73] E. Fuchs, Existentiale Interpretation von Röm 7, 7—12 und 21—23 in: Glaube und Erfahrung, S. 385

[74] E. Fuchs, Marburger Hermeneutik, S. 29: »Ist es wirklich notwendig, von Gott selbst zu reden, so ist es notwendig, zum Menschen selbst zu reden. Diese These ist der materiale Ansatz meiner Hermeneutik«

[75] G. Ebeling, Gott und Wort, Tübingen 1966, S. 54, 61

anders aus, zielt aber auf den gleichen Effekt[76]. In gewisser Hinsicht kommt sie dem heutigen Verstehen zweifellos entgegen. Als Problem verbleibt einzig und allein, wieweit die theologische Intention in nur anthropologischer Rede auf die Dauer Verbindlichkeit besitzt[77]. Die Einsicht in das Urphänomen der Sprachlichkeit unseres Seins stellt keine genügende Absicherung des erhobenen Anspruches dar, zumal christologische Sachfragen in ihrer Brisanz vom Ansatz her (»wie Jesus«) unterschätzt sind.

Als profilierter Vertreter einer existential-anthropologischen Interpretation muß an dieser Stelle noch H. Braun erwähnt werden[78]. Ihm hat R. Bultmann bescheinigt, sein Anliegen am klarsten erkannt und wohl auch am konsequentesten durchgeführt zu haben[79]. Im Unterschied zu G. Ebeling und E. Fuchs hat nämlich Braun keine Kehre hin zur sprachontologischen Hermeneutik vollzogen, sondern den kerygmatischen Standpunkt des Lehrers radikalisiert[80]. Heißt es schon bei diesem, daß alle Theologie in Wahrheit Anthropologie sein müsse, so kann nun H. Braun in entscheidender Weiterführung des Grundsatzes ganz auf jede gegenständliche Rede von Gott verzichten. Indem er existential interpretierend den Gehalt der verschiedenen kerygmatischen Formen (bei Jesus, in der Urgemeinde und im hellenistischen Christentum) auf das Selbstverständnis des Menschen vor Gott reduziert, gelangt er ebenfalls zur Überwindung der leidigen Frage nach der Kontinuität. Er ersetzt sie durch die Frage nach der Konstanz und verweist eben in diesem Zusammenhang auf das glaubende Selbstverständnis des Menschen. »Das Kon-

---

[76] E. Fuchs, Antwort, in: Die neue Hermeneutik, S. 308: »Warum aber ›neue‹ Hermeneutik? Antwort: gerade um des uralten hermeneutischen Problems willen, wieso die christliche Verkündigung speziell die Bibel als ihren Text zu benützen habe«

[77] Vgl. J. B. Cobb, Glaube und Kultur, in: Die neue Hermeneutik, S. 292: »Das soll heißen, Gott, Jesus Christus, der Heilige Geist und andere solche entscheidenden Elemente im christlichen Beziehungssystem sind systematisch als Dimensionen oder Strukturen des Glaubens zu behandeln und nicht als dem Glauben transzendent. Allerdings ist zu fragen ob man damit nicht einen zu hohen Preis zahlt«

[78] Vgl. H. Braun, Gesammelte Studien zum Neuen Testament und seiner Umwelt, Tübingen 1962; 2. Aufl. 1967; ders., Gottes Existenz und seine Geschichtlichkeit im NT. Eine Antwort an H. Gollwitzer, in: Zeit und Geschichte, S. 399 ff; ders., Vom Verstehen des NTs, in: G. Otto, Glauben heute. Ein Lesebuch zur Evangelischen Theologie der Gegenwart, Stundenb. 48

[79] R. Bultmann, Das Verhältnis der urchristlichen Christusbotschaft, S. 21 f; ders., Der Gottesgedanke und der moderne Mensch, in: Glauben und Verstehen IV, 1965, S. 113 ff, 126

[80] Vgl. die Darstellungen der Position bei: G. Haufe, Auf dem Weg zu einer theologischen Hermeneutik, S. 59 ff.; Th. Lorenzmeier, Exegese und Hermeneutik, S. 71 ff

tante ist das Selbstverständnis des Glaubenden; die Christologie ist das Variable[81].« Nur so gelinge es letztlich, die sachliche Einheit des Christuskerygma der nachösterlichen Kirche mit der Verkündigung des historischen Jesus zu erweisen. Nicht das Selbstbewußtsein Jesu, über das wir keine sicheren Feststellungen treffen könnten, sei für uns bedeutsam, sondern allein seine Rede, die dem Menschen zu einem neuen Selbstverständnis verhelfe. Sie habe das »Ich soll« und »Ich darf« als Offenheit für den Mitmenschen angeboten, nicht etwa einen wie auch immer gearteten gegenständlichen Gottesgedanken[82]. Jesus recht verstehen bedeute, daß wir Gott als das »Woher« unseres Umgetriebenseins erkennen. Gott wird demnach als das Woher unseres Verpflichtetseins vom Mitmenschen her definiert[83]. Th. Lorenzmeier[84] beschreibt dieses hermeneutische Bemühen als den Versuch, »die Transzendenz Gottes als eine Transzendenz in der Immanenz zum Ausdruck zu bringen«. Sehen wir recht, dann ist jedenfalls die von Bultmann vertretene Synthese von »Glauben und Verstehen« bei Braun radikal zugunsten der Gleichung »Verstehen und Glauben« entschieden. Suche ich zu verstehen, was es um die Grundhaltung der Mitmenschlichkeit ist, so verkörpert solches Bemühen *eo ipso* auch das, was das Neue Testament mit Glauben zumutet[85]. In sehr logischer Konsequenz kann H. Braun fragen, ob es den Atheisten unter den Menschen überhaupt gebe, da doch jede Mitmenschlichkeit etwas verrate von dem »Ich soll« und »Ich darf« der Rede Jesu[86].

Ohne auf die Einzelheiten der Position weiter einzugehen, halten wir fest, daß damit der einst am Anfang des Barthianischen Neuaufbruches bezogene Standpunkt — denkerisch gesehen — endgültig in sein Gegenteil verkehrt ist[87]. Hieß es nämlich damals, daß Gott nach dem Men-

---

[81] H. Braun, Der Sinn der neutestamentlichen Christologie, in: Gesammelte Studien, S. 272

[82] A.a.O., S. 296

[83] H. Braun, Die Problematik einer Theologie des NTs, in: Gesammelte Studien, S. 325 ff, 341

[84] Th. Lorenzmeier, Exegese und Hermeneutik, S. 79. Zur Debatte vgl. auch G. Haufe, Auf dem Wege, S. 76, Anm. 46

[85] H. Braun, in: Gesammelte Studien S. 298: »Wenn ich das Neue Testament höre und verstehe, sehe ich ein: es hat recht, wenn es diese Anderswerdung Gottes an Jesus von Nazareth knüpft. In der Kommunikation mit diesem im Neuen Testament verschlüsselten und so vielschichtig widergespiegelten Geschehen begreife ich, wie wahr es ist, daß ›niemand zum Vater, denn durch Jesus‹ (Joh 14, 6) kommt. Hier wird der gegenständliche, metaphysische Gott zu meinem Gott, zum Woher je meines Gehaltenseins und meines Handelns«

[86] H. Braun, Die Problematik einer Theologie, S. 341

[87] Logischerweise gerät H. Braun in die Nähe der liberalen Theologie. Vgl. hierzu E. Gräßer, Motive und Methoden der neueren Jesus-Literatur, VuF 18, 1973, S. 3 ff, 14

schen frage und nicht etwa der Mensch Gott in Frage stellen könne, so lautet das Programm nun, daß der Mensch in seiner Mitmenschlichkeit Gott impliziert, also ihn ergreift, wenn nicht sogar verwirklicht. Wir verstehen von daher den vor einigen Jahren noch durchaus provokativen Satz, daß Gott »geschieht«, nicht etwa »ist«. Offenbar hat erneut eine Entwicklung ihren Abschluß erreicht, weil keimhaft längst im größeren Entwurf angelegt[88].

4. Ausgleichsversuche

War es im ausgehenden 19. Jh. ein bestimmter Geschichtsbegriff, den man über das theologische Reden von Gott als hermeneutisches Prinzip gesetzt hatte, so ist es heute eine bestimmte Idee vom Menschen[89]. Die hermeneutische Auseinandersetzung steht damit erneut an einer Wende. Die Frage nach dem, was kommt, bricht auf. Ob wir sie zu beantworten vermögen, steht auf einem anderen Blatt.

Es ist zunächst zu sagen, daß die skizzierten Positionen das Bild der neutestamentlichen Wissenschaft nachhaltig bestimmt haben. Ihre Wirkung war elementar, so daß − wenn neuerdings das Gefühl der Krise überhand nimmt − nicht wenige in Verlegenheit geraten. Mancher wird fragen, ob sich nicht Alternativen anbieten? Man muß darauf verweisen, daß im Raume der von K. Barth und R. Bultmann herkommenden hermeneutisch orientierten Theologie, vor allem von seiten der Schülergeneration, ernsthafte Anstrengungen gemacht werden, gewisse Schwächen zu egalisieren. Wir sehen von H. Ott ab, der den Versuch unternommen hat, zwischen K. Barth und R. Bultmann eine Brücke zu schlagen[90]. Für die neutestamentliche Themastellung ergiebiger bleibt E. Jün-

---

[88] Zur Problematik vgl. E. Hübner, »Monolog im Himmel«. Zur Barth-Interpretation von H. Zahrnt, EvTh 31, 1971, S. 63 ff, 69

[89] Vgl. G. Ebeling, Die Evidenz des Ethischen und die Theologie, ZThK 57, 1960, S. 318 ff, 364: »Denn wenn es so ist, daß nur die Wirklichkeit Gottes vertreten kann, der Gott glaubt, dann liegt der Schluß nahe, daß die Wirklichkeit Gottes nicht der Grund, sondern die Folge des Glaubens sei.« Also: »Wird nicht Feuerbachs anthropologischer Interpretation des Redens von Gott recht gegeben, wenn in dieser Weise die ganze Verantwortung, sozusagen die ganze Beweislast für das Reden von Gott dem so Redenden zufällt, dieser aber den Beweis schuldig bleibt?« N. A. Wilder, Das Wort als Anrede und das Wort als Bedeutung, in: Die neue Hermeneutik, S. 258: »Meine Kritik besteht, kurz gesagt, darin, daß uns hier eine unzureichende Anthropologie angeboten wird«

[90] H. Ott, Eschatologie, Versuch eines dogmatischen Grundrisses, Theol. Stud. 53, Zürich 1958 (s. das Vorwort); ders., Wirklichkeit und Glaube, 2. Bd.: Der persönliche Gott, Göttingen−Zürich 1969, s. bes. S. 6: »Gefaßt bin ich dabei von Anfang an auf den Einwand und Vorwurf des ›Rückfalls in die

gel, dem daran gelegen ist, über E. Fuchs die in der Frage der Kontinuität divergierenden Standpunkte von K. Barth und R. Bultmann soweit wie möglich zusammenzubringen[91]. Dabei weiß er sehr wohl, daß nicht einfach eine Versöhnung erreicht werden kann. Was ihm verbleibt, ist die Rückfrage nach der früheren »Einheit« der Positionen, »deren Ursprünglichkeit in dem gemeinsamen Bezug auf dasselbe Wort begründet ist«. Das Problem wird richtig fixiert, insofern es darin liegt, »wie Jesus als ein Ereignis der Vergangenheit zur Gegenwart und zum Gegenstand des Glaubens wird«. E. Jüngel bringt kurzerhand an Stelle des sprachontologischen Programms die Vorstellung einer »eschatologischen Sprachgeschichte« ein[92], in der die »Einheit von göttlicher und menschlicher Geschichte« angenommen werden dürfe. Er versteht darunter die Geschichte des rechtfertigenden »Wortes Gottes«, in dem die Geschichte zu dem werde, was sie sein solle, nämlich »Geschichte als Freiheit zum Wort«. Die Bultmannsche Überzeugung eines zwischen Jesus und Paulus vorliegenden Bruches voll teilend, stellt sich die Frage[93]: »Lenkt aber die Bewegung einer solchen Sprachgeschichte, die wir als eine eschatologische verstehen, nicht mit zwingender geschichtlicher Kraft den Blick auf dasjenige Sprachereignis zurück, mit dem die Geschichte ihren »Anfang nahm, so daß nicht nur das Kerygma den historischen Jesus und seine Verkündigung, sondern vielmehr auch diese das Kerygma verständlich machen und zur Geltung bringen?« Die angestellte Überlegung muß nach E. Jüngel bejaht werden, weil das Kerygma und der historische Jesus nur in einer unauflöslichen Wechselbeziehung das sind, »was sie wesentlich sind«. Damit sind nicht nur E. Fuchs und R. Bultmann einander zugeordnet, auch K. Barth kann um Einverständnis dafür ersucht werden, daß »Offenbarung« nicht etwa ein Prädikat der Geschichte, sondern Geschichte ein Prädikat der Offenbarung sei. »Indem jene eschatologische Sprachgeschichte als Geschichte des Zur-Sprache-Kommens Gottes verstanden wird, wird die Geschichte als Sprachgeschichte zum Prädikat der Offenbarung, die sich im Wort und als Wort ereignet.« Für die Position, die Verschiedenes auf einen Nenner zwingt, ist

---

Metaphysik‹ (in eine ›personalistische Metaphysik‹).« Vgl. auch die von H. Ott für »Hermeneutik« gegebene Definition (in: Theologie. Sechsmal zwölf Hauptbegriffe, hrsg. v. Cl. Westermann, 1967, S. 195): »So ist Hermeneutik im weitesten Sinne die Wissenschaft vom Menschen und seiner Geschichte. Theologische Hermeneutik ist die Wissenschaft vom Menschen in seiner Geschichte mit Gott.« Zur Beurteilung vgl. R. W. Funk, Language, Hermeneutics, and Word of God, S. 72 ff

[91] E. Jüngel, Paulus und Jesus. Eine Untersuchung zur Präzisierung der Frage nach dem Ursprung der Christologie, Herm. Unt. z. Theol. 2, 1962, S. Vorwort

[92] A.a.O., S. 271

[93] A.a.O., S. 274 (Anm.)

sowohl die erneute massive Hinwendung zu einem Geschichtsbegriff als auch ein spezifisch theologischer Ansatz bemerkenswert, wie er hinter der Prämisse einer eschatologischen Sprachgeschichte steht[94]. Die allgemeine sprachlich-ontologische Hermeneutik von E. Fuchs ist — radikal genug! — im Sinne einer sehr speziellen spracheschatologischen Hermeneutik übernommen und damit entscheidend zugunsten des Barthschen Ansatzes eingeschränkt und definiert.

E. Jüngel muß nun freilich gesagt werden, daß das eigentliche Problem für den Neutestamentler nicht darin liegt, eine »eschatologische Sprachgeschichte« zu akzeptieren, die die Kontinuität in der sog. Diskontinuität von vorösterlichem und nachösterlichem Geschehen zu sehen erlaubt. Das herausragende Problem besteht vielmehr darin, ob und wieweit das erwähnte theologische Postulat einen zureichenden Grund hat. Es sollte vorweg jener zentrale Sachverhalt bedacht werden, den E. Jüngel[95] später gleichfalls mit der gebotenen Schärfe geltend gemacht hat: »Daß Gott sich mit dem toten Jesus identifiziert hat, ist der vom Glauben selber vorausgesetzte Grund des Glaubens an Jesus.« Somit wäre der Tod Jesu als die primäre Voraussetzung einer eschatologischen Geschichte des Glaubens zu denken[96].

Ähnlich wie E. Jüngel ging vor kurzem noch E. Güttgemanns davon aus, daß das Kerygma den »historischen Jesus« als den »eschatologischen« Christus bezeugt[97]. Er wendet darauf den Begriff der »paradoxen Identität« an und versucht den Nachweis, daß der historische Jesus im Bultmannschen Entwurf durchaus einen Platz habe. Man kann der Aufgabenstellung entnehmen, daß zwischen E. Fuchs und R. Bultmann ein Ausgleich angestrebt wurde. R. Bultmanns Position sei in keiner Weise durch Interessenlosigkeit am historischen Jesus oder am Ereignis der Kreuzigung gekennzeichnet[98]: »Der Glaube bezieht sich durchaus auf

---

[94] Vgl. auch E. Jüngel, Unterwegs zur Sache. Theologische Bemerkungen, München 1972

[95] E. Jüngel, Tod. Themen d. Theol. 8, 1971, S. 136; vgl. auch ders., Das dunkle Wort vom »Tode Gottes«, Evang. Komm. 2, 1969, S. 133 ff, 198 ff. Somit dürfte die Anfrage Güttgemanns (Offene Fragen zur Formgeschichte, 1970, S. 68, Anm. 200) überholt sein: »Spielt Jüngels Variation der »neuen Hermeneutik‹ nicht zu sehr mit einem utopischen Geschichtsentwurf, der ... alle Ereignisse auf die Macht des Evangeliums zurückführen will?«

[96] Ähnlich G. Ebeling, Was heißt: Ich glaube an Jesus Christus? in: Was heißt: Ich glaube an Jesus Christus. Zweites Reichenau-Gespräch der Evangelischen Landessynode Württemberg, Stuttgart 1968, S. 38 ff, 67: »Der Glaube an Jesus läßt sich nur als Bekenntnis Gottes zum Gekreuzigten bekennen«

[97] E. Güttgemanns, Der leidende Apostel und sein Herr. Studien zur paulinischen Christologie, FRLANT 90, 1966, S. 198: »Der Gekreuzigte und Gott gehören so eng zusammen, daß nur die Zeit Gottes als die Zeit des Gekreuzigten gedacht werden kann«

[98] A.a.O., S. 404

eine ›historische‹ Person, auf ein konkretes Ereignis, aber eben nur insofern diese Person und dieses Ereignis als ›eschatologische‹ qualifiziert sind, d. h. sofern Jesus nicht im Sinne der Leben-Jesu-Forschung zum ›rein historischen‹ Jesus gemacht wird.« Mit anderen Worten: Der Glaube richtet sich gleichsam nur »punktuell« auf den »historischen« Jesus, sofern dieser im Kerygma als »eschatologischer« erscheint und eben allein dadurch »Objekt der Theologie« wird.

E. Güttgemanns, der weniger von einer eschatologischen Sprachgeschichte als vielmehr von einem eschatologischen Sprachereignis her zu denken scheint, hat ebenfalls eine Reduktion des Fuchsschen Programms vorgenommen. Es geschah zugunsten des frühen Bultmann, dessen theologischer Ansatz neu eindringlich gemacht wurde. Einige Besonderheiten verdienen zusätzliche Beachtung. Schärfstens tritt hervor, daß die am »Eschatologischen« orientierte »existentiale Interpretation« die allein sachgemäße »Form« der an der »Geschichte Jesu« interessierten Exegese sei. Vor allem das Kreuz Jesu wird als »eschatologisches Ereignis« erkannt und aus der »historischen« Zeit herausgenommen[99]. Die theologische Explikation des Kerygmas stelle das »Zusammengeschlossensein von geschichtlichen Jesus und eigener Existenz in der ›eschatologischen‹ Zeit des Handelns »Gottes« sicher. Die theologische Exegese habe daher die Aufgabe, die »eschatologischen« Phänomene als solche unserer Existenz aufzuweisen. Allem Anschein nach — so ein letzter Schluß — erfordere die neutestamentliche Eschatologie als einzig sachgemäße Interpretation energisch die »existentiale«[100]. Der Entwurf ist gewiß interessant. Aber: wie E. Jüngel muß sich E. Güttgemanns fragen lassen, womit er das Postulat eines »eschatologischen Sprachereignisses« rechtfertigt. Der Verweis auf das Kerygma als eschatologische Größe genügt nicht. Ob E. Güttgemanns seinen Standort inzwischen aufgegeben hat, ist überdies im Blick auf die theologischen Konsequenzen seines linguistischen Programms, worauf wir noch zurückkommen, mit Nachdruck zu fragen.

Man sieht, daß die Vertreter einer kerygmatischen Theologie, bewußt oder unbewußt, gewisse Frontverkürzungen vorgenommen haben, um die Synthese von »Glauben und Verstehen« zu halten. Eben an dem zuletzt erwähnten hermeneutischen Versuch läßt sich ein Mangel aufzeigen, den selbst wohlwollende Kritiker der existentialen Interpretation immer schon moniert haben[101]. Es ist der ins Auge springende Tatbe-

[99] A.a.O., S. 409: »Bultmanns Rede vom ›eschatologischen‹ Ereignis meint deutlich ein geschichtliches Geschehen, das jedoch seine zeitliche Qualifikation nicht von der Geschichte, sondern von dem durch Gott heraufgeführten Ende der Geschichte empfängt«

[100] A.a.O., S. 411 ff

[101] J. Sperna Weiland, Orientierung, S. 91 ff; J. M. Robinson — J. B. Cobb, Die neue Hermeneutik, S. 87 ff (J. Dillenberger) 193: »Das Ergebnis ist, daß die

stand einer personalen Subjektivierung des Wort- oder Kerygmageschehens, dem daher jede geschichtsmotorische Dynamik abgeht, was vor allem auf die Missionstheologie fühlbare Rückwirkungen gehabt hat[102]. Das Existential der Sprache scheint nicht aus der personalen Vereinzelung herauszuführen. Der Mangel an Aufarbeitung der geschichtlichen und sozialen Dimension liegt offenbar im Wesen des hier entwikkelten Programms beschlossen[103]; ob auch in der Sache, bleibt die Streitfrage.

5. Die geschichtstheologische Konkurrenzbewegung

An dieser Stelle ist es nötig, einen Blick auf die nichtkerygmatische Opposition zu werfen, die es immer schon gegeben hat, die aber lange Zeit die Auseinandersetzung kaum hat beeinflussen können. Erst neuerdings mehren sich die Stimmen unter dem Eindruck der allgemeinen geistesgeschichtlichen Wandlung, weshalb es sich empfiehlt, die Beiträge sorgfältiger zu bedenken. Wir beschränken uns auf eine knappe Darstellung, um nur die Tendenzen zu nennen.

Die hermeneutische Aufgabe von »Glauben und Verstehen« nimmt bei Einbeziehung der geschichtlichen Dimension sofort die Fassung »Glauben und Geschichte« an, wobei entweder die Geschichte ganz und gar vom Glauben oder der Glaube ganz und gar von der Geschichte her aufzuarbeiten ist. Das eine hat, in Auseinandersetzung mit R. Bultmann, profiliert O. Cullmann versucht, das andere ist in jüngster Zeit zum Arbeitsanliegen W. Pannenbergs geworden. Als Problem bleibt gesetzt, wieweit dort dem christlichen Verstehen, hier aber dem nicht-christlichen Verstehen (sc. des Profanhistorikers) zuviel zugemutet wird. Jedenfalls

Konturen des Glaubens wenig Farbe und Leben haben«; S. 253 ff (A. N. Wilder) 268: »Man trennt das Wort vom göttlichen Reichtum, das Kerygma von der biblischen Fülle, den hörenden Menschen vom sehenden, wissenden, mit Symbolen umgehenden und fühlenden Menschen«; S. 281 ff (J. B. Cobb) 294; Th. Lorenzmeier, Exegese und Hermeneutik, S. 188: »Trotz aller Betonung, daß die Theologie es zu tun hat mit dem Menschen in seiner Wirklichkeit, bleibt diese Wirklichkeit eigenartig schemenhaft«; G. Haufe, Auf dem Weg, S. 74: »Deutlich ist jedenfalls, daß diese ›neue Hermeneutik‹ in all ihren Spielarten durchweg am Menschen als Individuum orientiert bleibt«

102 Die gleiche Misere hat sich bei H. Halbfas zu Wort gemeldet (s. Anm. 161, op. cit., S. 240 f)

103 R. Bultmann, Geschichte und Eschatologie, 1958, S. 184: »Der Sinn der Geschichte liegt je in der Gegenwart, und wenn die Gegenwart vom christlichen Glauben als die eschatologische Gegenwart begriffen wird, ist der Sinn der Geschichte verwirklicht«

ist evident, daß der Widerspruch der Vertreter einer solchen Position in erster Linie auf die personale Verkürzung des biblischen Wortes zielt[104]. Man ist gewillt, einen universalen Anspruch der Christusbotschaft im Geschehen selbst begründet zu sehen, und verleiht ihm entsprechenden Ausdruck.

O. Cullmann sieht seit der Auferstehung Jesu, die als zentrales unmythisches Geschehen betrachtet wird, eine kontinuierliche Offenbarungs- und Heilsgeschichte andauern[105]. Es gibt für ihn weder das Problem der christologischen Diskontinuität zwischen vorösterlicher und nachösterlicher Wirklichkeit, noch billigt er das Gewicht des historischen Arguments, wonach sich Jesus und die Urkirche elementar eschatologisch verstanden haben, so daß die vertretene Konzeption »Christus — die Mitte der Zeit« unmöglich als Selbstzeugnis des Neuen Testament gelten kann, sondern nur als das Postulat einer Theologie, die evidente historische Fakten außer acht läßt. In O. Cullmanns Entwurf ist u. a. verkannt, daß das Christusgeschehen des Neuen Testaments einzig und allein als Endgeschehen exegetisch-hermeneutisch sachgemäß erfaßt wird, wodurch die Vorstellung einer fortlaufenden Heilsgeschichte und Heilslinie entscheidend relativiert ist[106].

W. Pannenberg, der gleichfalls die »existentiale Engführung der hermeneutischen Thematik« getadelt hat, führt als Argument ins Feld, daß das Selbstverständnis des Menschen in keiner Weise ohne Rücksicht auf ein vorgängiges Welt- und Gottesverständnis verhandelt werden könne[107]. Gegen R. Bultmanns »Theologie des Glaubens«, die auf die Formel gebracht werden kann: »Geschichte als Offenbarung«, sc. als Geschichte des Glaubens, hat er daher kontradiktisch eine Theologie der Geschichte gesetzt mit dem Programm: »Offenbarung als Geschichte.« Dementsprechend muß das Christusgeschehen, als dessen Höhepunkt die Auferstehung betrachtet wird, im Rahmen einer universalgeschichtlichen Weltbetrachtung verhandelt werden. Der Geschichte selbst wird augen-

---

104 Vgl. J. M. Robinson, Offenbarung als Wort und als Geschichte, in: Neuland in der Theologie III, Theologie als Geschichte, Zürich — Stuttgart 1967, S. 88 ff

105 O. Cullmann, Christus und die Zeit. Die urchristliche Zeit- und Geschichtsauffassung, Zürich 1962³, S. 9 ff (»Rückblick auf die Wirkung des Buches in der Theologie der Nachkriegszeit«); O. Cullmann, Vorträge und Aufsätze 1925–1962, hrsg. v. K. Fröhlich. Tübingen — Zürich 1966, S. 19 ff (Aufs. z. Hermeneutik); bes. O. Cullmann, Heil als Geschichte, Tübingen 1965

106 Zum Problem vgl. R. Bultmann, Geschichte und Eschatologie im NT, in: Glauben und Verstehen III, S. 91 ff

107 W. Pannenberg, Offenbarung als Geschichte, Kerygma und Dogma, Beih. 1, 1961; ders., Grundfragen systematischer Theologie. Ges. Aufsätze, Gött. 1971; ders. Hermeneutik und Universalgeschichte, ZthK 60, 1963, S. 90 ff

scheinlich eine gewisse Offenbarungsdignität zugeschrieben. Ist sie nicht allem menschlichen Selbstverständnis vorgegeben? Ist sie dann wirklich nur ein »Ausdruck der Frage des Menschen nach sich selbst«[108]? Oder nicht viel mehr Antwort auf ein umgreifendes Verhältnis des Menschen zur Welt und zur Gesellschaft? Wir verstehen, daß das Christusgeschehen im Rahmen dieser universalgeschichtlichen Konzeption, die auch das Zeugnis der Religionsgeschichte gegen den Atheismus zu bedenken gibt[109], einen eigentümlichen zentralen Ort zugewiesen bekommt. Im Geschick des Christus, in dem die universale Offenbarung der Gottheit Gottes kulminiert, habe sich — so lautet eine Hauptthese — das Ende allen Geschehens vorweg, nämlich proleptisch, ereignet[110]. »Das Ende der Geschichte aber ist mit der Auferweckung Jesu an ihm schon geschehen, obwohl es für uns andere noch aussteht.« Der eschatologische Charakter des Christusgeschehens begründet, daß es keinen weiteren Selbsterweis Gottes über dieses Geschehen hinaus geben wird: »Auch das Weltende wird lediglich in kosmischem Maßstab das vollziehen, was an Jesus bereits geschehen ist[111].« Im Entwurf W. Pannenbergs, den wir hier nur skizziert haben, erscheint die Auferstehung Jesu, heimlicher Brennpunkt der Geschichte, logischerweise als ein historisch verifizierbares Ereignis, womit aber zweifellos der Sache zuviel zugemutet wird[112]. Steht sie nicht zuerst unter dem Vorzeichen des Kreuzes? Der Geschichte, die voller Sinnverborgenheit ist, kommt am wenigsten offenbarungsmäßige Relevanz zu. Sie spricht weniger für als gegen den Glauben. Sofern Gott in ihr ist, verbirgt er sich darin in einer Weise, die eher erschrecken läßt als beseligt[113]. Die Bedeutung des hermeneutischen Entwurfes dürfte daher auf einem anderen Sektor seiner Reflexion zu suchen sein. W. Pannenberg und den Vertretern seiner Position, vor allem U. Wilckens, liegt aus inneren Gründen daran, die universalen Strukturen der apokalyptischen Vorstellungen der neutestamentlichen Christusbotschaft zu bedenken[114]. Damit wird man einer Aussageform gerecht, die in der Tat höchste Beachtung verdient, soll etwas von der universalen Weite des christlichen Anspruches deutlich werden, zu der wir wie jede andere Generation, die missionarisch gedacht hat, unbedingt zurückfinden müssen. Um Mißverständnissen vorzubeugen, betonen wir, daß das apokalyp-

[108] W. Pannenberg, Hermeneutik, S. 101
[109] W. Pannenberg, Reden von Gott angesichts atheistischer Kritik, Evang. Komm. 2, 1969, S. 442 ff
[110] W. Pannenberg, Offenbarung, S. 103
[111] A.a.O., S. 105
[112] W. Pannenberg, Grundzüge der Christologie, 1964
[113] Vgl. K. Löwith, Mensch und Geschichte, in: Ges. Abhandlungen, S. 152 ff
[114] U. Wilckens, Das Offenbarungsverständnis in der Geschichte des Urchristentums, in: Offenbarung als Geschichte, S. 42 ff

tische Weltbild zwar Strukturen einer bestimmten Christusdeutung mitteilt, nie aber Beweismittel in die Hand gibt[115].

Der Entwurf des Pannenbergkreises wurde von seiten der kerygmatischen Auslegung schärfstens zurückgewiesen. G. Klein hat den rein hypothetischen Charakter zu erweisen gesucht[116]. Solange das an Christus geschehene Ende sich »an« der Welt noch nicht ereignet habe, sei es niemals als vorweg ereignetes Ende der Welt auf der Ebene der Objekte konstituierbar[117]. Mit anderen Worten: Glauben könne es nie als nachweisbares Wissen geben, sondern immer nur als persönliche Gewißheit. Tatsächlich geht der Einwand des Profanhistorikers in die gleiche Richtung. R. Wittram hat ebenfalls zu bedenken gegeben, daß die Kontinuität von Gottes Handeln in der Geschichte nie objektiviert wahrzunehmen ist, weil alle scheinbaren Kontinuitäten »Teilansichten der historischen Vernunft« sind[118]. Nur: »Wenn man dessen gewiß ist, daß Gott die Geschichte macht, wird uns ein Sinnvertrauen geschenkt, das sowohl eine christliche als auch eine säkularisierte als euch eine genuin welthafte Totaldeutung entbehrlich macht.« Derlei Deutungen seien deshalb mit »nie abstumpfender Skepsis« zu betrachten. In der Tat wird man genau an dieser Stelle gewisse Vorbehalte gegenüber dem Entwurf anmelden. Die Strukturen einer universalgeschichtlichen Betrachtungsweise sind anders einzubringen. Sie sind ein Teilmoment christlicher Gewißheit und christlichen Sinnvertrauens, nicht aber ein aufweisbares Faktum, das die Selbstoffenbarung Gottes zu erhärten vermöchte. Somit kann die Alternative nicht etwa lauten: »*Geschichte* und Glauben«, ebensowenig wie sie heißen kann: »*Verstehen* und Glauben«, sondern wir haben uns zu bescheiden mit der Aufarbeitung der Formel: »*Glauben* und Verstehen« bzw. »Glauben und Geschichte«[119].

---

[115] Hierzu vgl. auch A. N. Wilder, Das Wort als Anrede, S. 275: »Könnte aber der Glaube nicht solche apokalyptisch-eschatologische Bilderwelt beibehalten, ohne sich selbst zu schaden?«; ebenso J. B. Cobb, a.a.O., S. 296 f

[116] G. Klein, Theologie des Wortes Gottes und die Hypothese der Universalgeschichte. Zur Auseinandersetzung mit W. Pannenberg, BzEvTh 37, 1964

[117] A.a.O., S. 55

[118] R. Wittram, Zukunft in der Geschichte. Zu Grenzfragen der Geschichtswissenschaft und Theologie. Göttingen 1966 (bes. S. 30 ff: »Möglichkeiten und Grenzen der Geschichtswissenschaft in der Gegenwart«)

[119] Der Tatbestand des Glaubens bedarf somit in gegenwärtiger Situation einer neuen Besinnung. Vgl. hierzu bes. G. Hennemann, Zur Phänomenologie des Glaubens, in: ZRGG 13, 1971, S. 1—21

6. Die katholische Exegese: Verstehen und Offenbarung

Die katholische Schriftauslegung, die sich bei zunehmender Bedeutung der Bibelwissenschaft ebenfalls verstärkt mit der hermeneutischen Frage auseinandersetzen muß, hat ein Defizit aufzuholen, worum man weiß[120]. Die Beschäftigung mit R. Bultmann nimmt neuerdings aber einen erheblichen Raum ein, was auf ein tieferes Interesse deutet[121]. Die Kritik gipfelt in der Frage, ob das Faktum »Christus, der Gekreuzigte«, so wie es Bultmann meint, überhaupt ein die menschliche Existenz treffendes und berührendes Ärgernis sei[122]. Oder noch einfacher und noch grundsätzlicher gewendet: »Wieso ist dieser Tod Jesu als reines Faktum, also inhaltlich unbegründet und leer, für die Existenz des Menschen bedeutsamer als der Tod eines Sokrates, eines Che Guevara oder Ho Tschi Minh?« Solche Frage berührt sich mit einem Einwand, den schon vor Jahren K. Jaspers vorbrachte[123], wonach R. Bultmann in seinem größeren kerygmatischen Konzept den eigentlichen Anstoß nicht mit der nötigen Entschiedenheit zur Geltung gebracht habe. Eine andere Meinung besagt[124], daß heute ohne Zweifel einem »gefährlichen biblischen Positivismus« der Boden entzogen sei. Die Schrift lasse sich nicht mehr einfach als Fundgrube für *dicta probantia* nehmen, sondern wolle tiefer ergriffen sein. Ihr Zeugnis von einer geschichtlichen Offenbarung müsse in den Geist und die Sprache der Zeit übersetzt werden, wenn anders sich seine Kraft noch entfalten solle. Weithin gehen die katholischen Ausleger darin zusammen, daß Bultmann problematischerweise die Hei-

[120] F. Mußner, Aufgaben und Ziele der biblischen Hermeneutik, in: Was heißt Auslegung der Heiligen Schrift? Regensburg 1966 ,S. 7 ff; G. Stachel, Die neue Hermeneutik. Ein Überblick, München 1968, bes. S. 60 ff (»Katholische biblische Hermeneutik«); P. Schoonenberg, Ereignis und Geschehen. Einfache hermeneutische Überlegungen zu einigen gegenwärtig diskutierten Fragen, in: ZkTh 90, 1968, S. 1–21; W. Kern S. J. – J. Splett, Hermeneutik: Nachholbedarf und Forschungsprojekt, in: Stimmen der Zeit 95, 1970, S. 129 ff; F. Hahn, Der Beitrag der katholischen Exegese zur ntl. Forschung. Ein Überblick, in: VuF 18, 1973, S. 83 ff; J. Gnilka, Methodik und Hermeneutik. Gedanken zur Situation der Exegese, in: Neues Testament und Kirche. Festschr. R. Schnackenburg, Freiburg 1974, S. 458 ff

[121] Vgl. G. Hasenhüttl, Rudolf Bultmann und die Entwicklung der katholischen Theologie, ZThK 65, 1968, S. 53 ff

[122] A. Sand, Hermeneutische Prinzipien des Offenbarungsverstehens bei Rudolf Bultmann, in: Theologie und Glaube 60, 1970, S. 321 ff, 343

[123] K. Jaspers, in: K. Jaspers – R. Bultmann, Die Frage der Entmythologisierung, München 1954, S. 88

[124] J. Ernst, Das hermeneutische Problem im Wandel der Auslegungsgeschichte, in: Theologie und Glaube 60, 1970, S. 321 ff, 273 (vgl. jetzt auch J. Ernst, Schriftauslegung, Beiträge zur Hermeneutik des NTs und im NT, Paderborn 1971, ein erweiterter Sammelband der in ThGl 1970, 4./5. H., erschienenen Beiträge)

deggersche existentiale Analyse verabsolutiert und das biblische Zeugnis auf den »reinen Anruf« reduziert hat[125]. Allgemein wird darauf hingewiesen, daß nicht nur aktuelle Ereignisse die menschliche Existenz prägen, sondern viele Erfahrungen und Lehren, die dem Menschen mitgegeben sind, ihn im »Jetzt« begleiten und sein »Morgen« bestimmen. Wie der Existenzbegriff Bultmanns, so stößt das aktualistische Offenbarungsverständnis auf grundsätzliche Bedenken[126].

Mit der philosophischen Hermeneutik hat sich katholischerseits eingehend E. Coreth[127] auseinandergesetzt. Nicht nur die theologischen Ausläufer, R. Bultmann, G. Ebeling und E. Fuchs, auch die Voraussetzungen, F. D. Schleiermacher, W. Dilthey und M. Heidegger, finden Beachtung, dazu besonders die darauf weiterbauende Arbeit von H.-G. Gadamer[128]. Gegenüber der Heideggerschen Forderung einer Überwindung des Subjekt-Objekt-Gegensatzes stellt E. Coreth die Ansicht, daß sorgfältiger danach zu fragen sei, »wie sich Subjekt und Objekt im Ganzen unserer Welt darstellen«. Spannung, Sinnganzheit und partikuläre Erfahrung machten die Zirkelstruktur des Verstehens aus. Zum Gesamthorizont des Verstehens gehöre außerdem die Welt, möge sich auch mit dem »Sein« der absolute Horizont auftun. E. Coreth weiß um den verstehenden personalen Dialog im Raum menschlicher Gemeinschaft. Erst in diesem größeren Gesamtrahmen komme das Verstehen zu sich[129]. Auch der Tatbestand der Geschichte, die das Verstehensproblem durch den von ihr gesetzten Abstand verschärft, findet Beachtung. Personale Kommunikation zur Überbrückung des Gegensatzes genüge allein kaum. Stößt unser Verstehen an Grenzen, dann habe das Vorverständnis vor allem das Sachverständnis zu begleiten. Gerade die Distanz könne zum Anlaß echter Begegnung werden. Statt sich ins Frühere hineinzusetzen, empfehle sich mit Gadamer die Horizontverschmelzung. Alles Verstehen lebt davon, daß sich weder der vorgegebene Text noch der Verstehende in abgeschlossenen Horizonten bewegen, sondern daß im Vollzug des Verstehens die fremden Horizonte in Wahrheit erst verschmelzen. Verstehen stellt sich demnach dar als die Vermittlung der Überlieferung mit der Gegenwart meines Lebens[130]. Coreth betont gegenüber Gadamer die kritische Funktion der Wahrheitsfrage. Das Bemühen um die Wahrheit

---

[125] J. Ernst, a.a.O., S. 264
[126] A. Sand, a.a.O., S. 338 f
[127] E. Coreth, Grundfragen der Hermeneutik. Ein philosophischer Beitrag, Philosophie in Einzeldarstellungen 3, Freiburg i. Br. 1969. Vgl. auch K. Beck, Rez. in: Philos. Literaturanzeiger 23, 1970, S. 150 ff
[128] Vgl. unten Anm. 135
[129] A.a.O., S. 109
[130] Hierzu vgl. das verwandte kritische Anliegen bei J. B. Cobb, Glaube und Kultur, in: die neue Hermeneutik, S. 281 ff

eines Textes dürfe nicht durch den Tatbestand des geschichtlichen Vorverständnisses beim Interpreten erdrückt werden. Endlich wird zu bedenken gegeben, daß der Welthorizont der Hermeneutik niemals die Frage nach dem letzten Seinsgrund, den wir »Gott« nennen, überflüssig mache[131]. Das katholische hermeneutische Bemühen kann somit auf den Nenner gebracht werden: Verstehen *und* Offenbarung. Bei aller Einheit exegetisch-theologischen Suchens mit der evangelischen Schriftauslegung ist die Wahrung des eigenen Erbes unübersehbar.

7. K. G. Gadamers Theorie der »Horizontverschmelzung«

Die Anregungen H. G. Gadamers[132] haben vor allem im Raum der evangelischen Hermeneutik vielfache Reaktionen hervorgerufen. Obwohl von Heidegger her kommend, möchte er über ihn hinausführen. Ihm verdankt er die Problemstellung und die Ausgangsposition, wonach die neuzeitliche Wissenschaft die wirkliche Erfahrung des Menschen verfehlt, weshalb die Verstehensfrage tiefer aufzuwerfen sei. Mit ihm teilt er die Überzeugung, daß die hermeneutische Erfahrung im Raum der Sprache ihren Grund habe[133]. Weil solcher Bereich aber dem vorausgeht, was moderne Wissenschaftlichkeit bearbeitet, müsse man nach der Wahrheit »jenseits der Wissenschaft« fragen[134]. Obwohl im Falle des zeitlichen Abstandes von Text und Interpret eine nicht unerhebliche Barriere zu überwinden sei, könne Wahrheit zur Geltung gebracht werden. Gadamers paradox scheinende Antwort lautet: eben durch den »Zeitenabstand«[135]. Ein Text erhalte seinen Sinn keineswegs nur durch die ursprünglichen Situationen, sondern immer auch »durch die geschichtliche Situation des Interpreten ... und damit durch das Ganze des objektiven Geschichtsganges«[136]. Verstehen ereigne sich letztlich nur durch Applikation im Raum der notwendigen Horizontalverschmelzung von Text und Interpret, die beide hierfür offen seien. Eben dies stelle einen wirkungsgeschichtlichen Vorgang von elementarer Bedeutung dar.

---

[131] E. Coreth, a.a.O., S. 189 ff
[132] H.-G. Gadamer, Wahrheit und Methode, Grundzüge einer philosophischen Hermeneutik, Tübingen ²1965; ders., Kleine Schriften. Bd. I: Philosophische Hermeneutik, Tübingen 1967; Bd. II: Interpretationen, Tübingen 1967; ders., Das Problem der Sprache in Schleiermachers Hermeneutik, ZThK 65, 1968, S. 445 ff
[133] Zur Besprechung vgl. Cl. v. Bormann, Die Zweideutigkeit der hermeneutischen Erfahrung, in: Phil. Rundschau 16, 1969, S. 92–119
[134] H.-G. Gadamer, Kleine Schriften, Bd. I, S. 51 ff
[135] H.-G. Gadamer, Wahrheit und Methode, S. 275 ff (»Die hermeneutische Bedeutung des Zeitenabstandes«)
[136] A.a.O., S. 280

Es lohnt sich, einige Reaktionen auf diesen Entwurf anzuhören. E. Fuchs steht ihm skeptisch gegenüber[137]. Er ist der Meinung, daß der sog. hermeneutische Zirkel (sc. an Jesus zum Glauben kommen und zugleich im Glauben Jesus auslegen) nicht an der Sinnfrage entsteht, »so daß Teilaussagen perspektivisch am anstehenden Ganzen zu klären wären, falls eine ›Horizontalverschmelzung‹ (Gadamer) möglich ist«. Auf diese Weise komme es doch nur zu Sinnpostulaten, die allenfalls Geschichtswirksames zur Diskussion stellen, nicht mehr. Der eigentliche hermeneutische Prozeß bestehe darin, daß zwischen Objekt und Subjekt im Vorgang des Verstehens ein Austausch stattfinde. »Der Ausleger muß sich von dem Auszulegenden seinerseits auslegen, nämlich in den Text hineinlegen lassen.« W. Pannenberg vermißt bei Gadamer die universalgeschichtliche Konzeption, zu der er seiner Meinung nach durchaus hätte fortschreiten können[138]. Aber vielleicht erhofft er zuviel. Gadamer denkt ausschließlich von der Endlichkeit unseres Verstehens her, für das die spekulative Frage nach dem Übergreifenden gerade nicht wesentlich ist. G. Haufe, der in der sog. neuen Hermeneutik von E. Fuchs und G. Ebeling, eine »einseitige Anthropologie« vorherrschen sieht und den Kontext konkreter Geschichte und konkreter Gesellschaft vermißt, zieht ihr Gadamers These einer notwendigen Horizontverschmelzung vor[139]. Eine doppelte Beobachtung bestimmt ihn: die Tatsache, daß die innerste Aussageabsicht eines Textes mehr als ein Fragen sei, dazu die andere, daß sich der Mensch hinsichtlich seines Welt- und Selbstverständnisses immer vorfinde, wodurch die Möglichkeit einer fruchtbaren Begegnung beider begrenzter Horizonte gesetzt sei. Im Falle der Bultmannschen Hermeneutik (mit ihrem eigentümlichen Zirkel) drohe dagegen eine nicht unerhebliche Horizontverkürzung. Bei der Aufgabe der Vergegenwärtigung gehe es im Grunde sowohl um die Erhellung des biblischen Wortes als auch um die Erleuchtung der eigenen Situation in einem. Erfahrung der Heillosigkeit und im Wort angebotenes Heil seien unmittelbare Voraussetzung der Horizontverschmelzung. Der skizzierte Standpunkt berührt sich mit dem früher schon von G. Gloege vertretenen programmatischen Satz[140], daß die Rechtfertigungslehre die eigentliche hermeneutische Kategorie kirchlichen Sprechens sei. Nicht weniger beachtenswert ist die von

[137] E. Fuchs, Marburger Hermeneutik, S. 85
[138] W. Pannenberg, Hermeneutik und Universalgeschichte, in: ZThK 60, 1963, S. 90 ff
[139] G. Haufe. Vom Werden und Verstehen des NTs. Eine Einführung, Berlin 1969, S. 155 ff (»Vergegenwärtigung des NTs?«); ders., Auf dem Wege zu einer theologischen Hermeneutik des NT, in: Bericht von der Theologie, Berlin-O. 1971, S. 56–79
[140] G. Gloege, Die Rechtfertigungslehre als hermeneutische Kategorie, ThLZ 89, 1964, Sp. 161 ff

P. Stuhlmacher erhobene Forderung[141], die existentiale Interpretation von Texten »durch eine Interpretation der Tradition auf der Suche nach den tragenden Elementen des Menschseins und der geschichtlichen Wirklichkeit weiterzuführen«. Gadamers Forderung nach einem »wirkungsgeschichtlichen Bewußtsein« sei mit Gewinn in die Exegese aufzunehmen. Die wirklich lebensentscheidenden und existenzbestimmenden Kräfte in einer biblischen Überlieferung zeigten sich keineswegs nur im Rekurs auf ihren Ursprungsgehalt, »sondern auch gerade daran, wie diese Überlieferung Jahrhunderte hindurch gewirkt und eine Welt mitgestaltet hat, die uns heute in unseren Gedanken, Erfahrungen und Ängsten bestimmt«.

Zurückhaltender urteilt G. Sauter[142]. Gadamers Theorie einer »Wirkungsgeschichte« begreife sich als Versuch, zu einem neuen Umgang mit der Geschichte anzuleiten, genüge aber nicht. Historisch-Genetisches lasse sich damit zwar durchleuchten, die erkenntnistheoretische Aufgabe aber sei im Blick auf die Geschichte nicht wahrgenommen, sondern durch Sprachphilosophie ersetzt. Gehe es bei Geschichte um einen Kommunikationsvorgang, so sei es noch wichtiger, Erkenntnismittel bereitzustellen, um Spannungen, Widersprüche und Differenzen zu beschreiben und zu kontrollieren. Die Aufgabe stelle sich gleicherweise im Blick auf Tradition und Legitimation. Das könne an Habermas verdeutlicht werden[143]: »Das hermeneutische Verstehen ist seiner Struktur nach darauf angelegt, innerhalb kultureller Überlieferung ein mögliches handlungsorientiertes Selbstverständnis von Individuen und Gruppen und ein reziprokes Fremdverständnis anderer Individuen und anderer Gruppen zu garantieren.« Auf die Aufgabe christlicher Hermeneutik bezogen, würde dies bedeuten, daß Theologie zu betreiben ist als die »permanente Rechenschaftsablegung über einen Prozeß, der mit Jesus Christus seinen Anfang nahm und dessen jetziges Erscheinungsbild als Produkt geschichtlicher Wandlungen begreiflich zu machen ist«. Theologie sei außerdem kritische Reflexion hin auf die ständig neue Stiftung des Glaubens, »der im geschichtlichen Zusammenhang lebt und sich in ihm ausspricht, jedoch sich nicht als aus ihm abgeleitet versteht«[144]. An anderer Stelle kann G. Sauter[145] eine christliche »Leidenstheologie« empfehlen, die die »erschöpfende Auslegung der Einheit von Kreuz und Auferstehung« sei, nämlich dergestalt, daß wir als Beitrag zur humanitären Pla-

---

[141] P. Stuhlmacher, Neues Testament und Hermeneutik, S. 121 ff
[142] G. Sauter, Vor einem neuen Methodenstreit in der Theologie? Theol. Existenz heute 164, 1970, S. 25 ff
[143] A.a.O., S. 27
[144] A.a.O., S. 49
[145] G. Sauter, Humanitäre Fantasie in Hoffnung und Planung, Ev. Komm. 12, 1970, S. 702 ff

nung in der Gegenwart nicht nur Leiden reduzieren, sondern selber den Versuch machen zu erproben, was wir im Namen Jesu Christi aushalten, ausgeben und verschenken können. Die Synthese von »Glauben und Verstehen« wird aus ihrer theoretisch-subjektiven Abstraktion herauszuführen versucht, dazu unter dem Eindruck einer neuen wissenschaftstheoretischen Besinnung, die die Überwindung des Theorie-Praxis-Gegensatzes anstrebt, zum Programm »Glaubensverwirklichung und wissenschaftlich-kritische Reflexion« umgeformt. Wieweit ein solches Bemühen Erfolg hat, muß die Zukunft erweisen. Daß es als notwendige Aufgabe in der modernen Welt ansteht, bedarf keiner Versicherung. Die eigentliche hermeneutische Besinnung wird damit sicher nicht überflüssig, zumal die Herausstellung des zureichenden Grundes christlicher Glaubensexistenz immer erste denkerische Notwendigkeit sein wird.

Unverkennbar unterliegen die genannten Arbeiten einem gemeinsamen Trend, nämlich die Auslegung der Schrift aus jeder unfruchtbaren Engführung herauszureißen, so daß die für Mensch, Geschichte und Welt bestimmenden Kräfte heute wieder in den Blick kommen.

8. Das »soziologische« Defizit: Glaube und Weltgestaltung

Der skizzierte Eindruck verdichtet sich, blicken wir noch auf verschiedene Einzelbeiträge, die insgesamt auf keinen einheitlichen Nenner gebracht werden können. Sie sind aber ebenfalls Zeugnis für ein empfundenes Ungenügen.

K. Niederwimmer[146] hat tiefenpsychologische Methoden zur Vertiefung der exegetischen Arbeit empfohlen, stößt darin aber sicher auf Widerspruch, weil das mit seinem Jesusbuch gelieferte Beispiel einer solchen Deutung schwerlich befriedigt[147]. In einer dezidierten Darstellung seines hermeneutischen Standpunktes[148] legt er dar, daß das Selbstverständnis der Texte am wenigsten hermeneutischer Maßstab sein könne. Der Glaube des Auslegers müsse sich der Praxis als des Kriteriums aller Vermittlungsversuche bewußt werden. Ziele das bisherige hermeneutische Bemühen im Grunde dahin, sich rational selbst zu vergewissern, ohne es in Wahrheit zu können, so sei die eigentliche Aufgabe damit gesetzt, das, worin der Glaube zur Einsicht gelangt, für die Praxis fruchtbar zu machen. Das Kriterium und das Ziel der Erkenntnis sei die Liebe. Oder

---

[146] K. Niederwimmer, Tiefenpsychologie und Exegese, Wege zum Menschen 22, 1970, S. 257 ff

[147] Hierzu vgl. P. Stuhlmacher, Neues Testament und Hermeneutik, S. 160

[148] K. Niederwimmer, Unmittelbarkeit und Vermittlung als hermeneutisches Problem, Kerygma und Dogma 17, 1971, S. 97 ff

anders ausgedrückt[149]: »Ein theologischer Satz ist soviel wert, als er bewußt zu machen, zu befreien, durch die Liebe zu verändern imstande ist.« Niederwimmer wendet sich gegen die »ideologische Selbstauslegung« und entsprechend gegen R. Bultmann, dessen Forderung von wissenschaftlicher Objektivität und existentieller Betroffenheit eine viel zu krasse Alternative bezeichnete. Den Mangel an »Aufarbeitung der sozialen Dimension«, dem ein gewisser Weltverlust parallel gehe, beklagt in gleicher Frontstellung G. Hummel[150]. Die Heideggerschen Voraussetzungen überprüfend, wird als Ergebnis festgehalten, »daß der historisch-kritischen, auf Kontinuität und Totalität zielenden Methode eine empirisch-kritische, auf Situation und Perspektivität zielende Methode zur Seite gestellt werden muß«. Aus dem gleichen Grund hat D. Gewalt ein spezielles Beispiel dafür geliefert[151], wie Auslegung und soziologische Fragestellung einander befruchten können. Auch er moniert die theologische Soziologievergessenheit, die Grund sein könne für eine ernsthafte Gefährdung der gesamten theologischen Arbeit.

Derlei Untersuchungen weisen auf künftige Arbeitsaufgaben hin. Fachlich weniger festgelegte Theologen bestimmen seit einiger Zeit verstärkt die grundsätzliche Themenstellung. J. Moltmann hat die Bezeichnung einer »Politischen Hermeneutik« in die Debatte eingebracht und in seiner Monographie »Der gekreuzigte Gott« in aller Form trinitarisch begründet[152]. Man wird darauf achten, daß er von einer Mitte her denkt, die ebenso tragfähig wie wegweisend ist. Für ihn ist das Kreuz Christi die gegenwärtige Gestalt der Auferstehung, an die verstandesmäßig zu glauben vielen schwerfällt. Um weiterzuführen, wagt er den Satz, daß die Auferstehung Christi nur indirekt, sein Kreuz hingegen »direkt der Grund der christlichen Hoffnung auf Gerechtigkeit und Leben ist«[153]. Die in neutestamentlicher Hinsicht stark von E. Käsemann her beeinflußte Position ist bekannt. J. Moltmann teilt mit ihm den Standpunkt, daß die Theologie des Wortes und die Theologie des Kreuzes gemeinsam gewonnen und verspielt werden[154]. Daher geht es um die Fruchtbarmachung sozialethischer Gesichtspunkte für ein Christentum, das auf Grund

---

149 A.a.O., S. 111
150 G. Hummel, Theologie als Hermeneutik der christlichen Religion. Zum Selbstverständnis einer Wissenschaft. ZSystTh 13, 1971, S. 44 ff, 54 f
151 D. Gewalt, Neutestamentliche Exegese und Soziologie, EvTh 31, 1971, S. 87 ff
152 J. Moltmann, Existenzgeschichte und Weltgeschichte. Auf dem Weg zu einer politischen Hermeneutik des Evangeliums, in: Perspektiven der Theologie. Gesammelte Aufsätze, 1968, S. 128 ff; ders., Der gekreuzigte Gott. Das Kreuz Christi als Grund und Kritik christlicher Theologie, München 1972, bes. S. 293 ff
153 J. Moltmann, Auferstehung als Hoffnung, in: Pastoraltheologie 58, 1969, S. 3 ff, 10

seiner Geschichte die planende Weltgestaltung nicht zu fürchten braucht und sie um des Überlebens willen auch am wenigsten scheuen darf. J. Moltmann ist der herausragende Repräsentant einer größeren Strömung, die auch die katholische Theologie erfaßt hat.

Der katholische Sozialethiker J. B. Metz ist zu ähnlichen Sätzen vorgestoßen, wenn er fragt[155], wie denn der »gläubige Mensch« konkret die Weltsituation anzunehmen vermöge. Seine Antwort will gehört sein: »Dies ist dadurch möglich, daß die jeweilige Welterfahrung sich als eine Grenzerfahrung menschlichen Daseins enthüllt und daß diese Grenzerfahrung, dieses innerweltliche Scheitern des menschlichen Daseins an seiner Welt, noch einmal vom Menschen angenommen wird – angenommen in der Kraft und in der Gnade dessen, der in der gehorsamen Annahme seines Scheiterns in der Welt dieses gerade überwand, angenommen also im Zeichen des Kreuzes unseres Herrn.« Offenbar wird hier, ohne den Begriff zu gebrauchen, eine massive existentiale Auslegung betrieben. In faszinierender Weise sind aber zugleich neues glaubendes Selbstverständnis und Antrieb zur Weltgestaltung auf einen unerschütterlichen Punkt gestellt. H. Küngs monumentale Arbeit »Christ sein« (1974) ist das Paradebeispiel eines konzentrierten hermeneutischen Vorgehens[156], wird doch eine ganz und gar christozentrische Sicht, die ihre Norm am lebendigen Gekreuzigten sucht, elementar mit dem gesellschaftlichen Kontext unserer Zeit verknüpft. Provokativ werden die bewegenden Fragen der Gegenwart aufgegriffen, dazu Menschsein und Christsein ebenso radikal wie kompromißlos zugeordnet. »Im Blick auf ihn, den Gekreuzigten und Lebendigen, vermag der Mensch auch in der Welt von heute nicht nur zu handeln, sondern auch zu leiden, nicht nur zu leben, sondern auch zu sterben. Und es leuchtet ihm auch dort noch Sinn auf, wo die reine Vernunft kapitulieren muß, auch in sinnloser Not und Schuld, weil er sich auch da, weil er sich im Positiven wie im Negativen von Gott erhalten weiß.« Es ist mehr als der übliche Dogmatismus nicht-hermeneutischer Reflexion, wenn Tod und Auferweckung Jesu als eine »differenzierte Einheit« ausgegeben werden. Anders als bei J. Moltmann fehlt der Rahmen einer spekulativ-trinitarischen Einordnung des Kreuzes. Schärfstens gilt: »Das Kreuz ist nicht nur das Beispiel und Modell, sondern Grund, Kraft und Norm des christlichen Glaubens ... Das Kreuz trennt den christlichen Glauben vom Unglauben und vom Aberglauben. Das Kreuz gewiß im Licht der Auferweckung, aber zugleich die Auferweckung im Schatten des Kreuzes.«

[154] E. Käsemann, Die Heilsbedeutung des Todes Jesu nach Paulus, in: Die Bedeutung des Todes Jesu. Exegetische Beiträge, Gütersloh 1967, S. 11 ff, 27

[155] J. B. Metz, Zur Theologie der Welt, Mainz/München 1968, S. 64

[156] H. Küng, Christ sein, München/Zürich 1974, bes. S. 574, 400

Gibt es ein soziologisches Defizit im heutigen hermeneutischen Bemühen, so wird es hier im Zentrum christlichen Zeugnisses inhaltlich gefüllt und motorisch umgesetzt.

Demgegenüber findet die sprachontologische hermeneutische Fragestellung u. a. ihre Vertreter in den beiden katholischen Philosophen E. Simons und K. Hecker. Obwohl sie die philosophische Selbstbegründung der Theologie »allein in einer an Fichte noch eher als an Hegel anknüpfenden, nachmarxistischen wie nachexistentialistischen Wende zur Auslegung der konkreten Geschichte als dem einzigen Ort der Wahrheit« ansetzen[157], sind doch alle neueren Anliegen aufgenommen. Der zentrale Sachverhalt der Sprache wird dahingehend erörtert, wieweit sich Sprachgebilde als reflektierter Selbstvollzug der Gesellschaft in ihrer Geschichtlichkeit erweisen. Die Bedeutung des Dialogs vor allem auch für die absolute Sinn-Mitteilung ist ernst genommen. Die Dialektik von Was-Wofür, von Objekt-Subjekt werde endlosem Reflektieren nur enthoben durch die Intersubjektivität, d. i. durch das dialogische Subjekt-Subjekt-Verhältnis. Das Wort der Wahrheit, nicht zuletzt das Wort Christi, begegne immer leibhaft-personal als Du. Vorstellungsmäßige »Fixierungen von Gott« werden verworfen, weil vom modernen Wissenschaftsbegriff her Glauben und Wissen engstens zusammengehörten und keineswegs Gegensätze bezeichneten. Hinter dem Bemühen der Autoren steht ein ausgleichendes Anliegen.

Andere Positionen im Raum der katholischen Theologie scheuen die nötige Einseitigkeit zur Hebung des Profils nicht. Man mag an die von H. Halbfas übernommene existentiale Hermeneutik denken[158] oder an die »politische Theologie«, wie sie von L. Rütti[159] und H. v. Malinckrodt[160] vertreten wird. Sie werfen jenem »Entweltlichung und Privati-

---

[157] E. Simons — K. Hecker, Theologisches Verstehen. Philosophische Prolegomena zu einer theologischen Hermeneutik, Düsseldorf 1969, S. 189 u. a.

[158] G. Stachel, Existentiale Hermeneutik. Zur Diskussion des fundamentaltheologischen und religionspädagogischen Ansatzes bei Hubertus Halbfas, Zürich/Köln 1969 (u. a. Beiträge von O. Betz, R. Schnackenburg, W. Trilling)

[159] Vgl. L. Rütti, Glaube und Wirklichkeit, in G. Stachel, Existentiale Hermeneutik, S. 58 ff., 71 f: »Verantwortung und Mitteilung des Glaubens müssen darum über den Rahmen eines Sprachgeschehens zur Deutung von Wirklichkeit und Erschließung von Möglichkeiten menschlicher Existenz hinaus im umfassenderen geschichtlich-gesellschaftlichen Lebenszusammenhang vollzogen werden. Das bedeutet unter den gegenwärtigen Bedingungen, daß eine theologische Hermeneutik vor allem gesellschaftsbezogen und handlungsorientierend sein muß« (Verweis auf J. B. Metz und J. Moltmann)

[160] H. v. Mallinckrodt, Katechetik im existential-hermeneutischen Engpaß, in G. Stachel, Existentiale Hermeneutik, S. 74 ff, 78: »Eine politische Theologie geht aus von ›Gottes Handeln in der Geschichte‹ (›God's Action in history‹)«, sie sieht die »heutige Wirklichkeit des Menschen weniger von der Subjektivität als vielmehr von der menschlichen Sozialität her«

sierung« vor sowie »Geschichtsvergessenheit und individuelle Verengung«. Aber sind sie seinem Anliegen wirklich gerecht geworden? H. Halbfas kann immerhin sagen[161]: »Kraft zu neuer Sprache ist darum abhängig von der Kraft zu neuer Solidarität gelebten Lebens. Wenn Lebensstil und Denken sich ändern und neue Wirklichkeiten eingelassen werden, eröffnen sich auch Möglichkeiten neuer Sprache. Und umgekehrt: in der lebendigen Sprache erweitert sich das geschichtliche und gesellschaftliche Bewußtsein auf das Ganze menschlicher Geschichte und Gesellschaft hin.«

Wir schließen hier die Reihe unserer Beispiele ab. Samt und sonders geht daraus hervor, wie sehr die hermeneutische Reflexion jede subjektive Engführung zu vermeiden sucht, mag man auch nicht immer von gleichen Voraussetzungen her denken.

9. Der Beitrag der »linguistischen« Theologie

Um das Spektrum der Meinungen einigermaßen abzurunden, soll hier auf einen Zweig exegetischer Arbeit hingewiesen werden, der in Zukunft stärker in das Blickfeld rücken dürfte, die sog. Linguistik. Wie die erwähnte pragmatisch-soziologische Hermeneutik im Grunde eine anthropologische Fortführung der theologischen Besinnung um »Glauben und Geschichte« ist, so die linguistische Theologie zumindest teilweise ein Ableger der sprachontologisch-existentialen Interpretation, von der sie sich aber freilich wertneutral abzuheben sucht. Für Arbeitsvorhaben auf dem Gebiet soziologischer und literaturwissenschaftlicher Analysen bestehen begreiflicherweise vielfältige Möglichkeiten. Hier wie dort handelt es sich zuerst um ein Arbeitsfeld im vor-theologischen Bereich. Die Auswirkungen auf Sache und Zeugnis sind allerdings gravierend, wenn Theologie als »die Wissenschaft der Rede von Gott« definiert wird[162]. Man geht aus von einer grundsätzlichen Unterscheidung, die schon F. de Saussure (1857—1913)[163] beachtet wissen wollte. Ihm zufolge liegt das Phä-

---

[161] H. Halbfas, Fundamentalkatechetik. Sprache und Erfahrung im Religionsunterricht, Düsseldorf/Stuttgart 1968, S. 81

[162] Vgl. bes. E. Güttgemanns, Offene Fragen zur Formengeschichte des Evangeliums, BzEvTh 54, München 1970, bes. S. 44 ff, 251 ff; ders., »Linguistische« Theologie. Biblische Texte, christliche Verkündigung und theologische Sprachtheorie, Forum Theologiae Linguisticae 3, Bonn 1972; sowie das private Publ. Organ »Linguistica Biblica« (Bonn 1970 ff); über J. Barr vgl. E. Dinkler, Die ökumenische Bewegung und die Hermeneutik, in: ThLZ 94, 1969, Sp. 481 ff (mit Lit.); W. Bartholomäus, Evangelium als Information, Zürich/Einsiedeln/Köln 1972

[163] Vgl. Ferdinand de Saussure, Cours de linguistique générale, 1916, Neuaufl. Paris 1955

nomen der Sprache (»langage«) doppelt vor, nämlich in einer soziologischen (= »la langue«) und in einer individuellen (»la parole«) Ausprägung. Dort ein überindividuelles System von Zeichen und Ideen, hier ein individueller psychischer Akt. Dem ersteren gehören die Sprachgebilde und Sprachwerke zu, also das, was Gegenstand der Literaturwissenschaft ist. Ihre Ergebnisse berühren die ntl. Arbeit in der Tat unmittelbar auf dem Sektor der Traditions- und Formgeschichte, weshalb man heute versucht, die Fülle angesammelter Ergebnisse und Hypothesen mit ihren oft weitreichenden Ansprüchen nach dem, was Bestand hat, neu zu sichten. Es scheint, daß zahlreiche Grundsätze früherer Arbeit methodenkritisch revidiert werden müssen. Das Verhältnis zu den anderen Wissenschaften, vorweg das zu der Literatur- und Sprachwissenschaft, ist methodisch und theoretisch neu zu ordnen[164].

Welche Erkenntnisse sich im einzelnen als haltbar erweisen werden, kann noch nicht gesagt werden. Für die hermeneutische Fragestellung dürfte interessant sein, daß das noch in den Anfängen steckende Bemühen je nach Aspekt ein doppeltes Gesicht hat. Einmal gewinnt die Frage nach dem inneren Zusammenhalt des Neuen Testaments erhebliches Gewicht. E. Güttgemanns, der für die Grundsätze linguistischer Untersuchung der neutestamentlichen Literatur ebenso einseitig wie massiv eine Lanze bricht, sieht sich auf die Frage zurückgeworfen, wieweit die Form des Evangeliums die sprachliche Gestalt eines bestimmten christologischen Verständnisses ist. Darüber hinaus ändert sie die exegetische Situation der Textauslegung im Kontext der Linguistik geradezu umwälzend[165]. Das disharmonische Konzert von semantischer, phonetischer und syntaktischer Analyse hält den Text fühlbar, durch die rationale Terminologie sogar fast abschreckend, auf Distanz. Die unerläßliche Regel von synchroner und diachroner Betrachtung schließt jede vorschnelle geschichtliche Betrachtung aus und macht zu einer fast rational-mathematisch-statistischen Operation, was in herkömmlicher Interpretation als oft sehr unmethodisches Verfahren der Auslegung geübt wird. Widersinnigerweise gewinnt aber gerade so der Text in seiner Eigentümlichkeit Farbe und Tiefe zugleich, so daß echtes Verstehen nun erst Platz greifen kann,

---

[164] Wichtig: W. Richter, Exegese als Literaturwissenschaft. Entwurf einer alttestamentlichen Literaturtheologie und Methodologie, Göttingen 1971, bes. S. 17 ff, 22 ff (mit Lit.); W. Schenk, Die Aufgaben der Exegese und die Mittel der Linguistik, in: ThLZ 98, 1973, Sp. 881 ff; vgl. auch H. Frankemölle, Exegese und Linguistik — Methodenprobleme neuerer exegetischer Veröffentlichungen, in: Theol. Rev. 71, 1975, Sp. 1 ff; R. Kieffer, Die Bedeutung der modernen Linguistik für die Auslegung biblischer Texte, in: ThZ 30, 1974, S. 223 ff
[165] Vgl. für das AT z. B. G. Fohrer u. a., Exegese des Alten Testaments. Einführung in die Methodik, Heidelberg 1973

weil Unreflektiertes in der Analyse bewußt wird. Allerdings ist es wahrscheinlich nicht jedermanns Sache, über linguistische Abstraktionen und Umwege zur Wahrheit des ntl. Zeugnisses geführt zu werden. Immerhin hält H.-D. Bastian[166] das gegenwärtige worttheologische Bemühen für sprachwissenschaftlich ahnungslos und wagt von daher die Behauptung, daß ohne linguistisches Bemühen, wozu er das Studium der Struktur- und Funktionsgesetze des Kommunikationsprozesses zählt, die Mitteilung des Evangeliums an den modernen Menschen überhaupt nicht gelingen könne; denn[167]: »Der Glaube ist eine spezifische Funktion der Nachrichtenwirkung und der Nachrichtenverarbeitung.« Ohne auf diese provokatorische Stellungnahme näher einzugehen, halten wir fest, daß hier das Programm von »Glauben und Verstehen« auf die sicher zu einfache Synthese von »Information und Kommunikation« gebracht wird. Die Problematik theologischer Wahrheitsfindung ist unterschätzt, wenn freilich mit Recht erkannt ist, daß das »Wort« als Text sehr exakt nach seinem Inhalt bestimmt werden muß. Auch eine solche Position gehört zum hermeneutischen Pluralismus unserer Lage, der vielfältig und spannungsreich ist wie wohl nie zuvor. Gibt es in solcher Situation überhaupt noch die Möglichkeit der Wegweisung?

10. Zur Situation

Am Schlusse dieser Übersicht stellt sich die Frage nach der Beurteilung unseres gegenwärtigen Standortes. Der Außenstehende kann leicht in Verwirrung geraten. Die Vielfalt der Standpunkte und die Überproduktion an Meinungen mag irritieren und vielleicht sogar enttäuschen. Das sollte nun freilich nicht so sein! Literarische und gedankliche Manigfaltigkeit sind nicht nur wissenschaftstypisch, sondern mehr noch ein Zeichen lebendiger Arbeit und gründlicher Auseinandersetzung. Außerdem zeigt es sich, daß die äußerliche Vielfalt weithin nur eine scheinbare ist, denn es zeichnen sich im Grunde drei oder vier Hauptströmungen ab, die das Bild der heutigen hermeneutischen Arbeit prägen. Gewicht hat weiterhin in Fortsetzung früherer Arbeit, die im wesentlichen mit dem Namen R. Bultmanns verbunden werden muß, die existentiale Hermeneutik. Ihr eigentliches Thema ist die traditionelle Grundsatzerörterung von »Glauben und Verstehen«. In Gegenbewegung hierzu ist es außerdem stärker zu einer hermeneutischen Aufarbeitung der Themen

---

[166] H.-D. Bastian, Theologie der Frage, 1969, S. 234 f, 256 f, 324 f; ders., Verfremdung und Verkündigung ThExh 127, ²1967, S. 6 f
[167] H.-D. Bastian, Vom Wort zu den Wörtern. K. Barth und die Aufgaben der Praktischen Theologie, EvTh 28, 1968, S. 25 ff, 50 ff

»Geschichte« und »Geschehen« gekommen, wobei die Fragestellung auf den Nenner Glauben und Geschichte gebracht werden kann. Wir erkennen weiterhin eine stärker pragmatische Tendenz der Hermeneutik, die sich — an letztere Richtung anknüpfend — weniger um Grundsatzerörterungen als um die Einbeziehung des politisch-soziologischen Sektors bemüht im Sinne von: Glauben und Kommunikation. Das Zeugnis der Schrift ist darin nicht mehr eigentlicher Problemgegenstand, sondern eher Mittel zum Zweck, die Relevanz des christlichen Glaubens für die Welt- und Lebensgestaltung einzuschärfen. Als ganz und gar theoriebezogen, und somit als ein strenges Gegenüber hierzu, stellt sich endlich jener Zweig linguistischer exegetischer Arbeit dar, der Theologie als die Wissenschaft der Rede von Gott definiert und somit Theologie wesensmäßig auf »Text und Sprache« gründet.

Wie die Dinge liegen, können wir auf keinen Fall von einer augenblicklichen Stagnation reden. Was den Fachtheologen beunruhigt, so daß manche sogar von einer Krise sprechen, dürfte eher die allgemeine Umbruchsituation sein. Lehrer, die bis vor kurzem noch der Arbeit entscheidende Impulse vermittelt haben, treten ab. Eine neue Generation geht an das Werk, wobei sich noch keine klare Richtung ersehen läßt, außer der Überzeugung, daß frühere Standpunkte auf dem Gebiet der methodisch-exegetischen und historisch-theologischen Arbeit unbedingt der Überprüfung und Weiterführung bedürfen[168]. Radikal-extremes Denken ist im Augenblick nicht begehrt. Was als notwendig erkannt wird, ist die Konzentration auf das Wesentliche, wobei die Standpunkte der Lehrer, soweit sie einen brauchbaren theologischen Ansatz bezeichnen, noch einmal begrenzte Geltung erlangen. Wo dieser theologische Ansatz nicht gesucht wird, kommt es wahrscheinlich sehr schnell zur Loslösung vom allgemeinen theologischen Arbeitsraum, so daß sich im vielfältigen Pluralismus der Stimmen jede allzu abseitige Position selbst isoliert und um die Wirkung bringt. Von besonderer Bedeutung ist in diesem Zusammenhang die Aufrechterhaltung des Gespräches mit der katholischen Exegese, die — soweit sie die Aufgabe wahrnimmt — ein in jeder Hinsicht ebenbürtiger Gesprächspartner geworden ist[169]. Durch das Vaticanum II sind die Möglichkeiten eines fruchtbaren exegetisch-hermeneutischen Dialogs entscheidend erweitert[170].

---

168 Vgl. P. Stuhlmacher, Neues Testament und Hermeneutik, S. 152 ff; G. Ebeling, Studium der Theologie. Eine enzyklopädische Orientierung, UTB 446, 1975, bes. S. 13 ff; H. Conzelmann/A. Lindemann Arbeitsbuch zum Neuen Testament, UTB 52, 1975, S. 1 ff (Methodenlehre; ergänzungsbedürftig)
169 G. Stachel, Die neue Hermeneutik, S. 60 ff
170 G. Stachel, Die neue Hermeneutik, S. 13 ff; J. Ernst, Das hermeneutische Problem im Wandel der Auslegungsgeschichte, ThuGl 60, 1970, S. 245 ff, 270 ff; O. Loretz, Die hermeneutischen Grundsätze des Zweiten Vatikani-

Für die neutestamentliche Theologie bleibt weiterhin die Gewinnung eines überzeugenden hermeneutischen Standpunktes vordringlich. Die Schwierigkeit, ihn zu finden, beruht darin, daß die neuere historisch-exegetische Arbeit zu viele Einzelresultate hinterlassen hat, die heute weithin noch zu keinem größeren überzeugenden Bild der Zusammenhänge verarbeitet sind. Einerseits hat sich das methodische Bemühen überaus verfeinert, andererseits bestehen über die Grenzen und die nötige Abstimmung der verschiedenen methodischen Schritte nicht geringe Differenzen[171]. Überaus belastend sind die Unsicherheiten auf dem Gebiet der eschatologischen und christologischen Fragestellung[172]. Soll man für oder gegen die Apokalyptik sein[173]? Wenn nicht, wie bestimme ich die eschatologische Bedeutung Jesu, des Paulus und der Urgemeinde? Welchen Rang hat überhaupt die Tatsache des endzeitlichen Selbstverständnisses des Urchristentums? Welche Aussageformen sind haltbar? Wie ist die Geschichte der vorchristlichen und der christlichen Erwartung zu sehen? Wie verhält es sich mit dem Sachverhalt der Enteschatologisierung bzw. der sog. Parusieverzögerung[174]? Wie bestimmen wir Jesu Reich-Gottes-Erwartung und wie sein Zeitverständnis? In welcher Verbindung stehen Reichsverkündigung und sog. Selbstbewußtsein Jesu[175]? Tatsächlich ließe sich die Geschichte des hermeneutischen Problems auch als die Geschichte der Auseinandersetzung vor allem mit der eschatologischen Frage beschreiben[176]. Daher irrt jeder, der meint, er könne ein hermeneutisches Programm aufstellen ohne Klärung der exegetisch-historischen und exegetisch-theologischen Voraussetzungen. Wo immer wir darauf verzichten, die Grundlagen zu bearbeiten, wird es nichtchristliche Wissenschaft

schen Konzils, in: Die hermeneutische Frage in der Theologie, hrsg. v. O. Loretz und W. Strolz, Freiburg i. Br. 1968, S. 469 ff; F. Mußner, Geschichte der Hermeneutik von Schleiermacher bis zur Gegenwart, in: Hb. d. Dogmengesch., Bd. I fasc. 3c, Freiburg/Basel/Wien 1970, S. 22 ff

[171] Vgl. E. Käsemann, Sackgassen im Streit um den historischen Jesus, in: Exegetische Versuche und Besinnungen II, S. 31 ff; E. Güttgemanns, Offene Fragen, S. 69–166 (»Die Probleme von Mündlichkeit und Schriftlichkeit«); K. Haaker, Einheit und Vielfalt in der Theologie des NTs. Ein methodenkritischer Beitrag, in: W. Böld, Beiträge zur hermeneutischen Diskussion, S. 78 ff

[172] Vgl. A. Strobel, Kerygma und Apokalyptik. Ein religionsgeschichtlicher und theologischer Beitrag zur Christusfrage, Göttingen 1967, bes. S. 11 ff; H. R. Balz, Methodische Probleme der neutestamentlichen Christologie, WMANT 25, 1967

[173] Vgl. bes. N. A. Wilder, Anm. 115

[174] H. Dressel, Krise und Neuansatz der Christologie, Bern 1966

[175] Vgl. bes. R. Slenczka, Geschichtlichkeit und Personsein Jesu Christi. Studien zur Problematik der historischen Jesusfrage. Forsch. z. syst. u. ök. Theologie 18, 1967

[176] Vgl. vor allem W. Kreck, Die Zukunft des Gekommenen. Grundprobleme der Eschatologie, München 1961

oder Polemik dennoch tun. Wir haben in unserer Darstellung die hermeneutische Leistung des marxistischen Geschichtsphilosophen E. Bloch übergangen, die es sicherlich gibt[177]. Wir haben es ebenso vermieden, auf die Auswirkungen der amerikanischen Gott-ist-tot-Theologie einzugehen[178]. Wir haben außerdem nicht über den jüdischen Beitrag zur Jesusfrage gehandelt, der gleichfalls von sehr elementaren Interessen geleitet ist. Alle kommen schließlich zu einer Wertung des mehr oder weniger gründlich aufgearbeiteten Materials, somit auch in ihrem Fall zu einer Aussage über Verstehen und Nicht-Glauben. Daraus folgt, daß die von uns zu betreibende Arbeit längst einen überkirchlichen, nämlich einen elementar-christlichen Standort zu behaupten hat. Auf dem Sektor der Hermeneutik geht es offenbar keineswegs um Randfragen einer exegetischen oder geschichtlichen Disziplin, sondern um das Selbstverständnis und Daseinsrecht der christlichen Theologie überhaupt.

Neben den äußeren Erschwernissen, welche durch die augenblickliche Forschungslage bedingt sind, stehen die inneren Schwierigkeiten, die darin beruhen, daß die Synthese von »Glauben und Verstehen« in der gegenwärtigen gesellschaftlichen Bewußtseinslage des Menschen schwieriger als je herzustellen ist. Der offene Materialismus und der permanente Aktualismus versperren sich heute weithin der tieferen Auseinandersetzung mit der Geschichte. Die Forderung, »sich durch den Text auslegen zu lassen«, der einmal mehr oder weniger zufällig geworden ist, wirkt in heutiger Zeit — gewiß unfreiwillig — sonderlingshaft. Der Hinweis auf die nötige und mögliche Horizontverschmelzung ermangelt — gewiß nicht weniger unfreiwillig — der Überzeugungskraft, bedenken wir die konträren Horizonte von damals und heute sowie vor allem den Tatbestand der stetigen Horizonterweiterung unseres Weltbildes, das uns das Neue Testament immer ferner rückt, wenn wir mit der üblichen Haltung an dieses Buch herangehen. So notwendig ohne Zweifel die Aufarbeitung der Synthese von »Glaube und Geschichte« ist, so unerläßlich aber immer auch die andere von »Glauben und Verstehen«. Anders kann jene nicht im geringsten gelingen. Daher möchten wir den Satz wagen, daß ohne existentiale Interpretation die Grundlagen unseres Glaubens für die fernere Zukunft vermutlich nicht bewahrt werden können. Das will sagen, daß wir uns nur über die tiefsten Seins-, Lebens- und Geschichtsanalysen dem Kern der christlichen Wahrheit nähern können, wobei die existential-anthropologischen Kategorien wahrscheinlich noch radikaler erfaßt werden müssen, als es in einer gewissen Ausformung der existentialen Interpretation geschehen ist[179]. Mancher

---

[177] Vgl. E. Bloch, Atheismus im Christentum. Zur Religion des Exodus und des Reichs, Frankfurt/Main 1968, S. 98 ff (»Bibelkritik als detektorisch...«)
[178] Vgl. J. B. Cobb, Theologie nach dem Tode Gottes, München 1971

Interpret hat die Seinsanalyse nur unvollkommen vorgenommen, indem er die unangenehmen Wahrheiten unseres Lebens vorschnell durch ein *Kerygma gloriae* übertönen ließ[180]. Die letzten Kategorien, Angst, Sorge, Verzweiflung, Not und Tod, vor denen wir uns wiederfinden, werfen aber ganz unvermeidlich die Sinnfrage in letztgültiger Weise auf. Mit anderen Worten: anthropologisch-existentiales Fragen führt immer in eine letzte Aporie, die mehr ist als nur ein denkerisches Problem, nämlich elementar ein die Person umgreifendes existentielles. Man kann nun das Gespräch an dieser Stelle abbrechen, oder man kann eben an dieser Stelle auf Gott zu sprechen kommen. Die existential-anthropologische Interpretation ist offenbar das unerläßliche Instrumentarium für den Theologen, die Gottesfrage dort einzubringen, wo sie in echter Weise erfaßt wird und sich dann wohl auch ein personaler Bezug zu Gott anbahnt. Es mag mannigfache Weisen einer allgemeinen Hermeneutik geben, an dieser Stelle beginnt u. E. immer die Aufgabe einer speziellen Hermeneutik, die es mit der Frage nach dem zureichenden Grund zu tun hat, warum man den Begriff »Gott« mit jener Wirklichkeit füllen darf, die ihm wesensgemäß zukommt[181]. Anscheinend ist es wirklich so, daß »Gott«, nimmt man das Wort zusammen mit dem gemeinten Inhalt ernst, nie nur ein Begriff unserer Sprache ist[182]. Es ist eine Erkenntnis, die schon im Vorfeld christlicher Theologie ahnungsweise aufbrechen kann. Aber sie genügt nicht, mag sie argumentativ noch so gründlich gestützt werden.

[179] P. Stuhlmacher, Neues Testament und Hermeneutik, S. 152, spricht von der Notwendigkeit der Weiterführung der existentialen Interpretation »durch Ausweitung unseres Sinnes für Wirklichkeit und Tradition sowie durch ein geschärftes Interesse an den für die Menschen in der Geschichte jeweils lebensentscheidenden Zukunftsentwürfen«. Seine Forderung besteht, wie ich meine, zu Recht. Zur intendierten Sache vgl. auch A. Strobel, Apokalyptik, Christusoffenbarung und Utopie, in: Das Mandat der Theologie und die Zukunft des Glaubens, hrsg. v. G. Vicedom, München 1971, S. 104 ff, 147 ff

[180] Vgl. hierzu E. Fuchs, Das NT und das hermeneutische Probleme, in: Die neue Hermeneutik, S. 147 ff, 179: »Ich bestreite nicht, daß Bultmanns Hermeneutik den Tod zu Recht berücksichtigt. Man sollte aber, wie ich das hier versucht habe, den Tod in demjenigen Zusammenhang sehen, in welchem er im alltäglichen Leben erscheint.« Nun scheint es freilich, daß E. Fuchs, der den Tod nur als Herausforderung der Liebe bestimmt, am wenigsten zufriedenstellt

[181] In diesem Zusammenhang legen wir Wert auf die Unterscheidung von existential-anthropologischer und existential-theologischer Interpretation

[182] Vgl. E. Jüngel, Gott — als Wort unserer Sprache. EvTh 29, 1969, S. 1 ff

Es verbleibt die Frage nach dem hermeneutischen Rang der Christusgestalt. Weil es so unendlich schwer ist, sie geschichtlich voll zu erfassen, ist der Aufweis des zureichenden Grundes ihrer Bedeutung für den Glauben und das Zeugnis der Kirche vordringlich. Ohne Christus wäre jede spezielle hermeneutische Besinnung immer fragmentarisch, mag sie noch so sehr auf die Berücksichtigung der Wirkungsgeschichte, der Soziologie und der politischen Kraft des Evangeliums bedacht sein. Ohne ihn geht es in der Tat dann nicht, wenn wir das intellektuelle Ghetto vermeiden wollen und die Auseinandersetzung in dem Sinne wagen, daß wir das Leben und das Heil der Welt von seiner Bezeugung abhängig sehen. Die Frage nach dem zureichenden Grund ist somit schlechterdings identisch mit der Frage nach der Motivation theologischer Arbeit, die in ihm gegründet ist. Ohne Motivation kann es keine Bewegung, geschweige denn Dynamik, hin zur Lebens- und Weltgestaltung, geben.

Aus dem Chor der Äußerungen haben einige Stimmen besonderes Gewicht, weil sie den hermeneutischen Schlüssel nicht irgendwo ansetzen, sondern in der ureigensten Mitte der Christuswahrheit, die den Gekreuzigten und Lebendigen besagt. Es scheint, daß man hier jenen gemeinsamen Nenner gefunden hat, auf den sich theologisches Denken und Glauben zuerst richten muß, um sachgemäße Antworten zu finden. Die leidige Alternative — Theologie oder Anthropologie — wird mit ihm dialektisch entschärft. Die elementare Kontinuitätsfrage zwischen vorösterlichem und nachösterlichem Geschehen findet hier ein tragfähiges Bindeglied. Die Thematik von Glauben und Verstehen, aber auch die von Glauben und Geschichte hat hier gleichermaßen ihre erste Basis. Es ist die gedanklich nicht verrechenbare Tatsache des Kreuzestodes Jesu, in dem sich seine christologische Sendung entschieden hat und in dem er so sehr mit unserem Menschsein und Da-sein verwuchs, da wir ihn als einen der unseren erkennen, aber auch als den Sohn, der Gehorsam lernte, worinnen er litt, bekennen können.

Ich meine daher, von einer besonderen hermeneutisch-theologischen Signifikanz des Todes Jesu sprechen zu müssen[183]. Ich bin weiter der Meinung, daß die führenden Beiträge moderner Hermeneutik, soweit sie sich neben einer anthropologischen Fragestellung um die theologische bemühen, eben darin eine Begegnungsmitte haben, so daß wir eine positive Prognose für die Zukunft der neutestamentlichen und überhaupt der

---

[183] Vgl. meine Arbeit: Das Gottesgeheimnis des Kreuzes. Eine historische und hermeneutische Wegweisung, CH 95, 1968; auch: H.-G. Link, Gegenwärtige Probleme einer Kreuzestheologie, in: EvTh 33, 1973, S. 337 ff; U. Luz, Theologia crucis als Mitte der Theologie im Neuen Testament, in: EvTh 34, 1974, S. 116 ff

theologischen Arbeit geben können. Es zeigt sich, daß die Tatsache des Todes Jesu von elementarer Bedeutung ist, um die anstehenden exegetischen und historischen Probleme einer Lösung zuzuführen. Das Kreuz Jesu steht am Ende eines Wirkens, das ganz auf das Reich Gottes ausgerichtet war. Es steht zugleich am Anfang einer Geschichte, die aus dem Wissen um die Gegenwart des Reiches in der Gestalt des Christus alle wesentlichen Impulse empfangen hat[184]. Das nachösterliche eschatologische Denken des Christentums hat einen vorösterlichen eschatologischen Sachverhalt mit konkreter Offenbarungserwartung zum Inhalt. Das Kreuz steht am Wendepunkt beider Aspekte, ist also entscheidendes Bindeglied, um von Kontinuität in der Diskontinuität zu sprechen[185]. Auch exegetisch-historisch gesehen können wir von dem Auferstandenen überhaupt nicht handeln, ohne von der Voraussetzung des Gekreuzigten aus zu denken. Die Geschichte des nachösterlichen Wortes ist die Geschichte der uranfänglichen Eschatologie des Kreuzes.

Von daher ergibt sich als leitender hermeneutischer Grundsatz, daß die theologische Besinnung immer im Auge behalten sollte, »woher« sie kommt (wir meinen: Ostern), und daß sie dessen immer eingedenk sein muß, »woraufhin« sie zu denken hat (wir meinen: das Kreuz)[186]. Schließlich unterliegt es keinem Zweifel, daß schon die neutestamentlichen Schriften, vorweg Paulus und die Evangelien, eindrucksvolle Glaubensdokumente für die verstehende Bewältigung des Kreuzes Christi sind. Auch alle folgenden Generationen haben das denkerische Ringen um diesen Jesus, der der Christus Gottes ist, fortgesetzt. Eben von daher kann auch eine befriedigende Aufarbeitung des Satzes: »Glaube und Geschichte« versucht werden. Der Glaube weiß, daß Geschichte nach einem tieferen Gesetz verlaufen kann. Dieses andere Gesetz verurteilt das blutige Wechselspiel von Kampf und Niederlage, von Elend und Glorie, Demütigung und Hybris des Menschen, spricht aber um so mehr vom Segen des Opfers und des Dienens. Das Kreuz Jesu stellt nicht in erster Linie die Verstandesfrage (wie wahrscheinlich das Zeugnis von der Auferstehung Jesu), es stellt die viel schlichtere Frage, wie wir es halten.

---

[184] Vgl. auch W.-D. Marsch, Logik des Kreuzes, in: EvTh 28, 1968, S. 57 ff; E. Bloch, Atheismus im Christentum, S. 335 ff (»Quellen des möglichen Todesmuts«)

[185] Hierzu vgl. auch M. Seils, Zur Frage nach der Heilsbedeutung des Kreuzestodes Jesu, ThLZ 90, 1965, Sp. 881 ff, 889 f

[186] Vgl. auch E. Käsemann, Vom theologischen Recht historisch-kritischer Exegese, in: ZThK 64, 1967, S. 259 ff, 280 f: »Der Herr, der mit keinem verwechselt werden kann, ist der Gekreuzigte. Die Bibel muß wie die Inkarnation, die Heilsgeschichte und die Ekklesiologie, vom Gekreuzigten her verstanden werden, nicht umgekehrt.« »Weil der Gekreuzigte Grund und Inhalt des Evangeliums ist, hat die Interpretation der Bibel es unentwegt mit der Alternative von *theologia crucis* und *theologia gloriae* zu tun«

Vieles, was am christlichen Glauben für den heutigen Menschen erstrangig zu sein scheint, wird dadurch an die zweite Stelle gerückt. Verstehen wir die Zeichen der Zeit richtig, dann ist es in der Tat fünf Minuten vor Zwölf, um noch die Akzente richtig zu setzen. Ohne die Maßstäbe Christi kann diese Welt mit ihren politischen, militärischen, sozialen und rassischen Aporien jedenfalls schwerlich überleben. Von hierher gesehen sind wir in der Lage, unsere neutestamentliche hermeneutische Grunderkenntnis mit jenem programmatischen Satz zu verbinden, den der holländische reformierte Theologe Arend Th. van Leeuwen[187] geprägt hat: »Die Bibel weist den Menschen an die Ohnmacht und das Leiden Gottes, nur der leidende Gott kann helfen. Insofern kann man sagen, daß die beschriebene Entwicklung zur Mündigkeit der Welt, durch die mit einer falschen Gottesvorstellung aufgeräumt wird, den Blick frei macht für den Gott der Bibel, der durch seine Ohnmacht in der Welt Macht und Raum gewinnt.« Er fügt aber freilich hinzu: »Es ist attraktiver, eine *theologia gloriae* zu treiben (wie falsch auch die Form sein mag, die sie annimmt), als den dunklen und einsamen Weg der *theologica crucis* einzuschlagen.«

Wir schließen ab: Die Auseinandersetzung mit der hermeneutischen Frage ist auf seiten des Theologen immer ein Akt kritischer Selbstbesinnung. Was bleibt also? Wir Theologen werden eingestehen müssen, daß jeder theologische Satz, den wir vertreten, nur soviel wert ist, wie dahinter eine Überzeugung steht, die die Spannung von Glauben und Verstehen durchzuhalten gewillt ist[188]. Ist Glaube kein Wissen, dann kann sich natürlich auch theologisches Reden und Erkennen nicht in bloßer Wissenschaftlichkeit erschöpfen. Wir werden außerdem zu erwägen geben müssen, daß jeder theologische Satz nur so viel wert ist, wie er die Breite des Lebens zu erfassen sucht[189]. Christlicher Glaube ist in diesem Sinne weder Geheimwissen noch Privatsache, sondern ein neues Selbstverständnis, eine neue Lebensauffassung und eine neue Lebensgestaltung. Es werden wahrscheinlich künftig weniger Menschen sein, die den im Neuen Testament sehr deutlich erkennbaren Weg einer »Theologie des Opfers« gehen. Der Aufbruch der wenigen hat aber ohne Zweifel in unseren Tagen größere Verheißung als je.

[187] A. T. van Leeuwen, Des Christen Zukunft im technokratischen Zeitalter. Stuttgart 1969, S. 79 f
[188] Vgl. W. Trillhaas, Glaube und Kritik. Folgen des neuzeitlichen Bewußtseins in der Theologie. Göttingen 1969, S. 26 f: »Im Verstehen ist immer eingeschlossen, daß ich mir darüber Rechenschaft gebe, ob »die Sache auch stimmt«
[189] Vgl. W. Joest, Überlegungen zum hermeneutischen Problem der Theologie, in: Praxis Ecclesiae, K. Frör zum 60. Geburtstag, München 1970, S. 13 ff, 23 f

FRIEDRICH WILHELM KANTZENBACH

Analogie, Revolution, Evolution
Zur Funktion der neuzeitlichen Christentumsgeschichte
in der Kirchengeschichtsschreibung

I

Überlegungen zur Theorie des neuzeitlichen Christentums zwingen Kirchenhistoriker gegenwärtig zur Überprüfung der kirchengeschichtlichen Urteilsbildung und ihrer Kriterien.

Trutz Rendtorff[1] konstatiert, im späten Mittelalter habe die offizielle Kirche ihre praktische Identität mit dem Christentum verloren. Daraus erkläre sich Luthers kritische Verwendung des Begriffs Christenheit. Der Pietismus bereitet dann durch sein Programm zur Erneuerung der Kirche in Fortsetzung der Reformation folgenschwere Veränderungen vor, die bei Gottfried Arnold greifbar werden, wenn er die Geschichte des Christentums nicht mehr mit Maßstäben beurteilt, die von den Normen der Kirchentheologie gedeckt waren. Die Position, die sich hier abzeichnete, konnte zunächst aus inneren, sodann in zunehmendem Maße aus soziologischen Gründen nicht mehr mit den Begriffen der Kirche und der dogmatischen Theologie formuliert werden. Hier trat der Begriff »Christentum« in seine für die Folgezeit bestimmende Funktion ein[2].

Schon Speners Kampf zeitigte unmittelbar religionspolitische Konsequenzen; Arnold und Zinzendorf kalkulierten diese bei ihrer Auseinandersetzung mit dem landeskirchlichen Luthertum bewußt ein.

In der Aufklärungstheologie nach 1750 wird die schon im Pietismus aufkommende Frage nach dem Wesen des Christentums thematisch, »es bildete sich eine Theorie der Unterscheidung des Christentums von seinen Manifestationen in der Tradition«[3]. Doch solche Theorie war nicht revolutionär. Es war die Theorie einer relativen, nicht prinzipiellen Emanzipation von der Tradition[4]. Die Unterscheidung einer öffentlichen und privaten Religion oder Theologie, wie sie eindrucksvoll Johann Salomo Semler empfahl, diente dem doppelten Zweck, sowohl das Recht der

---

[1] Artikel »Christentum«, in: Geschichtliche Grundbegriffe, Historisches Lexikon zur politisch-sozialen Sprache in Deutschland, Stuttgart 1971, S. 772–820
[2] Rendtorff, a.a.O., S. 776; zu G. Arnold vgl. F. W. Kantzenbach. Theologisch-Soziologische Motive im Widerstand gegen Gottfried Arnold, Jahrb. der Hessischen Kirchengeschichtl. Vereinigung, 24. Bd., 1974
[3] Rendtorff. a.a.O., S. 777
[4] A.a.O., S. 778

Emanzipation wie das der bestehenden Institution zu rechtfertigen. Der kirchlichen Theologie wurde der Alleinvertretungsanspruch für das Christentum bestritten. Die Theologiekritik wurde über die Institutionenkritik auch zur politischen Kritik. Wer die unveränderte Geltung historischer Lehrformeln behauptete, setzte sich, so jedenfalls häufig, für die Aufrechterhaltung des kirchlichen Herrschaftssystems ein und nahm damit eine bestimmte politische Partei. »Die Argumente für die Institution wurden damit zwangsläufig politisiert, weil sie mit dem religiösen Selbstverständnis nicht mehr notwendig verbunden war[5].«

Damit entsteht das »Problem der freigesetzten Folgen« des allgemeinen und emanzipativen Begriffs von Christentum. »Von seinen Wirkungen her sprengte der Begriff ›Christentum‹ die Unterscheidung der öffentlichen und privaten Sphäre und wurde selbst Maßstab für ein neues Öffentlichkeitsbewußtsein. Kirchlichkeit und Unkirchlichkeit wurden damit zu Ausdrücken, mit denen im Bereich der Folgen die Verantwortung für bestimmte Tendenzen der Zeit diskutiert und diese selbst beurteilt wurden. Der Blick weitete sich dann aber über das Verhalten der einzelnen Christen auf die weltgeschichtlichen Bewegungen[6].«

Rendtorff verdeutlicht das am liberalen Begriff »Christentum« mit seiner allgemeinen Tendenz, an den Folgen der Ausweitung des Begriffs Christentum im Sinne einer fortschrittlichen sittlichen Evolution, die doch niemals die konkreten Bedingungen und Verhältnisse außer acht läßt, an der politisch-sozialen Konzeption und der Europa-Idee der die Aufklärung und die Reformation eng zusammensehenden Protestanten, für die das Dritte Zeitalter der Europäischen Menschheit mit dem Leipziger Theologen H. G. Tzschirner (1778–1828) dort anfängt, wo der Gegensatz des Katholizismus und des Protestantismus aufhörte, der Mittelpunkt der Weltgeschichte zu sein[7]. Wenn Tzschirner als Protestant sich für die allen Kirchen gemeinsamen Lehren als das Wesentliche des Christentums aussprach, so hatte seine Hoffnung, man möge an dies Gemeinsame als an die notwendigen Stützpunkte der frommen und sittlichen Gesinnung anknüpfen, gewiß politische Züge. Demgegenüber interpretiert Rendtorff die Europakonzeption des Novalis oder Adam Müllers als Rekonfessionalisierung politischer Natur. Für Novalis ist das so aber nicht zu halten[8].

Manfred Baumotte setzt in seinem Buch »Theologie als politische Aufklärung, Studien zur neuzeitlichen Kategorie des Christentums«[9] die Analysen Rendtorffs voraus und unterbaut sie durch eingehende histo-

---

[5] A.a.O., S. 781
[6] A.a.O., S. 783
[7] A.a.O., S. 788
[8] A.a.O., S. 790
[9] Gütersloh 1973

rische Erörterung. Hat schon Rendtorff auf die verschütteten Quellen der deutschen Aufklärungstheologie eindringlich aufmerksam gemacht und auf sie seine eigene Theorie des Christentums immer wieder in wesentlichen Momenten zurückgeführt[10], so entwickelt Baumotte aus diesen Quellen eine gut belegte Darstellung von H. G. Tzschirners Deutung der Konfessionen aus dem Standpunkt der Politik. Unter der Überschrift »Christentum als politische Kategorie« wird Tzschirners politisches Europakonzept in Abwehr des restaurativen Katholizismus überzeugend dargestellt. Werden von K. L. Haller Reformation und Revolution in einem Atem genannt und dient die vom Traditionalismus behauptete Analogie von Protestantismus und Revolution als konservatives Instrument in der Hand der Restauratoren, um die »liberale, protestantisch-rationalistische Mitte, für die freiheitlich,humaner Fortschritt und Christentum eben keine sich ausschließenden Gegensätze sind, auszuschalten und die gesellschaftliche Situation zu polarisieren«[11], so vertritt Tzschirner demgegenüber die Auffassung, daß der Protestantismus als Prinzip des Fortschritts eine Theorie der Revolution als deren *Kritik* impliziere, denn die Französische Revolution sei eine ruckartige Nachholung verhinderter Entwicklung gewesen, die in Deutschland, England und Amerika durch die Reformation und deren Folgen schon eingeleitet war. »Die Reformation und ihre weltpolitischen Wirkungen haben die Revolution vorweggenommen[12].« Was den Katholizismus zum Katholizismus macht, hat nach Tzschirner im neuen Europa keine Bedeutung mehr. Baumotte hat Tzschirners Konzeption nur mit wenigen Fragezeichen begleitet. Tzschirners Argumentation für ein relativ-sittliches Recht des Krieges ist sicherlich nicht so schwer zu nehmen, denn er will damit die teleologische Weltbetrachtung und die daran gebundenen humanen und freiheitlichen Ziele keineswegs verletzen. Bedenklich sind auch nicht Tzschirners Grundüberzeugungen, die Baumotte theologisch etwas pauschal im »Spätrationalismus« verankern möchte. Obwohl wir den Begriff für unglücklich halten und ihn lieber durch »Spätaufklärung« ersetzen möchten, ist es gerade für Tzschirner bezeichnend, daß er die Konstitutionsproblematik der Theologie als Wissenschaft aufgenommen hat und zu lösen suchte. »Er stellt im weitesten Sinne den konstruktiven Versuch dar, die protestantische Theologie unter den Bedingungen der neuzeitlichen Subjektivität neu zu begründen und systematisch zu entwerfen[13].« Tzschirner hatte selbst keinen einheitlichen Rationalismus-

---

[10] Theorie des Christentums, Historisch-theologische Studien zu seiner neuzeitlichen Verfassung, Gütersloh 1972, dort die früheren Arbeiten
[11] Baumotte, a.a.O., S. 104
[12] Baumotte, a.a.O., S. 105
[13] A.a.O., S. 37

begriff, mag er sich auch gelegentlich als »ethisch-kritischer Rationalist« bezeichnet haben. Er hielt am Christentum als geschichtlicher Erscheinung fest und wollte, wie Baumotte auch zugibt[14], nicht die »totale Vernünftigkeit« des christlichen Glaubens nachweisen. Deshalb ist Tzschirner nicht zu eng an Kant oder gar an Hegel heranzurücken, und es stimmt, was Baumotte bedauernd konstatiert, daß Tzschirner »Rationalist vom halben Wege« (E. Hirsch) war und blieb. Gemessen an dem »Wirklichkeitsverständnis«, das Baumotte allein gelten lassen möchte, war das bestimmt kein Nachteil.

Was bei Tzschirner wirklich verblüfft, sind die Urteile dieses politisch engagierten Aufklärers über den Katholizismus. Er kann an der Gestaltung der Neuzeit nur im Gefolge des Protestantismus mitbeteiligt werden. »Der Protestantismus repräsentiert das Prinzip des Fortschritts, die Reformation ist Modell und Paradigma der Weltpolitik[15].« Dieser hochgemute Glaube an die weltgeschichtliche Sendung des Protestantismus und dessen Bedeutung für die menschheitliche Freiheitsgeschichte bleibt auch dann zu respektieren, wenn man ihn, gemessen an den wirklichen politischen und kirchlichen Kräfteverhältnissen, als unrealistisch bezeichnen muß. Tzschirner hat ja auch nicht verkannt, daß seinem Konzept vom Protestantismus als dem Prinzip des Fortschritts und seiner überkonfessionellen Deutung des Christentums als ethischer Wirkmacht erhebliche Hindernisse in den Weg traten, nicht nur von seiten des restaurativen Katholizismus und der ihm entsprechenden Politik, sondern auch seitens der protestantischen Kirchlichkeit, und gewisse Verlegenheiten, die ihm von protestantischer Seite entstanden, versuchte er in seiner Theorie zu berücksichtigen, was Baumotte nicht unbedenklich findet[16].

Tzschirners Unterstützung liberalisierender, emanzipativer Tendenzen bleibt unberührt von seiner problematischen Verknüpfung von Christentum im Sinne der protestantischen-neuzeitlichen Deutungskategorie und dem nationalen (nicht nationalistischen!) Tenor seines politischen Denkens. Wie ein tragfähiges europäisches, ökumenisches Friedenskonzept aus solcher Engführung entwickelt werden kann, bleibt zweifelhaft, wenn Tzschirner auch im Rahmen geschichtsphilosophischer Überlegungen den Versuch unternommen hat, den Katholizismus dem Kindesalter der christlichen Welt zuzuordnen und den Protestantismus als entwicklungsfähig zu bezeichnen, da mit ihm noch nicht das letzte Wort über die konkrete historische Erscheinungsform des Christentums gesprochen sein müsse. Gewiß warnt Baumotte[17] mit Recht davor, Tzschirners über-

---

[14] A.a.O., S. 44
[15] A.a.O., S. 107
[16] A.a.O., S. 51
[17] A.a.O., S. 117

nationalen Zug zu unterschätzen. Mit der nationalistischen Ideologisie-
rung, die nach 1848 einsetzt, hat er nichts zu tun. Andererseits ist doch
nicht zu bestreiten, daß Tzschirner soziologisch in dem Bürgertum verwurzelt war, das etwa in Sachsen und Thüringen, in Leipzig und Gotha
auf einem relativ gemeinsamen Boden stand.

Noch an einem zweiten Modellproblem, dem der Unkirchlichkeit, kann
man instruktiv die theologische Theoriebildung in der Zeit der Spätaufklärung verdeutlichen. K. G. Bretschneider (1776—1848) hat am Leitfaden des Unkirchlichkeitsproblems die Restauration des Dogmatischen
in ihrer politischen Funktion zu erfassen versucht. Bretschneider bezeichnet die Französische Revolution von 1789 als das konsequente Ergebnis
einer Entwicklung, für die der Katholizismus verantwortlich zeichnet,
da er jede dogmatische Reform ablehnte. So mußte es zum Bruch mit
dem Christentum überhaupt kommen. Demgegenüber habe die Aufklärungstheologie in Deutschland langfristig reformiert und das Christentum in ein politisch-ethisches Zeitalter hinübergeführt. Eine Revolution
als Bruch blieb deshalb Deutschland erspart. Was als Verlust der Kirche
bzw. des Christentums unter kirchlich-dogmatischem Blickpunkt erscheinen wird, wertet Bretschneider als Zuwachs und Gewinn. Er vermag das
»damit in der Kontinuität des Christentums zu erfassen. Wo deshalb
nicht mehr nur auf die kirchlich-dogmatische Herkunft geblickt wird, da
öffnet das Phänomen der ›Unkirchlichkeit‹ die Augen für die christliche
Gegenwart«[18]. Die Erneuerung der Theologie und Kirche kann nicht
durch den Rückgang auf vorkritische Positionen erreicht werden. Bret-
schneiders Anliegen läßt sich in dem von ihm geprägten Satz zusammenfassen: »Man muß vernünftig reformieren, damit nicht gewaltsam
revoltiert werde[19].« Baumotte hat mit Tzschirner und Bretschneider die
tatsächlich bedeutendsten Vertreter politischer Aufklärung im Rahmen
der gemäßigt-spätaufklärerischen Position vorgestellt. Die Argumentation dieser beiden engagierten Protestanten hat Friedrich Nippold (1838
bis 1918) am eindrucksvollsten aufgenommen und in noch heute höchst
beachtenswerten Analysen fruchtbar zu machen gesucht. Nicht wenige
der von Baumotte berücksichtigten Themenkreise, die als Vorstufen zur
spätrationalistischen Theorie des neuzeitlichen Christentums angesprochen werden können, hat schon Nippold beachtet oder wenigstens angesprochen.

Baumottes theologiegeschichtliche Arbeit ist der »Theorieaufgabe gegenwärtiger Theologie« zugeordnet. Für die Bearbeitung ethischer Probleme der Gegenwart soll eine »historische Hintergründigkeit« namhaft gemacht werden. Aus diesem Grunde erinnert man mit Recht an die Not-

[18] A.a.O., S. 140
[19] A.a.O., S. 143

wendigkeit, die nichtkirchliche Wirklichkeit theologisch wahrzunehmen. In scharfer Auseinandersetzung mit der dialektischen Theologie, besonders mit deren Frühstadium, wird von Baumotte einer »Erneuerung der Aufklärung« das Wort geredet. Und hier sind wir genötigt, über Grundfragen kirchengeschichtlicher Hermeneutik prinzipiell und viel weiter ausholend nachzudenken und die Frage nach der Beziehung zwischen kirchengeschichtlichen Sachverhalten und heutiger theologischer Aufgabe aufzugreifen. Baumotte behauptet, daß dank der Aufklärung Glaube und Vernunft keine »Gegenmöglichkeiten« mehr sein können; »das Dogma ist depotenziert, die praktische Vernunft hat den Vorrang vor der theoretischen, das ethische Thema die Sachdominanz vor dem wissenschaftstheoretischen Thema der Theologie«[20]. Kritische wissenschaftliche Theologie wird Christentumswissenschaft, Wissenschaft von der Gesellschaft, also vom Ganzen der Wirklichkeit im Kontext des Christentums[21]. »Die passive Hermeneutik der inneren Frömmigkeit, der existentialen Interpretation biblischer Texte, wird überführt in die aktive Hermeneutik theologischer Weltverantwortung und christlicher Weltveränderung«[22]. Folgerichtig wird beklagt, daß die biblische Theologie weitgehend nicht willens sei, den Standort ihrer eigenen Fragestellungen im Kontext des neuzeitlichen Christentums zu bestimmen. Die biblische Theologie beziehe ihre Hermeneutik weitgehend aus der »Gegenaufklärung«. Der Begriff »Aufklärung« wird hier ideologisiert, die Aufgabe der Theologie wird festgelegt auf »die rationale Wahrnehmung des Humanum als Aufgabe der Theologie insgesamt«[23]. In kritischer Auseinandersetzung mit dem Supranaturalisten F. V. Reinhard, in dessen Abwendung von der Aufklärungstheologie angeblich schon »die Kehre der dialektischen Theologie, Karl Barths Entfaltung der Theologie als Christologie zumal, vorweggenommen« erscheint[24], bedauert Baumotte die Konsequenzmacherei, die den absoluten Primat der erkenntnis- und wissenschaftstheoretischen Fragestellung vor dem ethischen Thema behauptet. Die dialektische Theologie vermöge sich nicht als Moment dessen zu erfassen, was Theologie zu begreifen hat, »das gegenwärtige Christentum« nämlich[25]. Es geht also um die Erkenntnis einer epochalen Wende in der Christentumsgeschichte, »in der die Theologie sich als Soziologie des Christentums neu konstituiert«[26]. Da dies die Aufklärung war mit deren Wirkungen in der liberalen Theologie, müsse es gegenwärtig darum

[20] A.a.O., S. 14
[21] A.a.O., S. 14
[22] A.a.O., S. 14
[23] A.a.O., S. 18
[24] A.a.O., S. 55
[25] A.a.O., S. 45
[26] A.a.O., S. 63

80

gehen, »die Fragestellungen der Theologie auf ihren Stand in der Problemgeschichte des neuzeitlichen Christentums und seiner Welt zurückzubringen und damit eine Kontinuität sichtbar zu machen, deren das gegenwärtige Bewußtsein entbehrt. Die christliche Aufklärung hat Tatsachen geschaffen, hinter die niemand mehr zurück kann, es sei denn, man wollte im Ernst die religiös und theologisch belangvolle Geschichte des Christentums auf das Urchristentum und die Reformation beschränken«[27]. Gewiß ist dieses Anliegen weitgehend prinzipiell zu bejahen. Allerdings könnte das Konzept so mißverstanden werden, als ob schon im »Zurückbringen« der Fragestellungen der Theologie auf ihren Stand in der Problemgeschichte des neuzeitlichen Christentums die Antworten, die heute gefunden werden müssen, beschlossen lagen. Und daß eine gewisse Engführung in der theologischen Anknüpfung an die Aufklärung liegen kann, ersieht man an Baumottes These: »Zugespitzt könnte man deshalb sagen: Was wir der Vernunft noch zutrauen, das bedingt auch unsere Stellung zum Christentum und seiner Zukunft, nicht zuletzt auch das Bewußtsein seiner verpflichtenden Kraft[28].« Es fragt sich, ob man mit dem Begriff »Rationalismus« nicht doch etwas differenzierter umgehen muß, ob es genügt, zu glauben, »daß die Erneuerung der Kirche und des christlichen Glaubens und Lebens sich nur durch die Erneuerung des gesellschaftlichen Lebens überhaupt vollziehen kann«[29]. Der theologischen Aufarbeitung dieser Fragen wird eine noch ausstehende theologiegeschichtliche Erörterung der Spätaufklärung hilfreich sein. Die Sinnhaftigkeit eines solchen theologiegeschichtlichen Unternehmens hängt allerdings wesentlich von der kirchengeschichtlichen Hermeneutik ab, die man bei solchem Vorhaben im Blick hat. Hier hat Baumotte gelegentlich mit Recht darauf hingewiesen, daß die liberale Theologie des aufgeklärten Protestantismus den Fortschritt, der für sie die emanzipative Entfaltung von Humanität war, nur in dem Maße begreifen konnte, in dem sie den Verfall begriff, »der . . . im Entwurf einer Geschichte der Emanzipation immer auch enthalten ist«[30]. Von hier aus muß gefragt werden, in welchem Sinne der Protestantismus einen »irreversiblen Prozeß« darstellt. Baumotte entscheidet diese Frage unter Hinweis auf Kant. Seit ihm könne die christliche Wahrheit dogmatisch nicht mehr allgemein angeeignet werden. Aber der Verlust der dogmatischen Allgemeinheit des Christentums ist kein Verlust, denn ihm steht der ungleich höhere Gewinn an umfassenderer und allgemeinerer Verbindlichkeit des Christentums gegenüber[31]. Auf die Linie Kant — Hegel — Troeltsch läßt sich

---

[27] A.a.O., S. 21
[28] A.a.O., S. 27
[29] A.a.O., S. 31
[30] A.a.O., S. 27
[31] A.a.O., S. 41

kirchengeschichtliche Hermeneutik gewiß nicht festlegen. Auch Tzschirner und Bretschneider hatten ein Empfinden für die Unentbehrlichkeit des »Positiven« im Christentum. Die Theologie- und Kirchengeschichtsschreibung des 19. und 20. Jahrhunderts steht nach Baumotte[32] »in der unmittelbaren Nachfolge der Aufklärungstheologie bzw. deren zeitgenössischer Bestreitungsfiguren«. Ihre Entwürfe sind in Zuspruch und Ablehnung Reaktionen auf diejenigen politischen Konsequenzen, die mit der liberalen Kategorie des neuzeitlichen Christentums freigesetzt sind. Baumotte unterscheidet drei Gruppen kirchen- und theologiegeschichtlicher Systematik: die Fortsetzung liberaler Aufklärung im politischen Zeitalter des Christentums, neue Kirchlichkeit und dogmatische Überwindung der Aufklärung und Positionen gemäßigter Vermittlung. Der ersten Gruppe rechnet er Ferdinand Christian Baur zu, daneben Carl Schwarz und Friedrich Nippold, der einigen Analysen Baumottes vorgearbeitet hat. Karl von Hase und Gustav Frank, auch Otto Pfleiderer gehören hierher. Die zweite Gruppe soll repräsentiert sein durch Tholuck, Kahnis, Landerer, Frank und Seeberg. Die Position gemäßigter Vermittlung nehmen Gieseler, Hagenbach, Gaß, Dorner, Ehrenfeuchter und Hundeshagen wahr. Mit einzelnen kritischen Anmerkungen ist dieser Einteilung der drei Gruppen (die Namen für Gruppe zwei sind sehr willkürlich zusammengestellt) nicht beizukommen. Baur als der bedeutendste Vertreter der ersten Gruppe wird nicht völlig überzeugen; noch schwieriger ist die Einordnung F. Nippolds, und sicherlich verfehlt ist die von Baur bestimmte bedauerliche Unterbewertung Hundeshagens, der nicht in das theologische Konzept seiner Kritiker paßt. Um die genannten kirchen- und theologiegeschichtlichen Entwürfe aus der zu einseitigen Fixierung auf ihren Beitrag zu theologischer Theoriebildung *auf der Unterlage des Politischen* zu lösen, empfiehlt sich eine umfassendere Erörterung ihrer Systematik und Hermeneutik. Wir beginnen mit Johann Gottfried Herder.

II

Herder hat in Bejahung und zugleich in kritischer Auseinandersetzung mit der Aufklärung ein Geschichtsverständnis angebahnt, das, ausgehend vom Individualitäts- und Entwicklungsgedanken, auch für die Kirchengeschichtsschreibung des 19. Jahrhunderts wichtig geworden ist. Ferdinand Christian Baur hat Herder zwar in seinen »Epochen der kirchlichen Geschichtsschreibung« (1852) nicht berücksichtigt, ihn aber als Bahnbrecher der Auffassung gewürdigt, die die Geschichtsentwicklung

---

[32] A.a.O., S. 156

als eine natürliche verstand, d. h. die alles in ihr als historisch erklärbar ansah und gerade in dieser Eigenart des geschichtlichen Zusammenhangs Gottes Vorsehung walten ließ. Karl von Hase, Karl Rudolf Hagenbach und Friedrich Nippold haben als Kirchenhistoriker den Geschichtsphilosophen Herder hoch bewertet, und Hagenbachs kirchengeschichtliche Hermeneutik verdankt Herder die entscheidenden Anregungen. Herder hat bis tief ins 19. Jahrhundert die großen Konzeptionen der Geschichtswissenschaft entscheidend beeinflußt. Um so merkwürdiger ist es, daß wohl Herders geschichtsphilosophische Ideen häufig dargestellt worden sind, daß aber seine Auffassung von der Kirchengeschichte bisher kaum untersucht wurde[33].

Der Individualitätsgedanke, die Einsicht, daß alles geschichtliche Geschehen Bedingungen unterworfen ist, in erster Linie der Zeitlichkeit, und damit der Entwicklungsgedanke, sind für Herders Geschichtsauffassung zeitlebens konstitutiv geblieben, wenn er auch den Entwicklungsgedanken unterschiedlich interpretiert hat. In seinem frühen Entwurf »Auch eine Philosophie der Geschichte zur Bildung der Menschheit« von 1774 bekämpft Herder alle rein gedankliche Abstraktion und künstliche Mechanisierung. Herder befindet sich hier mehr im Widerspruch zur Aufklärung als in Bejahung ihres Optimismus, daß der Fortschritt in der Aufklärung bereits zu einem Ende gelangt sei. Sein geschichtsphilosophischer Entwurf bezieht die menschheitliche Entwicklung vor Christus ein und versteht die geschichtliche Entwicklung als durch die Vorsehung geleitet. Er glaubt an ein Fortschreiten, nicht an einen zu einer bestimmten Zeit dingfest zu machenden Fortschritt. Wer sich in die Individualität von Zeiten, Völkern und Menschen einfühlt, dem verbietet sich jede Abstraktion, als ob die Quintessenz von Völkern und Zeiten in einem Begriff abstrahiert zur Aussage gebracht werden könnte. Hinter dieser Warnung steht Herders Menschenbild. Gott beziehungsweise die Vorsehung bedient sich der *menschlichen* Triebfedern, bedient sich der *Natur* als Vehikel ihres Wirkens. Aber der Schöpfer ist es allein, der alles in seiner Mannigfaltigkeit denkt, ohne daß ihm dadurch die Einheit schwindet[34]. Das Christentum bezeichnet Herder als ein Ferment, das die Vorsehung als Triebfeder der Weltgeschichte einsetzte, »als Sauerteig, zu Gutem oder zu Bösem«[35]. Herder schätzt dieses Ferment hoch ein, und er verteidigt es entschieden denjenigen gegenüber, die Aufklärung und Deismus rühmen, ohne anerkennen zu wollen, daß man die

---

[33] Klaus Scholder, Herder und die Anfänge der historischen Theologie, in: Evangelische Theologie, 22. Jg., 1962, S. 425—440, stellt eine gewisse Ausnahme dar

[34] Herders Werke in fünf Bänden, hrsg. v. W. Dobbek, 2. Bd., Aufbau Verlag Berlin u. Weimar, 1964, S. 305 künftig zitiert: »Werke«

[35] Werke, 2. Bd., S. 315

eigenen Errungenschaften einer langen Entwicklung verdankt, an der die christliche Religion entscheidend beteiligt war. Die christliche Religion war im Sinne ihres Urhebers dazu bestimmt, Religion der Menschheit und Band zwischen Nationen und Völkern zu werden. Die Religionen in vorchristlicher Zeit waren, gemessen am »menschenliebenden Deismus«, national oder auf andere Weise begrenzt. Die christliche Religion war ihrer Eigenart nach universal, sie vermochte deshalb durch alles zu dringen und sich mit andersartigen Elementen zu verschmelzen. Als Religion der Menschheit ist ihre Funktion als Ferment im Prozeß der Progression der Menschheit auch noch keineswegs abgeschlossen. Herder legt größten Wert darauf, daß das Christentum wirklich in die Natur und Menschenwelt eingeht, weil die Gottheit nie anders als durch Natur gehandelt hat. »Die Religion soll nichts als Zwecke durch Menschen und für Menschen bewürken[36].«

Das in die Geschichte und menschheitliche Entwicklung eingegangene Christentum ist in seiner Wirkung nicht auf bestimmte Zeitepochen einzugrenzen, sondern es wirkt weiter, so wahr der Gang Gottes mit der Menschheit weitergeht. Dieser Grundüberzeugung ist Herder stets treu geblieben. Aber in seiner späteren Entwicklung, wie sie uns konzentriert in den »Ideen zur Philosophie der Geschichte der Menschheit« (seit 1784) entgegentritt, ist die 1774 ausgesprochene Überzeugung von einem *allmählichen* Fortschreiten der Menschheit, wobei rückläufige Entwicklungen auf die zu allen Zeiten gleiche Natur des Menschen zurückgeführt werden, einem uneingeschränkteren Optimismus gewichen. Der Bückeburger Herder kritisiert aufs schärfste den Optimismus der Aufklärung, weil diese die Dialektik des Freiheitsbegriffs unterschätzt. Sieht die Aufklärungsepoche nur zu ihrer Zeit Licht und Freiheit, so erinnert Herder daran, daß frühere Epochen ebenso zu Verbesserungen beigetragen haben, deren sich das 18. Jahrhundert rühmt, das mit dem »Geist« Abgötterei betreibt.

Gegenüber einer Auffassung, die allein Geist und Vernunft als Movens der Weltveränderungen ansieht, erinnert der frühe Herder an die wirtschaftlichen und sozialen Faktoren, die Erfindungen und handwerklichen Fertigkeiten, die oft unterschätzten Kleinigkeiten, die die Entwicklung gefördert haben. »Was jede Reformation anfing, waren Kleinigkeiten, die nie sogleich den großen ungeheuren Plan hatten[37].«

Herder verkennt nicht die Vorzüge der Gegenwart und der Aufklärung. Aber den Bemühungen um ein europäisches Gleichgewicht und dem Geist des aufgeklärten Weltbürgertums entsprechen auch Schäden und Gefahren, die die Ruhmredner der Aufklärung verschweigen. Das Wesen des

---

[36] Werke, 2. Bd., S. 318/319
[37] Werke, 2. Bd., S. 328

Menschen als »Mittelding zwischen trotzig und verzagt, in Bedürfnis strebend, in Untätigkeit und Üppigkeit ermattend, ohne Anlaß und Übung nichts, durch sie allmählich fortschreitend beinahe alles«, verbietet es, ihn als allwissendes Geschöpf anzusehen und zu glauben, daß mit dem Menschengeschlecht kein größerer Plan Gottes bestehe, als ihn ein einzelnes Geschöpf übersehen kann. Herders scharfe Abrechnung mit dem eitlen Fortschrittsglauben der Aufklärung ist anthropologisch und theologisch begründet. Er verspottet den Philosophen oder Thronsitzer des 18. Jahrhunderts, als ob nur auf ihn und das 18. Jahrhundert die Endlinie der Entwicklung des Planes Gottes ziele. Herders universalhistorischer Blick verbietet es, allein an den europäischen Verhältnissen zu haften. »Die sogenannte Aufklärung und Bildung der Welt hat nur einen schmalen Streif des Erdballs berührt und gehalten[38].« Allerdings bedeutet die Aufklärung ein wichtiges Entwicklungsstadium, das auch der frühe Herder nicht rückgängig gemacht wissen will. Seine Kritik der Aufklärung setzt immer die Zustimmung zu ihrem Beitrag zum Fortschritt der Menschheit voraus. Die Aufklärung steht ihm zudem in ihrer unauflöslichen Verbindung zu einer der größten Revolutionen in der Menschheitsgeschichte, der Reformation, fest. Herder verwendet den Begriff Revolution als identisch mit dem Begriff der Gärung, des Entwicklungsstoßes, wobei dieser auch als gewaltsame Bewegung verstanden werden kann[39]. Derartige Revolutionen verfolgt Herder in der ganzen Geschichte der Menschheit, und 1774 rehabilitiert er das Mittelalter gegenüber der Geschichtsschreibung der Aufklärung. Auch das Mittelalter kennt Stöße und Revolutionen, durch die die Entwicklung gefördert wurde. Die Reformation versteht Herder ebenfalls als Revolution, wobei er Luther als Werkzeug einer »Veränderung der Welt« begreift[40]. Er verteidigt ihn und die Reformation überhaupt gegenüber dem Vorwurf, daß Reformationen stets ohne Revolution geschehen sollten, daß man den menschlichen Geist nur »seinen stillen Gang« gehen lassen müsse, um die Welt zu verbessern. Herder bestreitet diese Argumentation und behauptet, daß ein stiller Fortgang des menschlichen Geistes zur Verbesserung der Welt »kaum etwas anders als Phantom unserer Köpfe, nie Gang Gottes in der Natur ist«. Ohne Revolution, ohne Leidenschaft und Bewegung könne eine Welt von Gewohnheiten nicht geändert und neu geschaffen werden. Der Revolutionsbegriff Herders umschließt also einerseits den Begriff Veränderung im natürlichen Sinne, andererseits auch im Sinne von Veränderung unter Einwirkung von Gewalt und Bewegung. Herder hat der späteren Ableitung der politischen Revolutio-

---

[38] Werke, 2. Bd., S. 357
[39] Werke, 2. Bd., S. 323
[40] Werke, 2. Bd., S. 329

nen aus dem Geiste der Reformation indirekt, wenn auch unbeabsichtigt, vorgearbeitet, als er die Reformation als Revolution charakterisierte. Allerdings geht Herder mit dem Revolutionsbegriff wie andere Zeitgenossen vor 1789 großzügig um, indem er Veränderungen sowohl in der Natur als in der Geschichte als Revolution bezeichnen kann. Die mit der Reformation eingeleitete Entwicklung ist, wenn sie sich zunächst auch auf Nordeuropa beschränkte, unumkehrbar. An der sogenannten Aufklärung und Bildung der Welt kann nichts geändert werden, »ohne daß sich zugleich alles ändert«[41]. In keinem Land könnte die Bildung ihren »Rücktritt« nehmen und zum zweitenmal werden, was sie einmal war. Deshalb kritisiert Herder eine ungeschichtlich denkende Aufklärung, aber am geschichtlichen Recht der Aufklärung wird er deshalb nicht irre. Wohl ist die Frage nach dem erreichten Fortschritt niemals völlig eindeutig zu beantworten. Jeder neue Schritt läßt auch Lücken und unersetzbaren Verlust an Werten offenbar werden. Der Gang Gottes über die Nationen und unter den Nationen geht dennoch weiter.

In den seit 1783/84 niedergeschriebenen »Ideen zur Philosophie der Geschichte der Menschheit« halten sich Herders Grundüberzeugungen vom Gang der Geschichte und ihrer Bedeutung für die »Fortschreitung« durch, doch werden die Rückfälle, die die Menschheit dabei hinnehmen muß, weniger kräftig hervorgehoben. Die Kritik an der Aufklärung ist kaum noch zu spüren, wenn Herder auch betont, daß die Aufklärung nicht auf eine bestimmte Epoche der europäischen Geschichte zu begrenzen ist. Alle Gattungen menschlicher Aufklärungen hängen mit Kleinigkeiten zusammen, mit technischen Erfindungen; sie kommen nur zur Verwirklichung, wenn glückliche Umstände zusammenwirken. Jede Aufklärung, die einen Punkt der Vollkommenheit erreicht hat, pflegt wieder eine »abnehmende Reihe« anzufangen[42]. Herder vermag also Rückfälle in einer den Gang der Humanität immer mehr befördernden Entwicklung durchaus einzukalkulieren. Unvernunft und Zwietracht der Menschen können den Gang der menschlichen Vernunft aber nur gelegentlich hemmen, nicht jedoch aufhalten. Insgesamt urteilt Herder außerordentlich optimistisch über den Gang des Menschengeschlechts, und er überträgt unbefangen die Gesetze der Ordnung in der Natur auf die geschichtliche Entwicklung. Biologische Kategorien verdrängen die früheren anthropologisch-theologisch motivierten Kriterien der Geschichtshermeneutik. Zwar hält er auch jetzt noch daran fest, daß Gott die Menschheit auf dem Gang zur Humanität leitet, aber streng nach den Gesetzen der Natur erfolgt im Fortgang der Zeiten das Fortrücken der Menschheit zu Vernunft und Humanität, geradezu naturnotwendig. Das Got-

[41] Werke, 2. Bd., S. 357
[42] Werke, 4. Bd., S. 336

tesverständnis Herders steht jetzt unter dem Eindruck Spinozas. »Alle Zweifel und Klagen der Menschen über die Verwirrung und den wenig merklichen Fortgang des Guten in der Geschichte rührt daher, daß der traurige Wanderer auf eine zu kleine Strecke seines Weges siehet. Erweiterte er seinen Blick und vergliche nur die Zeitalter, die wir aus der Geschichte genauer kennen, unparteiisch miteinander; dränge er über dem in die Natur des Menschen und erwägte, was Vernunft und Wahrheit sei, so würde er am Fortgange derselben so wenig als an der gewissesten Naturwahrheit zweifeln[43].« Der Fortgang der Geschichte mit dem Wachstum wahrer Humanität beweist Herder, daß der zerstörenden Dämonen des Menschengeschlechts wirklich weniger geworden sind[44].

Den Begriff Revolution wendet Herder in gleicher Weise für den Bereich der Natur wie für den der Geschichte an. Wie die Erdenschöpfung als Natur Entwicklungen und Revolutionen kennt, so auch die Geschichte. Als die wichtigste Revolution der menschheitlichen Geschichte überhaupt bezeichnet Herder die unerwartete Revolution, die mit dem Auftreten Jesu verbunden war. Während er aber zehn Jahre früher das Christentum als fortwirkendes Ferment im Prozeß der Geschichte kräftiger betonte, urteilt er jetzt, bei gesteigertem Optimismus im Blick auf die fortschreitende Humanisierung des Menschengeschlechts im allgemeinen, erheblich zurückhaltender hinsichtlich der Wirkung des Christentums im besonderen. Jesus wollte Menschen bilden, die, unter welchen Gesetzen es auch wäre, aus reinen Grundsätzen das Wohl anderer beförderten. Der einzige Zweck der Vorsehung mit dem menschlichen Geschlecht könne nur »allgemein wirkende reine Humanität« sein[45]. Herder empfindet sehr stark das Zurückbleiben hinter diesem hohen Ideal, das Jesus der Menschheit eingestiftet hat. Er erkennt an, daß es in der Geschichte keine andere Revolution gebe, »die, in kurzer Zeit so stille veranlaßt, durch schwache Werkzeuge auf eine so sonderbare Art, zu einer noch unabsehlichen Wirkung allenthalben auf der Erde angepflanzt und in Gutem und Bösem bebauet worden ist ...«, aber er bedauert, daß diese Wirkung nicht unter dem Namen der wirklichen Religion *Jesu*, sondern im Namen einer gedankenlosen Anbetung seiner Person und seines Kreuzes geschehen sei. Der wahre Sinn der Religion Jesu ist darum erst wieder einzuholen, und Herder entschließt sich, den Namen Jesus im Verlauf seiner Würdigung der Geschichte unter dem Einfluß des Christentums überhaupt nicht zu nennen. »Wir wollen ihn, so weit es sein kann, nicht nennen; vor der ganzen Geschichte, die von Dir abstammt, stehe Deine stille Gestalt allein[46]!« Damit leitet Herder zu sei-

---

[43] Werke, 4. Bd., S. 369
[44] Werke, 4. Bd., S. 353
[45] Werke, 4. Bd., S. 396
[46] Werke, 4. Bd., S. 396

ner außerordentlich scharfen Abrechnung mit der Kirchengeschichte der ersten Jahrhunderte über. Er beklagt es, daß im Vergleich zu den Geschichtsschreibern Griechenlands und Roms die kirchliche Geschichtsschreibung gründlich dafür gesorgt habe, daß sich auf lange Jahrhunderte die wahre Geschichte des Christentums fast ganz verliere. Die christliche Geschichtsschreibung sinke ab zur Bischofs-, Kirchen- und Mönchschronik. Dogma und Askese überwuchern völlig die genuinen Grundsätze der Botschaft Jesu, seiner menschenfreundlichen Denkart, nach der das Christentum ein echter Bund der Freundschaft und Bruderliebe sein sollte.

So beobachten wir die merkwürdige Tatsache, daß in den Rahmen einer prinzipiell optimistischen Geschichtsschau im Blick auf das Christentum als dogmatische und asketische Religion ein radikales Abfallschema eingefügt wird, womit Herder an Gottfried Arnolds Kirchen- und Ketzerhistorie (1699/1700) anknüpft. Im Unterschied zu seinem Bückeburger Entwurf wird bemerkenswerterweise die Reformation überhaupt nicht erwähnt, so daß Herder sie offensichtlich von dieser negativen Bewertung der kirchengeschichtlichen Entwicklung nicht grundsätzlich ausnimmt. Die neue Kultur Europas hängt in ihrer Entstehung allerdings auch mit dem stillen Einfluß des Christentums in allen Jahrhunderten zusammen, denn Herder erkennt an, daß das Christentum, indem es ein Reich der Himmel auf Erden gründen wollte und die Menschen von der Vergänglichkeit des Irdischen überzeugte, zu jeder Zeit reine und stille Seelen gebildet hat, die das Auge der Welt nicht suchten und vor Gott ihr Gutes taten[47].

Die wichtigsten Anstöße für die europäische Geschichte gingen aber von rein menschlichen Triebfedern aus, die Herder in einer großangelegten Analyse der mittelalterlichen Entwicklung freilegt. Am Schluß zieht er die Summe, daß die neue Kultur Europas durch Betriebsamkeit, Wissenschaften und Künste entstand, und er blickt vertrauensvoll auf den unaufhaltsamen Gang der Vernunft und der verstärkten gemeinschaftlichen Tätigkeit der Menschen[48].

Sieht man auf beide geschichtsphilosophischen Werke Herders zurück, so läßt sich als gemeinsame Grundüberzeugung festhalten, daß in Herders universalgeschichtlicher Perspektive keine Periode der Menschheitsgeschichte nur unter dem Aspekt des Fortschritts oder dem Aspekt des Verfalls charakterisiert werden darf. Die Geschichte des allmählichen Fortschreitens der Menschen ist und wird nie zu einem Abschluß gebracht, und Herder warnt, in beiden Entwürfen übereinstimmend, vor einer Überschätzung der eigenen Epoche als der für den Fortschritt wich-

---

[47] Werke, 4. Bd., S. 407
[48] Werke, 4. Bd., S. 465

tigsten. In seiner Würdigung der Christentumsgeschichte steht der ältere Herder viel stärker unter dem Einfluß der Aufklärung als der Bückeburger Stürmer und Dränger. Die grundsätzliche Erkenntnis von der Geschichtlichkeit des Glaubens, das Prinzip der Individualität als der Nötigung, das Eigenrecht bestimmter geschichtlicher, also auch kirchlicher Epochen anzuerkennen, wird in den »Ideen« überlagert von der Idee der Humanität und Glückseligkeit als der göttlichen Bestimmung des Menschen. Damit fallen frühere Differenzierungen einer stärker generalisierenden Tendenz zum Opfer. Vermag Herder auch nicht das christliche Dogma geschichtlich verstehend zu interpretieren und verfällt er hier selbst dem von ihm bekämpften »dogmatischen Erklärungsgeist«, so sind doch die »Ideen« darin epochemachend gewesen, daß Herder eine Fülle von Gesichtspunkten erschlossen hat, Geschichte — und also auch Kirchengeschichte — natürlich zu begreifen. In seiner Bückeburger Arbeit findet sich schon der programmatische Satz: »Wem ist's nicht erschienen, wie in jedem Jahrhunderte das sogenannte Christentum völlig Gestalt oder Analogie der Verfassung hatte, mit oder in der es existierte[49]!«

Hat er diese Erkenntnis in den »Ideen« auch an der Christentumsgeschichte nicht durchzuführen vermocht, so hat er doch auf die Problematik der »Verfassung« im soziologischen, politischen und kulturellen Sinne in so faszinierender Weise aufmerksam gemacht, daß die Geschichtsschreibung des 19. Jahrhunderts in Betonung des einen oder anderen Aspekts seine Anregungen widerspiegelt.

III

Die Anregungen Herders haben sich erst im 19. Jahrhundert ausgewirkt. Die Kirchengeschichtsschreibung hatte jedoch schon um die Wende vom 18. bis zum 19. Jahrhundert bedeutende Leistungen aufzuweisen. Johann Lorenz von Mosheim (1693—1755) ist zugleich als Ethiker und Kirchenhistoriker berühmt geworden. Er betonte die mit der Reformation eingetretene Wende in Sittlichkeit und Moralität. In Göttingen lehrten Ludwig Thimotheus Spittler (1752—1810) und Gottlieb Jakob Planck (1751—1833) im Sinne der pragmatischen Geschichtsauffassung, in der auch die verworrensten Ereignisse auf ihren notwendigen Zusammenhang hin abwägend untersucht wurden, wobei aber der Geschichtsschreiber Urteile fällte, die ihn in den Ruf der Alleswisserei brachten. Die von Spittler im Grundriß gegebene Geschichte der christlichen Kir-

---

[49] Werke, 2. Bd., S. 319

che[50] arbeitet mit dem Begriff der »Hauptveränderung« und »Revolution« und versteht die Kirchengeschichte als ein durch solche Revolutionen ununterbrochen hindurchgehendes Schauspiel, das darüber Aufschluß gibt, wie sich der menschliche Geist »im Verhältnis auf seine wichtigste Angelegenheit durch die mächtigsten Strebungen und unglaublichsten Verirrungen gebildet hat«. Nirgends lasse sich das Fortschreiten des menschlichen Geistes mit all seinen Verirrungen, mit den Mischungen von Irrtum und Laster, Verstand und Herz besser erkennen als in der Kirchengeschichte, in der sich eine Art von Universalhistorie entfaltet, da die Geschichte der christlichen Religion übernational ist. Spittler glaubt trotz der negativen Seiten der kirchengeschichtlichen Entwicklung, die wohl ein Klagelied über Schwäche und Verderbtheit des menschlichen Geistes nahelegen könnten, an große Fortschritte, die die Menschheit tatsächlich zurückgelegt hat. Bemerkenswerterweise teilt er gelegentlich schon die Einsicht Herders, daß die Vorsehung den verschiedenen Zeitaltern in gleicher Weise Übel und Vorteile zumißt, so daß der Fortschritt keineswegs nur der Zeit der Aufklärung zugeschrieben werden darf, die Spittler allerdings mit vollem Herzen bejaht und deren Bedeutung als der wohl wichtigsten Revolution der Geschichte er nachdrücklich hervorhebt. Der Fortschritt der Menschheit konnte nur allmählich realisiert werden, und Spittler bevorzugt die Zeiten ruhiger Entwicklung, in denen ohne Gewalteinwirkung an Aufklärung und Verbesserung des Allgemeinzustands der Menschheit gearbeitet worden ist. Auch in der Entwicklung der katholischen Kirche findet Spittler, wenn auch nicht in der Geschichte der Institution, so doch in starken geistigen Strömungen Ansätze der Erneuerung, und parallel zu den Bemühungen der protestantischen Aufklärung rühmt er Kaiser Joseph II., der als zweiter Deutscher die zweite große Reformation der römischen Kirche mit ausdauernder Kraft unternommen habe. Die deutschen Aufklärer Semler, Teller und die Allgemeine Deutsche Bibliothek, die der theologischen Revolution der Aufklärung den Hauptschwung verliehen habe, sieht Spittler durchaus in Spannung zu den Vertretern des »Unglaubens«, aber zu einer prinzipiellen Abgrenzung von wünschenswerter theologischer Reform und feindseliger Bekämpfung der christlichen Religion ist Spittler nicht in der Lage. Rousseau hält er für die notwendige Ergänzung Voltaires, und zweideutig konstatiert er: »Traurig genug, daß wir es noch als Vorteil ansehen müssen, nur nicht alle Religion niedergestürzt zu sehen, daß einer der heftigsten Gegner der Wunderwerke Jesu noch mittelbar als Schutzwehr der christlichen Religion betrachtet werden kann[51].«

[50] 2. Aufl., Frankfurt u. Leipzig 1788
[51] A.a.O., S. 509 f

Alle theologische Auseinandersetzung müsse zu Duldung und unparteiischer Selbstprüfung führen. Wenn Spittler feststellt, daß ein großer Teil der deutschen protestantischen Theologen sich nicht darin einig sei, was eigentlich verteidigt werden solle und was als christliche Religion verstanden werden müsse, so trifft dieses Urteil auf Spittler selbst zu. So recht er mit der Feststellung hat, daß Klagen über die Verkehrtheit des menschlichen Geistes die historische Frage nicht aufklären kann, warum gerade im letzten Viertel des 18. Jahrhunderts der Unglaube so herrschend geworden sei, so unbestreitbar es ferner ist, daß der »einheimische Streit über die Vorzüge der äußern oder der innern Beweise der Wahrheit« des Christentums mit der ursprünglichen Verschiedenheit der Denkfähigkeit der Menschen zusammenhängt, so genügen doch nicht vage Andeutungen, daß die von Spalding, Herder und Döderlein gebildete Generation durch weise Veranstaltungen schon in allgemeine Ausübung bringen werde, »was bisher oft nur noch Wunsch schüchterner Weisen oder fast kühne Unternehmung einzelner entschlossener Aufgeklärten war«[52].

Spittler reicht damit die Frage nach dem Wesen des Christentums an die nächste Generation weiter. Seine private Meinung verschweigt er, aber sie ist unschwer zu erraten. Es geht ihm positiv um die Moralität, die keineswegs allein auf die christliche Religion gegründet ist, wenn auch reißender Verfall derselben großen Schaden für die Stabilität der Moral mit sich ziehen kann. Was das Christentum seinem Wesen nach ist, braucht nach Spittlers Meinung überhaupt nicht beantwortet zu werden, und die scharfe Kritik Ferdinand Christian Baurs an Spittler[53] trifft zu, daß Spittler die Entwicklung des Christentums im Grunde dem Zufall überlasse, den er allerdings Vorsehung nennt. Zwischen den Individuen und der Vorsehung waltet nach Baurs Worten bei Spittler ein Verhältnis, bei dem man nicht wisse, wer dem anderen mehr zu verdanken habe, die Vorsehung den Individuen oder die Individuen der Vorsehung[54]. Die Motivation für den von Spittler angenommenen allmählichen Fortschritt der Menschheit kann das Christentum nicht sein, wenn man die Frage nach dem Wesen des Christentums offen läßt bzw. sie lediglich als Gegenstand des Streites bezeichnet.

Der pragmatischen Geschichtsauffassung gegenüber, für die die christliche Kirche nur den äußeren Rahmen für fortlaufende Veränderungen darstellt, so daß Planck in seiner Darstellung der gesellschaftlichen Verfassungsgeschichte der christlichen Kirche den Begriff Kirche im theologischen Sinne verliert, stellt der Geschichtsentwurf F. Chr. Baurs einen

---

[52] A.a.O., S. 512
[53] Die Epochen der kirchlichen Geschichtsschreibung, 1852, S. 162 ff
[54] A.a.O., S. 168

enormen methodischen Fortschritt dar. Darin folgt Baur den von ihm kritisierten Vorläufern, daß er weder die Anfänge des Christentums noch seine geschichtliche Entwicklung mit Hilfe der Wunderkategorie darstellt. Darin grenzt er sich nicht nur von den supranaturalistischen Resten Plancks, sondern vor allem von der Geschichtsschreibung im Sinne der Erweckungsbewegung, wie sie klassisch August Neander vertrat, ab. Baur fordert eine rein geschichtliche Betrachtung, die den lückenlosen innergeschichtlichen Zusammenhang freilegt, in den auch die Entstehung des Christentums eingeordnet werden muß. Deshalb kann das Christentum nichts enthalten, was nicht durch Ursachen und Wirkungen bedingt wäre; das Christentum kann nur zum Ausdruck bringen, was bereits zeitlich ihm vorausgehend das Resultat vernünftigen Denkens und sittlichen Strebens gewesen ist. So stellt Baur das Christentum in den Strom der religiösen und geistigen Entwicklung der Menschheit und begreift das Christentum nicht als Aufhebung des allgemeinen geschichtlichen Entwicklungsprozesses, sondern als wesentliches Moment innerhalb desselben. Die geschichtliche Betrachtung des Christentums kommt deshalb gänzlich ohne den Wunderbegriff aus, mag auch für den Dogmatiker die Gegenüberstellung von »natürlich« und »übernatürlich« noch von relativer Bedeutung sein, so daß auch Baur sich gelegentlich dieser Terminologie bedient, mußte er doch zunehmend daran interessiert sein, seine Position prinzipiell vom Naturalismus eines Strauß oder Feuerbach abzugrenzen. Baur begnügt sich jedoch nicht mit der Verknüpfung von Ursache und Wirkung im kausalen Sinne, wie das die pragmatische Geschichtsauffassung getan hatte, sondern er huldigt einem geschichtlich sowohl wie philosophisch begründeten Entwicklungsgedanken, den er in positiver Auseinandersetzung mit Hegel auf die Darstellung der Dogmen- und Kirchengeschichte übertragen hat. In der Geschichte der Kirche verfolgt er den gemeinsamen religiösen Geist der Menschheit.

An dieser Stelle fragt es sich, ob Baur im Rahmen dieser Problemstellung die Frage nach dem Wesen des *Christentums* besser beantworten kann als der von ihm so hart kritisierte Spittler. Einerseits betont er, daß das in die Reihe geschichtlicher Erscheinungen einzuordnende Christentum nur auf geschichtlichem Wege erkannt werden kann, andererseits betont er, daß man bereits wissen müsse, was das Christentum überhaupt ist, um sich vom Gang seiner geschichtlichen Entwicklung eine klare Vorstellung machen zu können[55]: »Man muß vor allem wissen, was das Christentum überhaupt ist, wenn man sich eine klare Vorstellung von dem Gang seiner geschichtlichen Entwicklung machen will.« Da Baur das Wesen des Christentums philosophisch-spekulativ bestimmt,

[55] A.a.O., S. 208

macht er die geschichtliche Bestimmung des Wesens des Christentums von der spekulativen Betrachtung abhängig. Was die spekulative Betrachtung ergibt, muß sich auch geschichtlich nachweisen lassen. Der Inhalt des christlichen Glaubens wird als ursprüngliches Eigentum des menschlichen Geistes, als ein seiner innersten Tiefe Entsprossenes verstanden. Der menschliche Geist ist und hat das Absolute, und Absolutes könnte nirgend gefunden werden, wenn es nicht subjektives Bewußtsein des Absoluten an sich gäbe. Diese Grundentscheidung Baurs hält sich an seiner Interpretation der Person Christi durch. Er entwickelt eine entschlossen spekulative Deutung der Christologie, wobei er einräumt, daß für den Glauben die Erscheinung des Gottesmenschen und die Inkarnation Gottes eine historische Tatsache sein möge, aber auf dem Standpunkt des spekulativen Denkens ist die Menschwerdung Gottes eben keine einmalige historische Tatsache, sondern eine ewige Bestimmung des Wesens Gottes. Gott wird nur insofern in der Zeit Mensch in jedem einzelnen Menschen, sofern er von *Ewigkeit* Mensch ist. Die Menschheit ist die Vereinigung der beiden Naturen, der Mensch gewordene Gott, der zur Endlichkeit entäußerte unendliche Geist. Diesen Standpunkt legt Baur noch im Jahre 1852 seiner Erörterung der Aufgaben der Kirchengeschichtsschreibung in seinem Sinne zugrunde. Die Idee, die für die kirchengeschichtlichen Pragmatiker in weiter Ferne und in unbestimmter Gestalt über den Erscheinungen schwebt, müsse den geschichtlichen Stoff wie die Seele den Leib durchdringen und das bewegende Prinzip aller Erscheinungen der kirchengeschichtlichen Entwicklung sein. Obwohl Baur im Blick auf die Kirchengeschichte die Idee der Kirche zum Movens erklärt, verweist er doch wegen der inneren Verknüpfung von Dogmengeschichte und Kirchengeschichte — die Dogmengeschichte ist ein integrierender Bestandteil der Kirchengeschichte — auf die Bedeutung, die das gesamte altkirchliche Dogma für das christliche Bewußtsein hatte. Je enger Dogma an Dogma sich anschließt und je gleichförmiger sich die Dogmen zusammen zu einem System ausbilden, um so mehr folgt die Kirche dem unwiderstehlichen Drang, »die Einheit Gottes und des Menschen, die der absolute Inhalt ihres Bewußtseins ist, in allen Dogmen des christlichen Glaubens auf ihren festen Begriff und Ausdruck zu bringen, und in dieser bestimmten Form aus sich heraus zu stellen«[56].

Bis zum Jahr 1852 betont Baur unaufhörlich, daß Christentum und Kirche ihren absoluten Begriff und Ausdruck in der Einheit Gottes und des Menschen haben, wie sie in der Person Christi angeschaut wird. Mit dieser Anschauung ist die Einheit zu einer Tatsache des christlichen Bewußtseins geworden, so daß der substantielle Inhalt der geschichtlichen Entwicklung der christlichen Kirche darauf zielen muß, daß diese Einheit

---

[56] A.a.O., S. 252

für das christliche Bewußtsein realisiert wird. Dem dient sowohl der dogmengeschichtliche Prozeß als auch die Verwirklichung der Idee der Kirche in ihrer Verfassung. Die erste Periode der Kirchengeschichte ist durch die Entwicklung des Dogmas charakterisiert, die zweite, die das ganze Mittelalter bis zur Reformation umfaßt, ist vorzüglich die Geschichte der Hierarchie bzw. des Papsttums, und Baur vermag die Verbindung von Christologie und Ekklesiologie in dieser Entwicklung sehr gut zu verdeutlichen. Dieselbe Einheit Gottes und des Menschen, die in der Christologie den absoluten Inhalt des religiösen Bewußtseins dogmatisch auf einen bestimmten Begriff bringt, ist im Papsttum die absolute Form, in der die realisierte Idee der Kirche angeschaut wird[57]. Die Reformation bedeutet den großen Wendepunkt, indem die in fortschreitender Richtung gehende Entwicklung umzulenken scheint, was vor allem am Kirchenbegriff der Reformation zu exemplifizieren wäre. Die Idee der Kirche reißt sich von der sichtbaren Kirche als ihrer Erscheinung los, so daß die katholische und die protestantische Geschichtsanschauung in einen unversöhnlichen Gegensatz zueinander treten, denn die Idee und die Erscheinung der Kirche sind seit der Reformation Luthers nicht mehr miteinander identisch wie in der Zeit des Mittelalters. Selbstverständlich bejaht Baur die reformatorische Unterscheidung von sichtbarer und unsichtbarer Kirche als epochemachend, und er versteht den Wendepunkt spekulativ zu rechtfertigen: »Je äußerlicher aber alles das ist, was seine Wahrheit nur in seiner innersten Beziehung auf das Subjekt hat, nur darin, daß es für das Subjekt ist, das Subjekt in ihm sich selbst hat, und in ihm seines Heils und seiner Einheit mit Gott sich unmittelbar bewußt ist, um so gewisser muß endlich auch der Wendepunkt eintreten, in welchem das Subjekt aus dieser Äußerlichkeit seines religiösen Bewußtseins sich in sich selbst zurücknimmt und es sich bewußt wird, daß es selbst das absolute Subjekt für alles ist, was den wesentlichen Inhalt seines religiösen Bewußtseins ausmacht. Der Protestantismus ist das Prinzip der subjektiven Freiheit, der Glaubens- und Gewissensfreiheit, der Autonomie des Subjekts im Gegensatz gegen alle Heteronomie des katholischen Begriffs der Kirche[58].« Der Wendepunkt der Reformationszeit wird von Baur als die Überwindung der kirchlichen Religion und der kirchlichen Form des Christentums verstanden. Der Protestantismus zieht nur die Folgerungen, nachdem das von der kirchlichen Religion erfüllte Zeitbewußtsein »sich an sich selbst zerrieben hatte«[59]. Innerhalb des mit der Reformation begonnenen Auflösungsprozesses sieht Baur im Westfälischen Frieden mehr ein politisches Da-

[57] A.a.O., S. 253
[58] A.a.O., S. 257
[59] A.a.O., S. 255

tum; das Epochemachende kann nur im allgemeinen Umschwung des dogmatischen Bewußtseins, wie er im Laufe des 18. Jahrhunderts erfolgte, gesehen werden. Hier vollendet der Protestantismus am Dogma dieselbe analysierende Kritik, die er am Papsttum schon zur Zeit der Reformation geübt hatte. Es ist ganz deutlich: Baur konstruiert den kirchengeschichtlichen Entwicklungsgang am Leitfaden des Dogmas als der eigentlichen Substanz der Kirche, wobei die Dogmengeschichte seit der Reformationszeit zur Geschichte des religiösen und geistigen Bewußtseins überhaupt erweitert werden muß.

In einer gewissen Spannung zu dieser Auffassung steht die von Baur wenig später gegebene Auskunft, daß das Christentum im sittlichen Bewußtsein des Menschen verwurzelt und in seinem Wesen als eine rein sittliche Religion zu betrachten sei. Zwar hat Baur auch vor dem Jahre 1852/53 immer das ethische Element in seinen dogmengeschichtlichen Monographien betont, aber alle seine Arbeiten deuten die Kirchengeschichte als die immanente Entwicklung einer identischen ideellen Substanz, aus deren Bewegungsgesetz sich alle Gegensätze erklären lassen. Die Wende des Jahres 1852/53[60] bedeutet sicherlich eine gewisse Entfernung vom Höhenflug der an Hegel genährten Spekulation und eine Annäherung an die Aufklärung. Sie ist wohl auch dadurch veranlaßt worden, daß Baur sich jetzt mehr der Erforschung des Protestantismus und seiner Eigenart im Rahmen der Kirchengeschichte zuwandte. Immerhin beantwortet Baur jetzt prinzipiell die Frage, was das Christentum zur absoluten Religion erhebe, mit dem Hinweis, daß dies sein rein sittlicher Charakter sei, und speziell an der Reformation rühmt er die Aufhebung des falschen Dualismus von Religiösem und Weltlichem. Das religiöse Leben der Gemeinde muß im Sittlichen und Weltlichen zum Ausdruck kommen. Baur war sich eines Bruchs in seiner Entwicklung nicht bewußt, und das Ethische bleibt auch fernerhin vom Spekulativen umgriffen. Mit Geiger kann die Wandlung Baurs um 1852/53 darin gesehen werden, daß der Gedanke der Autonomie, der einst mit Hegel spekulativ-rational als Stufe des theoretischen Denkens verstanden wurde, nun ins Ethische gewendet wird. Diese Wandlung wird nun von entscheidender Bedeutung für Baurs Sicht des Protestantismus, dessen Prinzip das der Subjektivität, der Autonomie des selbstbewußten Subjekts ist, so daß die Aufgabe des Protestantismus eine unendliche wäre, weil das dem Protestantismus zugrunde liegende Prinzip ein einer unendlichen Entwicklung fähiges Prinzip sei. In der protestantischen Theologie treten Theologie und Philosophie in eine unauflösliche Wechselwirkung, so daß eine Theologie, die sich der Einwirkung der Philosophie entziehen wollte,

[60] Vgl. dazu Wolfgang Geiger, Spekulation und Kritik. Die Geschichtstheologie Ferdinand Christian Baurs, München 1964, S. 77 ff

95

ihren protestantischen Charakter verlieren würde. Zwischen Philosophie und Theologie kann keine Grenzlinie gezogen werden; weil die Wahrheit nur eine ist, kann für beide, Philosophie und Theologie, nur dasselbe wahr sein, und Dogmengeschichte ist deshalb im protestantischen Sinne nichts anderes als Aufweis der Entwicklung des menschlichen Bewußtseins nach der in ihm liegenden Notwendigkeit. Der Dogmatiker der Gegenwart hat sich als Religionsphilosoph zu verstehen. Dies ist die eine Seite in Baurs Würdigung des Protestantismus. Die andere, die die Freisetzung ethischer Aktivität durch den Protestantismus im Auge hat, kommt am deutlichsten in Baurs Würdigung der Kirchengeschichte seit 1800 zum Ausdruck. Das Jahr 1800 bezeichnet er als einen epochalen Einschnitt, weil seit dieser Zeit die politische und die theologische Entwicklung in analoger Weise verlaufen. Wende man sich vom politischen Gebiet zum kirchlichen, so finde man, da sich das allgemeine Bewußtsein der Zeit in seinen verschiedenen Formen immer wieder auf dieselbe Weise ausdrücke, »analoge Verhältnisse, Gegensätze, die, wenn sie auch nicht mit derselben Schärfe einander gegenüberstehen, doch im Ganzen denselben Charakter an sich tragen: Restauration und Reaktion sind auch hier im allgemeinen die vorherrschenden Richtungen«[61].

Wenn Baur den Gang der theologischen Entwicklung dem der politischen als sehr analog bezeichnet, so verfolgt er mit dieser Feststellung allerdings zunächst nicht den Zweck, für eine freiere *politische* Entwicklung einzutreten, sondern in der Kritik der Restaurationsperiode, die zunächst auf politischem Gebiet eingesetzt hat und sich dann in Kirche und Theologie fortsetzte, will Baur zunächst mit seinen theologischen Gegnern abrechnen, die er zumindest der unklaren Vermittlung von Gegensätzen bezichtigt, die sich nun einmal nicht miteinander vermitteln lassen. Baur votiert nicht in erster Linie für eine politisch und sozial freiheitliche Entwicklung, sondern für die Freiheit der Wissenschaft, wie er denn die wissenschaftliche Theologie kompromißlos von einer kirchlichen Theologie in den Schranken des kirchlichen Bewußtseins abhebt. Allerdings betont er dabei die Kontinuität protestantischen Bewußtseins, denn mit dem Auseinandertreten von Kirche und Christentum bewegt sich ein wissenschaftlich und philosophisch angeregtes Geschlecht durchaus auf dem Boden des Protestantismus. Deshalb hat Baur in seiner Kirchengeschichte des 19. Jahrhunderts die führenden Männer des Geisteslebens, die alle Protestanten waren, nicht in einem inneren Selbstwiderspruch befangen gesehen, sondern sie nachdrücklich als wahre Vertreter des protestantischen Prinzips gewürdigt und ihnen einen legitimen Platz

---

[61] F. Chr. Baur, Kirchengeschichte des neunzehnten Jahrhunderts, in: Ausgewählte Werke in Einzelausgaben, hrsg. v. Klaus Scholder, 1970, erstmals erschienen 1862, S. 112

in der Kirchengeschichte angewiesen. Wenn Karl Hase ihn fragte, ob er wirklich der Meinung, sei, daß die Kirche sich in den letzten beiden Jahrhunderten als bestimmende Kraft im öffentlichen Leben und in der Bildung erwiesen habe, so rechtfertigte sich Baur mit einer an Richard Rothe erinnernden Stellungnahme[62].

Der Protestantismus muß in die Breite des Geisteslebens eingehen, und Baur kann dies nicht als ein »Sichverlieren« betrachten. Damit schneidet er auch den Einwand von Strauß ab, daß das Christentum in der modernen Welt antiquiert sei und im modernen Geistesleben nur noch einen Fremdkörper darstelle, so daß man sich nur im radikalen Bruch mit dem Christentum für die moderne Welt entscheiden könne. Baur hingegen ist überzeugt: »Es gibt keine andere Periode der neueren Zeit, die so produktiv, so reich an fruchtbaren Ideen, in einer so tief eindringenden und so weit sich erstreckenden Bewegung begriffen war ... Der Geist der Zeit zerreißt die Bande, die ihn bisher hemmten und beengten, er bricht sich auf den verschiedensten Gebieten des geistigen Strebens eine neue Bahn des Fortschritts, schafft sich eine neue Welt, er ringt nach Freiheit und Selbständigkeit, sein ganzes Streben geht dahin, durch Vertiefung in sich selbst sich aus sich selbst zu begreifen, zum vollen Bewußtsein über sich selbst zu kommen, sich als freie absolute Macht über alles zu wissen. Was ist aber dies anders als das Zurückgehen auf das Prinzip des Protestantismus, das nun erst von seiner Gebundenheit sich losmacht, um nun erst auch für die Wirklichkeit das zu werden, was es an sich ist. Der Protestantismus ist seinem innersten Wesen nach das Prinzip der Autonomie, die Befreiung und Entäußerung von allem, worin der seiner selbst sich bewußte Geist nicht sein eigenes Wesen erkennen und sich mit sich selbst Eins wissen kann[63].«

Wenn man Baur, wie Manfred Baumotte es tut, unter dem Aspekt »Theologie als politische Aufklärung« als einen Kirchenhistoriker bezeichnet, nach dessen Meinung die Geschichte des Christentums durch den Protestantismus in ihr politisches, weltgeschichtliches Zeitalter eingetreten sei, so trifft dies zunächst im Blick auf die geistigen Errungenschaften zu, die Baur dem Protestantismus beimißt. Daß eine gewisse Analogie zwischen politischer und kirchlicher Entwicklung vorliegt, hätte Baur, wenn er konsequent verfahren wäre, nicht nur im Blick auf das 19. Jahrhundert konstatieren sollen. Herder war ihm hier voraus. Im übrigen behauptet Baur auch keine *direkte* Analogie zwischen theologischer Entwicklung und politischer[64].

---

[62] Bei W. Geiger, a.a.O., S. 179 f
[63] Kirchengeschichte des neunzehnten Jahrhunderts, S. 40
[64] A.a.O., S. 174; Baumotte läßt in seinem Baur-Zitat, S. 157, das Wort »sehr« aus, so daß der Eindruck entsteht, Baur behaupte die völlige Analogie

Nach Herder hatte Schleiermacher betont, daß die wichtigsten Epochen-punkte der Kirchengeschichte diejenigen seien, die nicht nur für die Funktionen des Christentums bedeutsam sind, sondern die für die geschichtliche Entwicklung allgemein als Entwicklungsknoten zu beurteilen sind, und schon vor Baur hat der Göttinger Kirchenhistoriker Gieseler[65] im Blick auf die mit den Freiheitskriegen einsetzende Entwicklung geurteilt, daß die Zustände und Verhältnisse der Kirche in naher Berührung mit den politischen Verhältnissen standen, »und so wirkten die politischen Ansichten der Lenker der Staaten auch auf deren Behandlung der kirchlichen Dinge ein, während die Stimmungen der Völker über die kirchlichen Dinge eben so bedingt wurden durch die herrschenden politischen Ansichten«. Herder und Schleiermacher haben die gesellschaftliche Verfaßtheit des Christentums im umfassenden Sinne im Auge, nicht nur die Beziehung zwischen politischer und religiöser Entwicklung. Baur, dessen Kirchengeschichte des 19. Jahrhunderts in der Grundkonzeption auf das Jahr 1849 zurückgeht, urteilt ganz als Zeitgenosse von der Gegenwartserfahrung aus über die mit der napoleonischen Herrschaft einsetzende Zeit bis 1815, die politisch und geistig einen revolutionären Charakter zeigt. Von 1815 bis 1830 schließt er sich der Bezeichnung dieses Abschnitts als Restaurationsperiode an, weil sie in politischer Beziehung als solche bezeichnet wurde. Dabei verleugnet er nicht die Methode der Hegelschen Dialektik, indem er konstatiert, daß es schon im Begriff der Restauration liege, daß man sie ohne das Negative, an dessen Stelle sie ihr Positives gesetzt wissen wolle, nicht begreifen könne. Darum muß man in der Kirchengeschichte, um die neueste Periode aus dem Gesichtspunkt der Restauration zu interpretieren, noch weiter zurückgehen, »da die Veränderungen, auf die sich die Restauration bezieht, nicht so gewaltsam und in die Augen fallend erfolgten wie auf dem politischen Gebiet«[66].

Die Eigenart der Restaurationszeit von 1815 bis 1830 besteht in dem Versuch, politisch und geistig konträre Prinzipien auszugleichen oder zu vereinigen. Diesen Versuch bezeichnet Baur als künstlich, zweideutig und äußerlich, so daß seit 1830 die nicht ausgleichbaren Prinzipien sich verselbständigen und die alten Gegensätze sich in ihrer prinzipiellen Bedeutung ausbilden. Mit dem Jahr 1830 tritt deshalb der Kampf der beiden Prinzipien in ein neues Stadium ein. »Hatte man bisher noch das Interesse, die beiden Prinzipien miteinander auszugleichen und in gegenseitiger Verträglichkeit nebeneinander bestehen zu lassen, so will man jetzt von einem solchen Vertragssystem, einer solchen Gebundenheit des einen durch das andere, nichts mehr wissen, das Bewußtsein der Zeit scheint

---

[65] Kirchengeschichte der neuesten Zeit Bonn, 1855, S. 10
[66] A.a.O., S. 5

sich immer klarer darüber zu werden, daß jedes der beiden Prinzipien nur in seiner reinen Konsequenz bestehen könne[67].«

Die Restaurationszeit ist eine Zeit des Übergangs, aber Baur läßt offen, welche Konsequenzen eine nicht am Alten hängende protestantisch-freiheitliche Entwicklung für das politische Handeln mit sich bringt, ob das Eintreten für Demokratie oder für eine bestimmte Form von Monarchie oder Staatsverfassung. Sein primäres Interesse ist keineswegs Theologie als politische Aufklärung, sondern die Kritik falscher kirchlicher und theologischer Vermittlungsversuche. Schleiermachers Glaubenslehre wird der mittleren restaurativen Periode zugeordnet; sie erscheint Baur »als der vollendetste Ausdruck jenes Strebens, Gegensätze zu vereinigen, welche ihrer Natur nach nicht innerlich vermittelt werden können, um so mehr aber durch ein äußeres Band der Einheit verknüpft werden sollen, das früher oder später sich wieder auflösen muß. Was in einem konstitutionellen Staat die Verfassungsurkunde ist, welche das demokratische und das monarchische Prinzip in der Form der konstitutionellen Monarchie so lange vereinigt, bis die nie ruhende Opposition des demokratischen Prinzips das absolute Recht der Monarchie durchbricht und die in ihr gesetzte Schranke vollends aufhebt, das ist auf dem theologischen Gebiete die Schleiermachersche Glaubenslehre. Auch sie wollte gleichsam einen konstitutionellen Vertrag zwischen dem demokratischen Prinzip der Vernunft und dem monarchischen Recht des Christentums schließen, aber das künstlich geknüpfte Band hatte auch hier keinen innern Bestand«[68].

In der scharfsinnigen Erörterung der Glaubenslehre Schleiermachers fallen harte Werturteile, die sich selbst von moralischer Verurteilung Schleiermachers nicht frei halten. Die Zweideutigkeiten in Schleiermachers Glaubenslehre, besonders in deren Hauptstück, der Christologie, laufen nach Baurs Meinung auf Täuschung hinaus, so daß Baur sogar den Gedanken an eine bewußte, absichtliche Täuschung nicht unterdrücken kann, mit der Schleiermacher den Widerspruch mit der Kirchenlehre soviel wie möglich zu umgehen suchte. Er findet eine gesuchte Künstlichkeit, mit der die kirchlichen Lehrsätze gedeutet werden: »Schleiermacher bleibt in jedem Fall ein Meister in der Kunst, den dogmatischen Formalismus auf echt diplomatische Weise zu handhaben; allein der Vorwurf, welcher in dieser Hinsicht Schleiermacher zu machen ist, fällt von seiner Person auch wieder auf die Zeit, zu deren Charakter dieser konstitutionelle Formalismus gehört, zurück.«

Diese Polemik erklärt sich aus Baurs scharfer Unterscheidung zwischen kirchlicher Orientierung der theologischen Arbeit und wissenschaftli-

---

[67] A.a.O., S. 7
[68] Kirchengeschichte des neunzehnten Jahrhunderts, S. 182 f

cher Theologie. Das ganze Gebäude der Schleiermacherschen Glaubenslehre beruhe auf einer Illusion, man stehe keineswegs auf dem festen
Boden des kirchlichen Christentums und die ganze Konstruktion müsse
in sich zusammenfallen. Wie Baur sich die wissenschaftliche Aufgabe der
Theologie dachte, wurde früher deutlich. Es ist bezeichnend, daß Baurs
Kritik in aller Breite Schleiermacher trifft, mit keinem Worte aber Hegel berührt.

IV

Friedrich Nippold (1838–1918) zeigt sich in seiner Auffassung der neueren Kirchengeschichte entscheidend durch seinen theologischen Lehrer,
den Heidelberger Theologen Richard Rothe (1799–1866), geprägt. Rothe kann im Blick auf seine theologische Grundposition nicht zum theologischen Liberalismus gezählt werden. Seine eigenständige Theologie
bemühte sich bei aller Offenheit für historisch-kritische Forschung um
ein am Evangelium gewonnenes Bild Christi, wobei er sich nicht nur auf
den historischen Jesus Christus beschränkte, sondern das mystisch-theo-
sophische Erbgut für eine tiefere Erfassung des Erde und Himmel um-
spannenden Heilsrealismus fruchtbar zu machen suchte. Seine Beurteilung des Ganges des Christentums durch die Geschichte führte ihn zu
einer scharfen Unterscheidung zwischen der Geschichte des Christentums
und der Geschichte der institutionellen Kirche. Das christliche Prinzip
durchdringt mit seiner Kraft der Erlösung die irdischen Verhältnisse,
und in dem Maß, als der Staat sich zunehmend als Organ des christlichen
Prinzips bewährt, tritt die Kirche in ihrer Bedeutung als Institution zurück. Das Christentum schafft sich einen christlichen Staat im Sinne der
progressiven Durchdringung aller gesellschaftlichen Verhältnisse mit dem
christlich bestimmten Geist der Sittlichkeit. Die große Wende in der
Christentumsgeschichte markieren Luther und die ethisch zu interpretie-
rende Reformation, die auf die Erneuerung der Gesamtverhältnisse der
Gesellschaft zielte. Damit beginnt sich abzuzeichnen, daß das kirchliche
Stadium der geschichtlichen Entwicklung des Christentums zu Ende geht
und der christliche Geist in sein sittliches, d. h. politisches Lebensalter
eingetreten ist. Das reformatorische Verständnis des Christentums hat
wenigstens im Prinzip die Kirche schon aufgehoben, wenn das Bewußtsein von dieser Wende auch erst erheblich später sich zu artikulieren vermochte. Diese Interpretation der Kirchengeschichte führte Rothe schließlich an die Seite der liberalen Kirchenpolitiker des 19. Jahrhunderts und
in die Stellung des geistigen Führers des deutschen »Protestantenvereins«. Rothe verstand sich schon in seinem Frühwerk »Die Anfänge der
Christlichen Kirche und ihrer Verfassung. Ein geschichtlicher Versuch«

(Wittenberg 1837) als ein Stratege der zukünftigen Entwicklung des Christentums. Er schrieb sich in Wittenberg, mitten in einem Kreis der Erweckungsbewegung lebend, von der Engigkeit der Erweckungstheologie frei. Als Professor der Theologie und zweiter Direktor und Ephorus des Königlichen Predigerseminars in Wittenberg hatte er es mit jungen Theologen zu tun, die zunehmend von positiv-biblischen und auch kirchlich eingestellten Theologen wie August Neander und G. A. Tholuck geprägt worden waren. Auch Rothe konnte noch zu diesen Lehrern der Theologie gerechnet werden, und er teilte mindestens deren Siegeszuversicht im Blick auf ein sich erneuerndes Christentum. Im Kreis der Berliner und mitteldeutschen Erweckungsbewegung glaubte man an eine das dürre Kirchenfeld belebende Erweckung, und man spähte nach allen Anzeichen einer Erweckung in anderen Kirchen, auch über Deutschland hinweg, aus.

Rothe konnte freilich auch an die siegesfrohen Tendenzen der idealistischen Philosophie anknüpfen, vor allem an den Optimismus, von dem die Hegelsche Philosophie bestimmt war. Rothe verrät 1837, trotz vieler Anleihen bei führenden Geistern, seine Selbständigkeit gegenüber den theologisch-kirchlichen Tendenzen der Zeit. Er denkt bei aller persönlichen Bescheidenheit hoch über den gleichsam prophetischen Anspruch der Thesen, die über die Zukunft von Kirche und Christentum im ersten Buch seines im übrigen historischen Werkes ausgesprochen werden. Sein eigentliches Engagement gehört den grundsätzlichen Erwägungen zu dieser Frage, nicht den kirchengeschichtlichen Studien, die sich an das erste Buch anschließen.

Rothes spekulativ-kombinatorisches Verfahren geht davon aus, daß die Darstellung von der Entwicklung historischer Fakten an sich noch keine zwingende Überzeugungskraft in sich schließt. Deshalb bekennt er sich zum Recht der spekulativen Konstruktion. Nicht von ungefähr gehört seine Achtung dem katholischen Theologen Johann Adam Möhler, aber darüber hinaus wurzelt Rothe tief in der idealistisch-romantischen Philosophie. Kant, Fichte, Schelling, Hegel, vor allem Novalis und Schleiermacher, haben Rothes Terminologie stärkstens, oft von Satz zu Satz wechselnd, beeinflußt; des weiteren hat die württembergische philosophia sacra Oetingers tief auf ihn eingewirkt.

Der Grundgedanke Rothes ist trotz des spekulativen Gedankengewebes ein einfacher und einsichtiger. Von Schleiermacher übernimmt er die Definition, daß sich im Christentum ein vom Erlöser ausgehendes Leben als gemeinsames Leben konkretisiert; und dabei handelt es sich nicht um ein nur *inneres* Leben, sondern, da alles gemeinschaftliche Leben des Menschen »Dasein für andere« ist, um ein sich notwendigerweise äußerlich verwirklichendes sittliches Leben. Die innere religiöse Geistesgemeinschaft *muß* darum notwendigerweise religiöse Lebensgemeinschaft werden. Rothe kommt dann über den Begriff der Gemeinschaft auf den Begriff des Gottesreiches und damit auf eine zentrale Kategorie neutestamentlicher Verkündigung. Aber er entpuppt sich dabei sofort als ein den organisch-teleologischen Entwicklungsgedanken und chiliastische Tendenzen in der Weise kombinierender Ausleger, daß das Reich Gottes als ein »über die ganze Erde hin sich verwirklichendes« aufgefaßt wird. Damit verkennt Rothe die eschatologische Pointe der Reichgottesgleichnisse. Rothes Spekulation umschließt aber nicht nur die Geschichte, sondern zugleich und vorab den ganzen Kreis der Schöpfung, das kosmische Universum. Die der Sünde überlegene Kraft der Erlösung läßt sich nicht auf Ausschnitte der Gesamtwirklichkeit beschränken, sondern ergreift progressiv die Schöpfung in ihrer Totalität. Für Rothes Interpretation der Zukunft des Christentums gewinnt nun aber vorzüglich die Interpretation der *Form* der Gemeinschaft eine Rolle, in der das sich vollendende und einmal vollendete Reich Gottes sich darstellen wird. Unter dem Eindruck der Hegelschen Philosophie des Rechts entschloß sich Rothe, die allgemeinmenschliche, sittliche Gemeinschaft als Staat zu bezeichnen, wobei er oft kräftig davor warnt, den von ihm gemeinten Staat nach seinen jetzigen Erscheinungsformen zu beurteilen. Rothe versteht den Staat als die menschliche Gemeinschaft der Verwirklichung sittlichen Lebens. Er denkt an einen Staatenorganismus, nicht an einen Universalstaat. Es wäre also gänzlich verfehlt, Rothe etwa als einen Vorkämpfer des preußischen Nationalismus zu feiern, denn Rothe konstruiert den Begriff Staat ebenso wie den Begriff Kirche zunächst »in abstracto«. Freilich ist nicht zu bestreiten, daß Rothe in der Wirklichkeit staatlichen Lebens eher als in der Kirche den »Leib« erkennen wollte, den sich die menschlich-sittliche Gemeinschaft gebaut hat. In der Kirche vermißt er konkrete Einheit und Allgemeinheit, da er diese Begriffe nicht christologisch interpretiert, sondern empirisch von der Seite der faktischen Verwirklichung im irdisch-menschlichen Bereich her. So übt das Empirisch-Wahrnehmbare auf die Untersuchung logischer Möglichkeiten »in abstracto« zweifellos einen ganz erheblichen Einfluß aus. Die beiden Gedankenreihen laufen scheinbar nebeneinander her, aber Rothe hat neben dem erkenntnistheoretischen Interesse ein ausgsprochenes Engagement für den konkreten Menschen. Konkrete Wirklichkeit hat das Religiöse deshalb nur als das Sittliche.

Zugrunde liegt dieser These eine optimistische Anthropologie, gleichsam eine Ontologie der menschlichen Natur, der die Behauptung einer einst vollendeten Erlösung korrespondiert. Von diesen Prämissen her kann die Sünde nur begrenzte hemmende Bedeutung haben. Folge der Sünde ist lediglich für das menschliche Bewußtsein »das Vorhandensein der religiösen Bestimmtheit *als einer besonderen* neben andern«. Die Trennung des Sittlichen und Religiösen muß in der Gemeinschaft der vollendeten Erlösung als vollständig aufgehoben gelten. Da Rothe über die Erlösung im Sinne progressiver, nicht aufzuhaltender Entwicklung denkt, ist das religiös-kirchliche Moment ein immer nur weiter abnehmendes, sofern es sich nicht umsetzt zu »tätiger Sorge für das äußere und zeitliche Wohl der Menschen«.

Was Rothe über die Aufgabe der Kirche zu sagen hat, steht unter dem Vorzeichen des einen ethisch-religiösen Gesamtzwecks der Gemeinschaft im Staate. So verwundert es nicht, daß etwa von Verkündigung, Seelsorge, Diakonie und Mission nicht die Rede ist, wohl aber der Kultus als eine Art »Drama« dargestellt wird, als ein Anschaulichwerden der »Gottesandacht«, wobei religiöse Anschauung sich nicht zwingend, wie Rothe anzunehmen scheint, auf solche Weise befriedigen muß. Rothe, der bei längerem Aufenthalt in Rom die sittliche Aufgabe des Protestantismus im Gegensatz zur kirchlichen Kultanstalt begreifen gelernt hatte, dürfte in seiner einseitigen Beschreibung des Kultus doch wohl vom katholischen Modell beeindruckt gewesen sein. Die These, daß sich die Kirche als eine Art von Erziehungsanstalt für das sittliche Gemeinschaftsleben immer überflüssiger macht, so daß die »Vollendung der Erlösung und der Hinwegfall der Kirche schlechthin unzertrennliche Vorstellungen« sind, impliziert eine Reihe von theologischen Prämissen, die von uns kritisch hinterfragt werden müssen. Die wichtigste ist die schon genannte von der Erlösungsfähigkeit der menschlichen Natur. Hinzu kommt die bedenkliche Gleichsetzung von Kirche mit äußerlicher, sichtbarer Kirche. Rothe sieht ganz von der Auffassung der Kirche als dem Leibe Christi ab, also von der christologischen Begründung von Kirche im theologischen Sinne. Die Entstehung der Kirche erklärt sich aus dem Abstand der damaligen natürlichen Gemeinschaftsverhältnisse der Menschen vom sittlichen Endzweck. Deshalb entsteht Kirche als zunächst religiöse Gemeinschaft als solche, obgleich Rothe prinzipiell davon ausgeht, daß das Natürliche als solches die Dignität des Religiösen habe.

Eben dadurch, daß der Staat keine fixe Größe ist und ständiger Veränderung unterworfen bleibt, gibt es, solange es nicht den Rotheschen Idealstaat gibt (der am Ende der sich in der Welt durchsetzenden Erlösung stehen würde), eine den Staat ständig begleitende kirchliche Entwicklungslinie, die immer dort schwach hervortritt, wo der Staat kräftiger Träger des christlichen Lebens ist. Aber der Ausbau des christlichen Staates sei bei weitem noch nicht vollendet. Der Zeitpunkt, da die Kirche dahinfallen könne und werde, liege noch in einer fernen Zukunft, welche sich jeder Zeitberechnung entzieht, er liegt am Ziel der geschichtlichen Entwicklung unseres Geschlechts. Weil die Kirche Vorbereitungsanstalt für die Hervorbringung eines besseren Zustandes ist, entwickelt Rothe viel Verständnis für die Gebildeten, deren religiöses Bedürfnis nicht mehr in der Kirche seine völlige Befriedigung findet. Zwischen

Kirche und dem diese weit überschreitenden Christentum muß unterschieden werden, beide Größen sind nicht miteinander identisch.

Die Auffassung von der Reformation enthält einen grundsätzlichen Irrtum, insofern Rothe einen Widerspruch zwischen der theologisch angeblich behaupteten unsichtbaren Kirche und der realen Existenzform der Kirche annehmen will, zwischen »Äußerlichkeit« und »Nichtwahrnehmbarkeit«. Damit verrennt sich Rothe in einen Dualismus, der nach reformatorischer und biblischer Anschauung nicht besteht. Weil er die christologische, sakramental-worthafte Begründung von Kirche gar nicht in den Blick bekommt, spricht er von einer chimärischen Vorstellung und logischen Mißgeburt, was die Ekklesiologie der Reformation anlangt. Die religiöse Gemeinschaft könne das »Material«, aus welchem sie solch einen Leib formen könne, nur im Rahmen des politisch-staatlichen Lebens finden.

Rothes These vom Aufgehen der Kirche im Staat ist gewiß oft viel zu grobschlächtig dargestellt worden. Rothe dachte ja nicht an den *empirischen* Staat des 19. Jahrhunderts, sondern an ein sittliches Allgemeinwesen in Form einer freien bürgerlichen Gesellschaft, die er als Gottesreich oder Theokratie im höchsten Sinne des Wortes bezeichnen kann. Der Staat braucht zu seiner Entwicklung zu diesem umfassenden Ziel die Kirche, und die Zugehörigkeit zu dieser bezeichnet Rothe als sittliche Pflicht. Aber die Kirche hat für die »ins Große gehende Wirksamkeit des Christentums« den Weg freizumachen und sich nicht der seit der Reformation sich klar abzeichnenden Entwicklung querzustellen.

1848 äußerte sich Rothe im Rahmen seiner Theologischen Ethik unter der Überschrift »Die Kirchenpflichten« über die Konsequenzen dieser Entwicklung seit der Reformation, die im Prinzip die Kirche aufgehoben habe. Der Protestantismus, der es zu einer wirklich selbständigen Kirche nie gebracht habe, sei eine eigentümliche Form des Christentums, die sich für Poesie und Musik, nicht aber für die kirchliche Architektur von schöpferischer Kraft erwies, dies aber so, daß sich Poesie und Musik vom kirchlichen Boden schnell und definitiv ablösten. Die Verkirchlichung christlichen Lebens, die Rothe zu dieser Zeit als erfolgreiche Tendenz, ja als unbezweifelbare Tatsache registriert, scheint ihm nicht zukunftsverheißend zu sein.

Rothes Herz schlägt für die Gebildeten. So ist es unvermeidlich, daß er die Kirche als eine Art von Erziehungsanstalt für die weniger Gebildeten rechtfertigt, denn unter den Gebildeten werde der »aufrichtigste Christ und Kirchenfreund« doch nicht seine Befriedigung als Christ in der Kirche allein oder vorzugsweise in ihr finden. Die Kirche wird nicht allein durch Wort und Sakrament gesammelt, wie die Reformatoren sagten. Rothe rückt ausdrücklich von dieser Auffassung ab. Unter Berufung auf Tertullian geht er sogar so weit zu behaupten, daß die Administration der Sakramente in der herkömmlichen Ordnung »lediglich im Interesse der Aufrechterhaltung der Ordnung bei einmal bestehender Kirche« für notwendig gehalten werde.

Was setzt nun Rothe an die Stelle der Verkündigung und Sakramente? Es ist die Religion im Sinne eines Bewußtseins der geschichtlich christianisierten Menschheit, das die wesentlichen religiösen Ideen des Christentums in sich aufgenommen hat, und zwar ohne dabei von dogmatischen Fesseln abhängig zu sein. Mit unversiegbarem Optimismus ist Rothe davon überzeugt, daß die mit dem Protestantismus erreichte weltgeschichtliche Entwicklungsstufe des Christentums nicht wieder in kirchlich-dogmatische Formen zurückfallen kann. Zwar soll die Kirche von ihren Gliedern Kirchlichkeit verlangen, aber in differenzierter Weise und in dem Maß, das den gerade jetzt gegebenen Verhältnissen entspreche. D. Hoffmann-Axthelm[69] hat in einer eindringlichen und originellen Interpretation der Kirchentheorie Rothes darauf hingewiesen, daß nicht so sehr die Theorie Rothes, die der Tatsache des mit der Reformation beginnenden kirchlichen Zerfalls auf ihre Weise scharfsichtig nachdenkt, als die »Zeiterfahrung« Rothes zum Skandal wird. Wenn Rothe den Staat als neue Gestalt des Christentums bezeichne, so gerate Rothes Forderung in eine unkritische Nähe zur Wirklichkeit, nämlich so, »daß sie sich ihr gegenüber nicht mehr kritisch verhält«. Man könnte diese Kritik inhaltlich durch Rothes Sozialanschauung belegen, die weitgehend ein Reflex seiner Option für die Welt der Gebildeten bleibt. In den Gebildeten sieht Rothe schon ein Angeld der kommenden christlichen Gesellschaft. Die verschiedene Stärke der Partizipation an der Kirche im institutionellen Sinne hängt neben dem natürlichen Unterschied der Individualitäten im Engagement für die Frömmigkeit als solche mit der »Verschiedenheit der Bildungsstufen« zusammen, wobei Rothe zwischen wahrer Bildung und angemaßtem Bildungsanspruch durchaus zu unterscheiden weiß. Abgesehen einmal davon, daß Rothes Sympathie mit den Gebildeten durchaus seelsorgerliche Gründe hat, muß doch gesehen werden, daß Rothes Vorliebe für den intellektuell gebildeten und sittlich wachen Menschen die soziale Problematik der Zeit nicht inhaltlich ausreichend und kritisch genug beachtet und reflektiert. Die Option für die »Gebildeten« verrät eine Zeitdiagnose, die an den harten Tatsachen der damaligen sozialen Situation vorbeizielt.

Dennoch ergeben sich aus Rothes Zeitanalyse einige wichtige Folgerungen für die Strategie der Kirche. Die Kirche habe sich damit zu bescheiden, jetzt die abnehmende Größe zu sein, nicht mehr wie im Anfang die zunehmende. Die Kirche dürfe sich auch für die Zukunft nicht der tö-

---

[69] Die Freundlichkeit des Objektiven, Ev. Theologie, 29. Jg., 1969, S. 307–333, hier S. 324

richten Hoffnung hingeben, »jemals die Hegemonie in der *christlichen* Entwicklung der Welt wieder zu erlangen«. Die geschickte Führung des wohlgeordneten Rückzugs »ist aber auch noch eine große Ruhm bringende Feldherrnaufgabe«. Die Kirche »hat in ruhiger und besonnener Weise die allmähliche Übersetzung des Christenthums aus der kirchlichen Form in die nichtkirchliche (weltliche) zu betreiben und zu leiten, in der Art, daß der Übergang stetig und ohne Unordnungen erfolge und bei dieser Umkleidung des Christenthums von seinem wirklichen Gehalt nichts abhanden komme«. Die Tatsachen der göttlichen Offenbarung müßten ohne dogmatische Formeln in das christliche Bewußtsein unverkürzt aufgenommen werden. Dabei ist aber das leitende Kriterium das Verhältnis zwischen Sittlichkeit und Frömmigkeit. Folgerichtig müßten sich die Kleriker als *Volkslehrer* verstehen, denn die Aufgabe der Kirche sei »die christliche Erziehung aller derjenigen, für welche das Christenthum nur erst als Religion (noch nicht als Sittlichkeit, nämlich religiös beseelte) und im Zusammenhang damit dann auch nur erst als Kirche vorhanden und kenntlich ist«. Unwillkürlich sinkt die traditionelle Volkskirche zu einer Art von Klassenkirche ab, insofern die »direkte Wirksamkeit der Kirche« sich jetzt »ganz überwiegend auf diejenigen Classen der Gesellschaft« zu richten hat, »welche vermöge des Standes ihrer sittlichen Bildung das Christenthum nur erst als Frömmigkeit (Religion) aufzufassen, und folglich ein klares und lebendiges Bewußtsein um eine christliche *Sittlichkeit* noch nicht in sich zu tragen vermögen. Dies sind nun allerdings der Natur der Sache nach die niederen Volksklassen, und es ist deshalb nichts weniger als ungegründet, wenn man in unseren Tagen die Aufgabe der Kirche vorzugsweise auf *sie* bezieht«. Eine Brücke zwischen der Kirche, die die niederen Klassen erzieht, und dem sittlich-religiösen Christentum der Gebildeten bildet die freie Vereinstätigkeit im Protestantismus, besonders in Gestalt der Inneren Mission. Sie hat in der Übergangssituation eine wichtige Funktion, denn sie bezieht sich auf die, »die zum allergrößten Teil, die Einen vermöge ihrer Bildungsstufe, die Andern vermöge ihrer Verwilderung, das Christentum durchaus erst an seiner religiösen Seite allein zu erkennen imstande sind«. Die Leiter der Arbeit im Sinne der Inneren Mission sind vorwiegend Laien, und wenn sie zufällig Geistliche sind, dann tragen sie wie Oberlin den Laienmantel über dem Kirchenrock. Dennoch sieht Rothe in der Arbeit der Inneren Mission nur den Ausdruck einer grundsätzlichen Tendenzwende in der Aktivität der Kirche. Er steht zu den pietistischen Wurzeln der Inneren Mission natürlich kritisch. Der Neupietismus in Gestalt der Erweckungsbewegung strebte weithin eine neue Verkirchlichung an, die Rothe gerade ablehnte. Deshalb könne man beim Pietismus als einer eigentümlich religiösen-protestantischen »Krankheit« nicht stehenbleiben[70].

Werfen wir nun noch einen Blick auf den älteren Rothe. Seine Vorträge dienten seit 1863 der Arbeit des Deutschen Protestantenvereins. Obwohl sich Rothe von der Theologie der führenden Organisatoren dieses Vereins unterschied — er betonte seinen prinzipiellen offenbarungsbestimmten Supranaturalismus und grenzte sich damit von den spätrationalistischen Tendenzen (allerdings nur teilweise glaubhaft) ab —, hat Rothe doch dem Verein die wichtigsten theologischen Ideen vermittelt, ohne daß sich der Verein auf diese insgesamt eingeschworen hätte.

Die Unterscheidung zwischen Christentum und Kirche setzt sich nach Rothes Auffassung während der zweiten Hälfte des 18. Jahrhunderts durch, aber im Zuge der Restaurationszeit wurde diese Erkenntnis wieder verdeckt, und Rothe bedauert die pietistische Verengung und kirchliche Beschränkung des an sich von ihm bejahten neuen Glaubenslebens in der Zeit der Freiheitskriege und der Erweckungsbewegung. Christlicher Glaube muß sich nach seiner Überzeugung in große sittliche Ideen und Aufgaben umsetzen. Die Restaurationszeit hat die Fragestellungen der Aufklärung also nicht überwunden, sondern nur übersprungen. Die Erneuerung des alten Glaubens verband sich bedauerlicherweise mit einer Erneuerung der durch die Aufklärung grundsätzlich überwundenen orthodoxen Theologie, und Rothe vermag die Restaurationstheologie nur als gefährliche Erstarrung zu bezeichnen. Die freiheitlich-demokratische Entwicklung vor 1848 hat Rothe mit großer Aufgeschlossenheit verfolgt und darin einen welthistorischen Trieb wahrgenommen. Seine Mitwirkung im Protestantenverein hat er unermüdlich dazu benutzt, vor einer Identifizierung zwischen Christentum und Kirche zu warnen und die selbständige Position der Unkirchlichkeit bzw. der Unkirchlichen zu verteidigen. Auch die Unkirchlichen empfinden nach seiner Meinung das Bedürfnis nach Gemeinschaft, und es sei allein die Schuld der verfaßten Kirchen, daß sie dieses Bedürfnis nicht befriedigen und deshalb große Scharen der Unkirchlichen der Kirche überhaupt den Rücken kehren. Eine allgemeine christliche Gemeinschaft existiere noch nicht als religiös-sittliche bzw. staatliche, sondern nur als ausschließend religiöse bzw. kirchliche und gottesdienstliche Gemeinschaft. Die politisch-nationale Entwicklung Deutschlands, die Rothe ideal auffaßte und von jedem absolutistischen und rein machtstaatlichen Mißverständnis scharf abgehoben wissen wollte, ließ ihn urteilen, daß die Kirche sich damit bescheiden müsse, eine abnehmende Größe zu sein und den Träger des geistig-sittlichen Lebens im christlichen Staat und in der christlichen Gesellschaft zu suchen. Allerdings sah er die Durchdringung von Staat und Gesellschaft mit den Kräften des Christentums als eine noch keines-

---

[70] Vgl. Peter Meinhold, Die Bewertung der Inneren Mission bei Richard Rothe, Zeitschrift für Kirchengeschichte 60, 1941, S. 475—484

wegs abgeschlossene Aufgabe, als einen noch in vollem Gang befindlichen Prozeß an, und in dieser Übergangssituation glaubte er die Aufgabe der Kirche folgendermaßen bestimmen zu können. »In einer Zeit wie die unsrige (!), in der das menschliche, dies heißt aber immer zugleich das christliche, Gemeinschaftsbewußtsein und Gemeinschaftsbedürfnis sich gegen früher gottlob so außerordentlich gesteigert hat, da sollten wir doch begreifen, daß mit *Allen* (wenigstens unsers Volkes) eins zu sein und uns eins zu fühlen auf dem politischen Gebiete noch eine Sache der Unmöglichkeit ist, weil auf ihm allzu viele trennende Schranken vor der Hand noch stehengeblieben sind und einstweilen noch stehenbleiben müssen, und sollten dies mit tiefem Schmerze inne werden, eben deshalb aber, was wir im Staat dermalen noch nicht finden können, die Erweiterung unserer Gemeinschaft untereinander zur Allgemeinheit (in intensiver wie in extensiver Beziehung) da suchen, wo sie sich ganz von selbst macht, durch den Zusammentritt vor dem, dem gegenüber alle natürlich begründeten Scheidungen zusammenbrechen. Der unsere Zeit auszeichnende politische Trieb, wenn er sich selbst verstehen würde, könnte gar nicht umhin, unsere Gotteshäuser zu füllen. Zu diesen würden dann alle die hinströmen, in denen etwas von edlem Gemeinsinn lebt, zwar nicht eben darum, weil sie erwarteten, aus dem Munde der Prediger christliche Belehrungen zu empfangen, die sie nicht auch sich selbst erteilen oder sich auf anderen Wegen in noch größerer Vollkommenheit verschaffen könnten, sondern deshalb eigentlich, weil sie dort diejenigen Brüder, die im bürgerlichen Leben für sie unerreichbar bleiben, wenigstens im Grunde der Seele, bei der Hand ergreifen und in gemeinsamer anbetender Beugung vor Gott in Christo sich mit ihnen im innersten Heiligtum des Gemüts, das ja zugleich der tiefste Kern des individuellen Menschen ist, in Liebe begegnen wollen. Folgerichtig muß in jedem in demselben Maße, in welchem er politisch beseelt ist, das kirchliche und gottesdienstliche Bedürfnis sich regen[71].«

An diesen Äußerungen erkennt man, daß Rothe durchaus am Neubau der Volkskirche gelegen ist. Man darf ihn darum keineswegs nur als den Kritiker einer dogmatisch und institutionell unbeweglich gewordenen Kirche interpretieren, sondern muß ihn vor allem als einen Warner verstehen, der die Kirche beschwört, ihre Chance nicht zu versäumen. Ob diese richtig gesehen wird, ist eine andere Frage.

Damit dies geschehen kann, darf die Kirche sich nicht freiwillig mit einer Minderheitenexistenz und Gettosituation abfinden. Rothe versteht Christus als den Erlöser des ganzen Menschengeschlechts und als den die Schöpferidee Gottes definitiv und unüberholbar realisierenden Herrn

---

[71] Gesammelte Vorträge und Abhandlungen Dr. Richard Rothes aus seinen letzten Lebensjahren, Elberfeld 1886, S. 10 f

der Welt. Darum muß die Christenheit zukunftsfreudig und optimistisch orientiert sein. Das Menschliche wird vom Christlichen durchdrungen werden, und die Kirche muß mit dem Volksleben und der Gesamtkultur eines Volkes den Bund schließen. Rothe ist der Überzeugung, daß trotz der eingetretenen Isolierung der Theologie von den übrigen Wissenschaften das Christentum an der Entstehung der sittlichen Lebensanschauung und Kultur in den verflossenen achtzehn Jahrhunderten entscheidend beteiligt war, ja, es ist das Christentum gewesen, das Gesittung und Kultur gepflanzt und großgezogen hat. Mit aller Energie bekämpft Rothe die Auffassung, als ob der Fortschritt der Menschheit ohne das Christentum oder neben ihm realisiert worden sei. Allerdings hat sich ein in Dogmen verkrustetes Christentum überlebt und die Möglichkeit einer schöpferischen Einwirkung auf die Gegenwart abgeschnitten. Die Massen werden zu den überlebten Theorien nicht mehr zurückkehren, und der Sinn für das Christliche und damit auch für die Volkskirche in Rothes Sinne könnte nur belebt werden, wenn die Kirche damit aufhörte, die moderne Bildung für eine unchristliche zu halten, weil sie im Gewand des einfach Menschlichen einhergeht. Das gerade ist ein Fortschritt in der geschichtlichen Entfaltung und Realisierung des Christentums, und der Erlöser hat sie durch seine Leitung der Geschichte selbst heraufgeführt. Was die ethische Wende, die mit dem Auftreten Luthers begann, und die Zeit der Aufklärung seit Mitte des 18. Jahrhunderts initiierte bzw. deutlich signalisierte, gestaltet sich nach Rothes Meinung zu einer neuen Entwicklungsperiode der Christenheit, in deren Anfängen man stehe. Rothe rechnet also mit einer langfristigen Entwicklung; er möchte die Wege für ein Christentum ebnen, das der Zukunft angemessen ist. Er war in der Hauptsache Ethiker, Dogmatiker und Prediger, aber seine Anfänge standen im Zeichen kirchenhistorischer Arbeit. Aus seinem Nachlaß wurden kirchengeschichtliche Vorlesungen herausgegeben, und all seine Werke sind gesättigt mit kirchengeschichtlichem Anschauungsmaterial.

V

Rothes Schüler Friedrich Nippold hat dessen Verständnis der Kirchengeschichte für seine eigene Arbeit als Kirchenhistoriker fruchtbar zu machen versucht, und seine »Einleitung in die Kirchengeschichte des neunzehnten Jahrhunderts« im Rahmen seines »Handbuchs der neuesten Kirchengeschichte«[72] bietet einen in geschichtlicher Analyse wie in theologischer Reflexion gleich bedeutenden Beitrag zur ethischen Interpretation der Kirchengeschichte.

[72] 3. Aufl., 1. Bd., Berlin 1901

Die gesamte kirchengeschichtliche Entwicklung interpretiert Nippold vom Boden der Ethik her, und seit der Reformation sieht er im Sinne Rothes die kirchliche Fassung des Christentums in die ethisch-staatliche Gestaltung des Christentums übergehen. Die allseitige Würdigung der Reformationszeit beweist ihm die Notwendigkeit einer Unterscheidung des ausschließlich Religiösen und des Religiös-*Sittlichen*. Diese Unterscheidung löst die Probleme, die im Unterschied zwischen den ursprünglichen Zielen und den wirklichen Ergebnissen der mit der Reformation ausgelösten Entwicklung liegen. Folgerichtig versteht Nippold die reformatorische Bewegung in ihren Anfängen bis zum Jahre 1521, und begrenzt auch noch bis zum Jahr 1525, als einen politisch-sozialen Umschwung, als die Entwicklung eines neuen religiös-philosophischen Konzepts, das in seiner Auswirkung durch die schon mit dem Reichstag zu Worms im Jahre 1521 begonnene Gegenreformation gestört worden sei. Luther wird im Zusammenhang mit anderen, die Reformforderungen aufstellten und die von der gleichen Sehnsucht nach der Erneuerung des Evangeliums erfüllt waren, zusammengesehen, wobei in Nippolds Sicht die große nationale Freiheitsbewegung nicht nur von Humanisten und Theologen, von Rittern und Bürgern, sondern auch vom Volk getragen wurde. Der Bauernkrieg und seine Folgen bestärkten die schon in Worms eingetretene Kontrarevolution und führten eine verhängnisvolle Rückentwicklung herbei. Mit Luthers Rückkehr von der Wartburg nach Wittenberg begann die kirchliche Organisation der Reformationsbewegung, der das Wormser Edikt den nationalen Charakter genommen hatte. Die ursprüngliche Verbindung der religiösen mit der politischen und sozialen Reformation lockerte sich, bewirkte aber die Stärkung des regimentlichen Absolutismus, nachdem einmal die Reformation in eine kirchlich und obrigkeitlich reglementierte Bekenntniskirchenbewegung einmündete. Diese Rückentwicklung der Reformation seit 1525 kann Nippold nicht genug beklagen. Bezeichnend ist etwa dieses Urteil[73]: »Die Grundlegung der reformatorischen Theologie ist im engsten Bunde wie mit der sozialen Reform, so mit Philosophie und Naturwissenschaft ... Aber wie bald trat der verhängnisvolle Rückschlag dazwischen, der im Wesentlichen schon mit dem Bauernkrieg beginnt, und dessen Schwingungen zumal in Luthers Seele so deutlich verspürbar sind. Auf dem Wormser Reichstag hatte er auf Bibel und Vernunft im gleichen Atemzug sich berufen. Seine späteren Ausfälle gegen die letzte kamen einer Tendenz zugut, die in dem Credo quia absurdum ihr Vorbild sah. Die zu der neuen Symbolorthodoxie sich abschließende Theologie aber ließ nun auch ihrerseits die gesamte weltliche Wissenschaft von der der Kirche sich trennen.«

[73] A.a.O., S. 58

Nippold hat zweifellos die gegenläufige Ausblendung von Faktoren, die für die Reformationsbewegung bis 1521 bzw. bis 1525 von konstitutiver Bedeutung waren, bemerkt und die damit zusammenhängende Verarmung der ursprünglichen reformatorischen Bewußtseinslage konstatiert. Aber es fragt sich doch, ob eine Würdigung der Reformation unter religiös-sittlichem Aspekt und scharfer Abwehr aller nach Dogma und Bekenntnis orientierten Fragestellungen ausreichen kann. Auf die zukunftsfreudigen Jugendtage der ursprünglichen Reformation möchte er geradezu den Entwicklungsgedanken Darwins anwenden, so daß die Reformation der Ausgangspunkt eines Entwicklungsprozesses wäre, dessen Motor nicht ein dogmatischer Gesichtspunkt, sondern die religiös-ethische Idee wäre. Allerdings ist Nippold doch ein zu guter Historiker, als daß er leugnen könnte, daß auf dem kirchlichen Boden des 16. Jahrhunderts eben nur eine dogmatische Kristallisation der religiös-ethischen Ideen zustande zu bringen war[74]. Seine eigene Grundanschauung bezeichnet Nippold als interkonfessionell und undogmatisch. Das Evangelium des Herrn selbst, dann aber auch wieder die »Bibel«[75], will er als den normativen Bezugspunkt der Entwicklung der religiösen Ideen in ihrer Bedeutung für die Gesamtkultur festhalten. Er bedauert Luthers Bruch mit Karlstadt und die Verwerfung und Ausschließung von Männern andersartiger theologischer Prägung um des Dogmas willen. Den Reformkatholizismus des 16. Jahrhunderts bezieht er in die ursprünglich nichtkonfessionelle Reformationsbewegung mit ein, und er lehnt es ab, die Abgrenzung nach Konfessionen in die noch völlig im Fluß befindliche Entwicklung »der eigentlichen Reformationszeit« hineinzutragen. Die konfessionell dogmatische Umgestaltung der Reformation hatte deshalb nur ihr zeitweiliges Recht. Die neuen Dogmenbildungen der Reformationszeit seien vom ursprünglichen Ausgangspunkt ebenso zu unterscheiden wie die Lehrbegriffe der Apostel von der Religion Jesu.
In der Kirchengeschichte stellen im weiteren Verlauf der Pietismus und die Aufklärung Wendepunkte dar, die Nippold bejaht und hinter die die Entwicklung nicht zurückfallen dürfe. Der kirchliche Pietismus, von dem Nippold den Separatismus als »Sumpfpflanze« abhebt, hat eine Periode der Auflösung und Zersetzung des Kirchentums eingeleitet, die doch zugleich »eine gewaltige Kräftigung des gesamten deutschen Protestantismus« sowie der allgemeinen Kulturentwicklung mit sich gebracht hat[76]. Den radikalen Tendenzen der außerdeutschen Aufklärung steht Nippold nicht unkritisch gegenüber. Er rügt die falsche Bibelauffassung Voltaires, aber auch dessen Einfluß sei keineswegs nur auf der

---

[74] A.a.O., S. 28
[75] A.a.O., S. 18 f, S. 36
[76] A.a.O., S. 150, S. 158

Seite der Negation zu suchen. In Deutschland bahnt sich mit dem Westfälischen Frieden von 1648 der allmähliche Zerfall des protestantischen Christentums als Kirche und zugleich die allmähliche Erstarkung desselben als sittliches oder politisches Prinzip an. Nippold verweist für diese Feststellung ausdrücklich auf Rothe[77].

Johann Lorenz von Mosheim tritt als Ethiker in die Nachfolge Calixts, und seitdem kann die Kirchengeschichte nicht mehr wie früher von der Kulturgeschichte gelöst werden. Die stille Reform der Aufklärung geschieht in Deutschland aus der Kraft des Christentums heraus, und die Zeit Friedrichs des Großen und Josefs II. stellt politisch, das Auftreten Kants philosophisch den Höhepunkt der Erstarkung des protestantischen Christentums als sittliches oder politisches Prinzip dar. Bei Friedrich d. Gr. bewundert Nippold die Toleranz, die jeder religiösen Überzeugung eine Freistatt bot, wie auch das staatsmännische Format, das Preußens Vormachtstellung in Deutschland sicherstellte.

»Die verschiedenen großen Geistesbewegungen, die wir in England, in Deutschland, selbst in Frankreich verfolgt, sind nur die ersten Stadien eines allseitigen Umschwungs, der sich schlechterdings nicht besser definieren läßt denn als die Erstarkung des protestantischen Christentums als sittliches oder politisches Prinzip ... Alle diese mannigfachen Linien laufen nun aber in dem Begründer der preußisch-deutschen Großmachtsstellung zusammen. Friedrich der Große ist der abschließende Repräsentant der Reformation auf dem staatlichen Gebiet. Dasselbe Losungswort der unbedingten Gewissensfreiheit, welches der Wormser und der Speyerer Reichstag in dem ersten frischen Aufschwung der Reformation als kühne These eines gebannten Mönchs, als machtlosen Protest einer ständischen Minorität hörten, ist durch den großen preußischen König zum Grundgedanken des modernen Staatslebens geworden[78].« Wenn auch in gleicher Weise über Joseph II. positiv geurteilt wird, so besteht doch kein Zweifel, daß Nippold die Kirchengeschichte seit Friedrich d. Gr. in einen nationalstaatlichen Rahmen spannt, was ihn allerdings nicht hindert, auch die außerdeutsche religiöse Entwicklung kenntnisreich zu schildern. Wie Nippold Friedrich d. Gr. als echten Protestanten würdigt, so bestätigt er Kant, den biblischen Begriff der Gnade zu seinem vollen Rechte gebracht zu haben, »indem sie in der von Gott uns geschenkten Naturanlage erkannt wird. Das Gleiche gilt von der menschheitlichen Bedeutung der Person Christi. Die Bibel weist nach Kant nicht auf übernatürliche Erfahrungen und schwärmerische Gefühle hin, sondern auf den Geist Christi, um ihn, so wie er ihn in Lehre und Beispiel bewies, zu dem unsrigen zu machen, oder vielmehr, da er mit der ursprünglichen

[77] A.a.O., S. 225
[78] A.a.O., S. 225

moralischen Anlage schon in uns liegt, ihm nur Raum zu verschaffen«[79]. Dieses Urteil zeigt einmal mehr, daß Nippold das Gnadenverständnis der Reformation fremd geblieben ist, daß er es vielmehr pelagianisch mißversteht. Gewiß kann Kant als Protestant verstanden werden, aber das Urteil, das Grundprinzip der Reformation habe in »Kant wie in keinem vor ihm und nach ihm seine Inkarnation« gefunden[80], dürfte erheblich zu hoch greifen.

In der Würdigung der Aufklärung folgt Nippold wiederum Richard Rothe, der die Frömmigkeit der Aufklärung schätzte, ihre Theologie in Gestalt des Rationalismus aber kritisierte. Mit Recht wehren sich beide gegen das pauschale Verdammen des Rationalismus, und Nippold macht darauf aufmerksam, daß der Unterschied zwischen zeitlich und sachlich aufeinanderfolgenden Stadien einer theologiegeschichtlichen Epoche ebensosehr übersehen zu werden pflegt wie der zwischen normalen und exzentrischen Bildungen. Wie die Reformation und der Pietismus, so gleicht auch die Aufklärung einem gewaltigen Gärungsprozeß, der aus der Mischung verschiedener Elemente hervorging und verschiedenartige Niederschläge zurückließ. Die Rückwirkung der dogmatischen Theorien einer Zeit auf das christliche Volksleben tritt erst später ein. Das ist für die Wertung des Rationalismus und seiner Folgen für das kirchliche Leben in Anschlag zu bringen. Man kann also Bedeutung und Nachwirkung der Aufklärung nicht auf die gemäßigte, bewußt christlich sein wollende deutsche Aufklärung begrenzen, sondern muß schon anerkennen, daß mit der Aufklärung auch naturalistische Ansichten in rapider Weise an Boden gewonnen haben. Rothe und Nippold möchten ebenso wie neuerdings Rendtorff und Baumotte den Radikalismus außerhalb der mit der Reformation initiierten Entwicklung ansiedeln, und Nippold möchte den kirchenhistorischen Beweis für das Recht dieser Ausgrenzung des Radikalismus antreten. Der Skeptizismus und Radikalismus wird als Folge des Untergangs des kirchlich-christlichen Lebens im katholischen Frankreich verstanden, wo nicht, wie in den der Reformation zugefallenen Völkern, »ein national-christliches Leben aufgegangen war«[81]. Die Folge des Versagens der katholischen Kirche war die Französische Revolution, die mit ihrem politischen und religiösen Rationalismus keineswegs die einfache Konsequenz der Aufklärungsperiode war, sondern die der stillen Reformation in den Weg trat. Die Revolution erwies sich geradezu als der Tod der Aufklärung; die Reformen standen still, sobald die Revolution an ihre Stelle getreten war[82]. Die Restauration des 19.

[79] A.a.O., S. 364
[80] A.a.O., S. 353
[81] A.a.O., S. 49 f
[82] A.a.O., S. X

Jahrhunderts ist deshalb geschichtlich nur zu verstehen als der unausbleibliche Rückschlag der Französischen Revolution, diese selbst nur als die Folge der katholisch-päpstlichen Kontrareformation. Keime der Restauration beobachtete Nippold schon vor der Restauration des Papsttums (1814) und dem napoleonischen Konkordat zu Beginn der neunziger Jahre des 18. Jahrhunderts. Damit setzt er das historische Problem der Genesis der Restauration weit richtiger an als alle diejenigen, die die Polarisierung erst dem Aufkommen der Erweckungsbewegung und deren Umformung in eine neukonfessionelle Theologie einseitig anlasten und dabei von der gesamteuropäischen Konstellation einschließlich der Situation des Papsttums abstrahieren. Das, was der Kirchengeschichte des 19. Jahrhunderts ihren eigentümlichen Charakter verleiht, ist der durchgängige Gegensatz zu den Idealen des 18. Jahrhunderts. »Die Neukräftigung des Papsttums gegenüber dem Zerfall der protestantischen Kirchen, das Hervortreten neuer Formen des religiösen Lebens neben dem Aufkommen bewußt antireligiöser Genossenschaften − alle diese Erscheinungen stehen im entschiedensten Widerspruch zu den Erwartungen der Aufklärungszeit[83].«

Bemerkenswerterweise folgen Rothe und Nippold nicht der Auffassung Baurs, der gegen Gieseler die Meinung vertreten hatte, daß die im Zuge der Freiheitskriege beginnende religiöse Erneuerung um 1814 keinen Einschnitt in der kirchengeschichtlichen Entwicklung bedeute, auf die die Periodisierung der Kirchengeschichte Rücksicht zu nehmen habe. Gieseler hatte im übrigen das Jahr 1814 ganz im Rahmen der durch die Französische Revolution ausgelösten Entwicklung eingeordnet, so daß demgegenüber auch Baurs Entscheidung für das Jahr 1800 als den Beginn der Kirchengeschichte des 19. Jahrhunderts keinerlei überzeugende Stringenz für sich in Anspruch nehmen kann. Hinter Baurs Geplänkel mit Gieselers Wertung der Freiheitskriege und der mit ihnen im Zusammenhang stehenden, wenn auch auf sie keineswegs allein zurückzuführenden religiösen Renaissance stand natürlich eine Grundentscheidung, die Rothe und Nippold sich jedenfalls nicht zu eigen gemacht haben. Gewiß vermeiden beide möglichst den Begriff Erweckungsbewegung, sie kritisieren die pietistische aparte Frömmigkeit und den Neukonfessionalismus, aber sie lassen den gesunden, kräftigen Gottesglauben der Generation, die die Freiheitskriege siegreich durchkämpft hat, gelten und freuen sich über ein nicht auf abgeschlossene Kreise beschränktes überkonfessionelles, undogmatisches Verständnis des Evangeliums, wobei Nippold sogar meint, daß dieses sich auf dem gemeinsamen altchristlichen Boden, in dem alle Kirchen wurzelten, gebildet habe[84]. Mit der Fä-

---

[83] A.a.O., S. X
[84] A.a.O., S. 276

higkeit, von der Aufklärung über Herder bis hin zur religiösen Orientierung des Geschlechts der Freiheitskriege eine legitime und gesunde religiöse Bewußtseinsbildung anerkennen zu können, hat Nippold trotz aller Mängel seiner theologischen Urteilsbildung — man denke nur an seine Verkennung des reformatorischen Gnadenverständnisses — sich eindringlich von einer rein geistmonistischen, im Sinne stetig fortschreitender Explikation der Idee des Christentums urteilenden Geschichtsauffassung distanziert. Die Geschichte lehrt ihn, daß der Geist Christi sich immer neue Formen geschaffen hat, ohne daß je eine dieser Formen den Geist Christi umschließen konnte. Die Geschichte des Protestantismus in ihren verschiedenen Epochen von der Orthodoxie bis zur Erweckungsbewegung ist ihm ein Beweis dafür, daß nach Zerbrechen unzureichender Formen neues Leben entsteht. Durch Extreme werden neue Anregungen geweckt, wie es auch im Fall des Rationalismus war. Die Dialektik der Aufklärung erfaßt er grundsätzlich in der kritischen Auseinandersetzung mit einem von der Französischen Revolution mißbrauchten Rousseau, vor allem aber mit David Friedrich Strauß[85]. Selbst gegenüber seinem Meister Richard Rothe betont er, daß die geistige Entwicklung nicht als eine stetig fortschreitende aufzufassen sei, schon deshalb nicht, weil intellektuelle und moralische Entwicklung durchaus nicht in eins fallen und bei den größten intellektuellen Fortschritten ein moralisches Rückschreiten möglich sein kann. Die grundsätzliche Einsicht, daß eine Evolution mit dem Ziel ethischer Erneuerung der Gesellschaft immer wieder in der Geschichte Rückschläge hinzunehmen hatte, ermöglicht Nippold die Absage an aprioristische Geschichtskonstruktionen. Daß Aufklärung und Revolution nicht nur nicht im Verhältnis von Ursache und Folge, sondern im vollsten Gegensatz zueinander stehen, erschließt sich nur dem Blick dessen, der bereits die reformatorische Strömung von kontrareformatorischen Strömungen begleitet weiß.

Die Kirchengeschichte des 19. Jahrhunderts ist keineswegs nur gestört worden durch Jesuiten und restaurativen Katholizismus, durch päpstlichen Machtanspruch und herrschsüchtigen Neukonfessionalismus, der die Selbstzerfleischung des deutschen Protestantismus nach Nippolds Meinung zur Folge gehabt hat, sondern auch durch David Friedrich Strauß, dessen »Leben Jesu« Nippold das berühmteste, freilich auch das unreifste Produkt der Tübinger Schule Baurs nennt. Da Nippold die Überwindung der »kirchlichen Krankheitsstoffe« durch die nationale Entwicklung Deutschlands erwartet, wird man über seine Darstellung der Kirchengeschichte des 19. Jahrhunderts nicht verwundert sein können. Es ist ein Klagelied auf die aus dem Erweckungspietismus und der Orthodoxie erwachsene (leider nicht genug erforschte) Allianz zwischen

[85] A.a.O., S. 262 f

politisch und theologisch gleich reaktionären Tendenzen, die sich zur gewaltsamen Unterdrückung aller liberalen Anläufe des Protestantismus zusammengeschlossen haben. Ein derart gelähmter Protestantismus werde zuletzt das Opfer der Herrschaft Roms werden. Die freien Kräfte des Protestantismus brechen sich Bahn im Kirchenlied, im Unionsgedanken, in Innerer und Äußerer Mission und in der Vereinstätigkeit. Nippold erhofft von seinem gemäßigt liberalen Standpunkt aus eine auf freier Verfassung konstituierte antiultramontane Nationalkirche, in der alle Glaubensrichtungen friedlich nebeneinander leben und ihre Kräfte entfalten. So gestaltet sich Nippolds Kirchengeschichte des 19. Jahrhunderts mehr und mehr zur Begründung des kirchenpolitischen Programms im Sinne Richard Rothes und des Protestantenvereins. In höchst bedenklicher Weise sieht Nippold die Chancen des deutschen Protestantismus abhängig von der Gestaltung der Herrschaftsverhältnisse in Preußen und im Deutschen Reich seit 1871. Die tonangebende Neuorthodoxie wird von ihm nicht nur im Blick auf ihre kirchenpolitischen Konzepte, sondern auch hinsichtlich der sie repräsentierenden Persönlichkeiten negativ beurteilt. Sicherlich hat Nippold gezeigt, daß die Neuorthodoxie im Kampf gegen den Liberalismus in der Benutzung der Mittel nicht wählerisch gewesen ist. Die Inanspruchnahme staatlicher Hilfen durch die Neuorthodoxie und die zum Teil blinde Bekämpfung der Aufklärungstheologie können gar nicht kritisch genug beurteilt werden. Aber es geht nicht an, die sachlich-theologischen Fragen zwischen aufgeklärten und liberalen Theologen einerseits und denen der Erweckungsbewegung bzw. der konfessionellen Theologie — und beide sind sowenig wie erstere als monolithische Phänomene zu interpretieren — völlig herunterzuspielen und so zu tun, als ob der schlechte Charakter der Orthodoxen letztlich an allem kirchlichen Elend die Schuld trage. Wenn Nippold mit Recht die liberalen Kräfte in der Vereinstätigkeit konzentriert sieht, so ist erstens nicht zu übersehen, daß sich auch die andere Seite der Vereine bediente, und zweitens herauszustellen, daß auch Nippold für die ihm nahestehenden freien Vereine im Protestantismus die Patronage des Staates bzw. von hochgestellten Persönlichkeiten in Herrscherhäusern und in der Öffentlichkeit energisch angestrebt hat. Viele markante Vertreter der Erweckungsbewegung hatten in den zwanziger und dreißiger Jahren ernsthafte Zusammenstöße mit staatlichen und kommunalen Behörden. Der mild-aufgeklärt denkende Kultusminister Altenstein urteilte charakteristischerweise: »Frömmelei führt leicht zum Liberalismus; jede Entfernung von der gewöhnlichen Ordnung und jedes Selbstgefühl, daß man das Bessere ergriffen hat, ist nach der menschlichen Ordnung bedenklich.« Sein Erlaß vom 24. 10. 1825 richtete sich gegen die »gemeinhin sogenannte pietistische Richtung«, der man überspannte und einseitige Vorstellungen von Sünde und Gnade vorwarf. 1826 schrieb

J. G. Pahl in Württemberg »Über den Obskurantismus, der das deutsche Vaterland bedroht«. Die Schriften gegen die die Ordnung bedrohenden »Mystiker« sind kaum zu zählen. Eine stattliche Reihe von Verordnungen erging gegen sie. Der beklagenswerte Parteiterrorismus ist nicht allein eine Erscheinung in der Kirchengeschichte seit der Restaurationszeit. Der Spätrationalismus nahm ebensogut in Anspruch, in Kirche und Theologie alleinberechtigt zu sein, und die Polarisierung des Protestantismus im 19. Jahrhundert muß viel sorgfältiger auf seine Wurzeln zurückgeführt werden, als es Nippold, dem Kirchenpolitiker aus Leidenschaft, möglich sein konnte.

Die entscheidende Frage, die ihm und der liberalen Kirchengeschichtsschreibung insgesamt zu stellen wäre, läuft auf das Normproblem hinaus. Immerhin haben Kirchenhistoriker von Rang, wie Karl von Hase und Nippold als sein Nachfolger, darauf schon behutsamer geantwortet als der aus dem Banne Hegels letztlich nicht herausfindende Ferdinand Christian Baur, und in der Herausarbeitung des ethischen Charakters des Protestantismus berühren sich alle genannten Historiker, zu denen Rothe hinzugerechnet werden muß, mit einer Stoßrichtung, die auch in der sogenannten »positiven« Theologie nachweisbar ist. Ihr repräsentativer Sprecher war Karl Bernhard Hundeshagen, dessen 1847 anonym erschienenes Werk »Der deutsche Protestantismus, seine Vergangenheit und seine heutigen Lebensfragen« in Anknüpfung an Tzschirner sehr wohl den Protestantismus als politisches Prinzip mit dem »positiven« Christentum in Verbindung zu bringen vermochte, der die Wechselwirkungen zwischen politischer und religiöser Frage für die Beurteilung des Ganges des Protestantismus von der Reformation bis in die Vormärzzeit eindrucksvoll erörterte[86].

Auch andere »positive« Theologen, die die Notwendigkeit betonten, das Wesen des Protestantismus nicht nur soziologisch oder ethisch, sondern zugleich auch dogmatisch-normativ zu erfassen, sollten nicht einfach unter dem Stichwort »Positionen gemäßigter Vermittlung«[87] zusammengefaßt und wegen einer ihnen zum Vorwurf gemachten »absoluten Betrachtungsweise« des Wesens des Christentums, das Hundeshagen schon in seinem »Anfangspunkt« in maßgebender Vollkommenheit ausgedrückt findet (Baur stellte dem seine Perfektibilitätstheorie antithetisch gegenüber), als unfruchtbar für eine soziologische Theorie des Christentums bezeichnet werden. Hundeshagen hat den Entwicklungsgedanken kritisch zu hinterfragen vermocht und deshalb auch vom »Antichristia-

[86] dazu ausführlich F. W. Kantzenbach, Politischer Protestantismus. Zur Geschichte seiner Theoriebildung, Zeitschrift für Evangelische Ethik, 16. Jg., Heft 1, 1972, S. 23—28
[87] Baumotte, S. 167 ff

nismus« zu sprechen gewagt, was freilich der Perfektibilitätstheorie der Aufklärung und der Theologie im Banne Hegels strikt zuwider und höchst ärgerlich war. Mit der Feststellung des Phänomens »Antichristianismus« hat Hundeshagen die Doppelseitigkeit der Aufklärung und der Christentumsgeschichte überhaupt, wenn auch terminologisch ungeschickt, angesprochen. Selbst die christliche Aufklärung, deren ethische Stoßrichtung unbefangen als eine »Reaktion der sittlichen Weltansicht« (Hundeshagen) bezeichnet werden kann, darf nicht idealisiert werden und so in eine teleologisch-evolutive Kirchengeschichtsinterpretation eingebaut werden, daß überhaupt nicht mehr sichtbar wird, wie der Rationalismus in vielen seiner Vertreter das intellektuelle und kritische Prinzip gegenüber dem ethischen Prinzip, theologisch gesprochen: der Rechtfertigungslehre, isolierte bzw. dem ethischen Prinzip die christliche Motivation raubte. Die Christlichkeit der Aufklärung steht zur Diskussion wie die Christlichkeit jeder anderen kirchengeschichtlichen Periode auch. Sie soll weder pauschal bestritten noch diskussionslos pauschal vorausgesetzt sein. Die zu lösende theologische Aufgabe kann also nie so angesetzt werden, als ob etwas »nachzuholen« oder »fortzusetzen« wäre, was früheren Generationen gelungen sein mag. Wir befinden uns nicht in einer klaren Alternative zwischen der Position der christlichen Aufklärung einerseits und der alles Christliche verkirchlichenden Kräfte. Diese Alternative ist unecht. Wählte man heute völlig ungeschichtlich die »christliche Aufklärung«, so müßte der theologische Sachzwang doch wieder zu folgender Frage führen: Kann das ethisch-gesellschaftlich verstandene Christentum, das über seine bloß kirchliche Gestalt hinaus zweifellos als sozialer und geistiger Lebensraum bestimmbar ist, jemals der kritischen Rückbesinnung auf die Kategorie »*christliche* Botschaft«, Bibel, Evangelium, entbehren? Welche Sachfragen wurden im Rahmen der Theologie der Spätaufklärung verhandelt, warum kam es überhaupt zu einer Krise der Theologie im Zeichen des Rationalismus? Diese Seite der Sache wird eine soziologisch orientierte Christentumstheorie weniger interessieren, aber sie ist mitzubedenken, wenn es nicht abermals zu unnötigen Polarisierungen kommen soll, wie sie differenziert Rendtorff[88] und etwas dramatisierend Baumotte im Blick auf die frühe dialektische Theologie und ihren Gegenzug gegen Liberalismus und Kulturprotestantismus konstatieren, wie sie aber gerade durch eine spätere Ent-

---

[88] Zum Versuch, die Barthsche Theologie in den Kontext der mit der Neuzeit eröffneten kritischen Theologie positiv einzuordnen, vgl. T. Rendtorff, Radikale Autonomie Gottes. Zum Verständnis der Theologie Karl Barths und ihrer Folgen, in: »Theorie des Christentums«, 1972, S. 261 ff. Freilich bedürfte Barths christologische Konzentration der theologischen Interpretation ebenso der christentumssoziologischen Wertung!

wicklung in Kirche und Theologie überspringende Losung »Zurück zur Aufklärung« heraufbeschworen werden kann[89].

Wir beziehen uns zum Schluß noch einmal auf Herder, dessen Hermeneutik auf Fortbildung der Vergangenheit zielte. »Auch eine Philosophie der Geschichte zur Bildung der Menschheit« möchte Vergangenheit als das für die eigene Gegenwart Zukünftige interpretieren. Das gegenwärtige Interesse trifft auf Verwandtes in der Vergangenheit. Aber ein auf die besondere Assimilationskraft eines Individuums bezogener Gebrauch der Vergangenheit kann im Ganzen der Geschichte doch nur eine partikulare, vorläufige Gestalt des Verstehens sein. Er war davon überzeugt, daß die Geschichte in der Vielfalt gegensätzlicher Interpretationen mit sich identisch bleibt, daß erst durch diese der potentielle Reichtum dessen, was in ihr sich zu verwirklichen strebt, die Humanität, ans Licht kommt[90].

---

[89] Vgl. meine in diese Richtung zielenden, näher begründeten Bedenken in: »Das Phänomen der Entkirchlichung als Problem kirchengeschichtlicher Forschung und theologischer Interpretation«, in: Neue Zeitschrift für Systematische Theologie und Religionsphilosophie, 13. Bd., 1971, Heft 1, S. 58–87; Rendtorff hat, im deutlichen Unterschied zu Baumottes Radikalisierung von freilich auch bei Rendtorff begegnenden Thesen und Urteilen, auf Schleiermachers jedem Streit und jeder Polarisierung abholden Beitrag zur Bestimmung des Verhältnisses von Kirche und freiem Protestantismus (Theorie des Christentums, 1972, S. 81 ff) hingewiesen

[90] Vgl. H. D. Irmscher, Grundzüge der Hermeneutik Herders, in J. G. Maltusch (Hrsg.), Bückeburger Gespräche über Johann Gottfried Herder, 1971, Bückeburg 1973, S. 18–57, bes. S. 53 ff.

WILHELM ANDERSEN

Autorität – Auftrag und Versuchung

Eine theologische Besinnung [1]

Wer sich heute zum Thema Autorität äußern will, muß mit unterschiedlichen Erwartungen rechnen. Das Reden von Autorität löst mannigfache Reaktionen aus. Das gilt sowohl für den theologisch-kirchlichen Bereich, dem unsere besondere Aufmerksamkeit gelten soll, als auch für die politisch-gesellschaftlichen Bezüge, in die hinein unser Leben auf vielfache Weise verflochten ist. Wir dürfen uns allerdings durch vordergründige Stimmungslagen und Wandlungen nicht irreführen lassen.

So hat anscheinend der Begriff »antiautoritär«[2], auf welche konkreten Lebensbezüge er auch immer Anwendung gefunden hat und findet, sehr viel an Faszinationskraft eingebüßt. Das ist an sich nicht verwunderlich. Aktionen, die von einer Antihaltung[3] bestimmt sind, erlahmen erfah-

---

[1] Diesen Ausführungen liegt die Festvorlesung zugrunde, die am Augustanatag des S. S. 1975 gehalten wurde. Sie erscheint hier in leicht überarbeiteter Form und durch einige Literaturhinweise ergänzt. Der Vortragsstil wurde beibehalten

[2] Mit dem Begriff »antiautoritär« ist vor allem der Name von A. S. Neill verbunden, der in dem von ihm gegründeten Summerhill, der wohl bekanntesten »freien Schule«, eine antiautoritäre Erziehung zu praktizieren versucht und in Büchern und Artikeln seine Erziehungstheorien propagiert hat. Vgl. A. S. Neill, Theorie und Praxis der antiautoritären Erziehung, Hamburg 1971. Vgl. auch den im Benziger Verlag 1973 erschienenen Sammelband: Die Befreiung des Kindes (Übersetzung einer 1971 erschienenen englischen Arbeit), mit Beiträgen von A. S. Neill, L. Berg, P. Adams, R. Ollendorf und M. Duane. Die mancherorts oft unkritische Übernahme Neillscher Ideen und Praktiken hat einer besonneneren Einstellung Platz gemacht. Erfahrungen und eigene Lernprozesse haben dabei eine Rolle gespielt. Hier sei nachdrücklich auf Reinhold Ruthe, Pro und contra zur nicht-autoritären Erziehung, Claudius Verlag 1972, verwiesen. Sie ist eine gute Hilfe, »die Hintergründe der antiautoritären Bewegung, die Motive und Ziele, ihre fruchtbaren und unfruchtbaren Ansätze zu bedenken« (S. 7)

[3] Hier wäre die These von R. Ruthe (vgl. a.a.O., S. 24 ff) zu bedenken: Ein kompromißloses »Anti« ist destruktiv. Das gilt sowohl für den Bereich der Erziehung als allgemein für gesellschaftlich politische Bezüge. »Wer Demokratie ... aus unverarbeiteter Anti-Haltung mißversteht und Bildersturm aus neurotischer Erziehungsfehlhaltung betreibt, wird die Fundamente der Demokratie antasten und chaotische Zustände heraufbeschwören. Die Alternative zwischen Autorität oder Freiheit, zwischen Bestimmtwerden und Selbstbestimmung ist falsch. Autorität kann Hilfe oder Hemmnis, kann zum Vorteil oder Schaden, zum Segen oder Fluch werden. Jedes ›Anti‹ aus prinzipiellen Gründen ist destruktiv« (S. 25)

rungsgemäß nach einer gewissen Zeit. Sie haben aber zugleich eine un-beabsichtigte Nebenwirkung. Als Negativbild der Schwäche der frag-würdigen Position, gegen die sie Front machen, reizen sie ihrerseits zum Widerspruch. Deshalb ist es verständlich, wenn der Ruf nach mehr Auto-rität, nach Wahrnehmung und Gebrauch von Autorität in Gesellschaft und Kirche heute vielerorts laut wird. In der Politik kann sich das äu-ßern als Ruf nach dem starken Mann oder nach durchgreifenden Maß-nahmen im Strafvollzug und der Rechtsprechung, nach einer strengeren Verbrechensbekämpfung — in Kirche und Theologie nach einer Rückge-winnung preisgegebener Positionen des Glaubens, wie sie durch Bibel und Bekenntnis vorgegeben sind.

Wir tun gut, auch diese Veränderungen der allgemeinen Bewußtseins-lage sorgfältig zur Kenntnis zu nehmen. Sie sind für uns ein Anlaß, über das Thema: »Autorität als Auftrag und Versuchung« nachzuden-ken. Aber das können wir sinnvoll — und das heißt für uns selber und andere hilfreich — nur so tun, wenn wir beim Versuch, Orientierungs-punkte zu finden, weiter und tiefer greifen. Im Bilde gesprochen: Wich-tiger als die kurzfristige Wetterdiagnose ist die Frage nach der Groß-wetterlage. Und da scheint mir trotz aller vordergründigen Verände-rungen im Blick auf das Fragen nach Autorität eine erste Feststellung notwendig zu sein: Sowohl für die gegenwärtige Gesellschaft als auch für die Situation in der Kirche ist eine tiefgreifende Autoritätskrise kenn-zeichnend. Sie ins Bewußtsein zu rücken, und sich ihr zu stellen, soll im ersten Teil des Vortrages versucht werden. Im zweiten wollen wir uns mit dem Begriff selbst und dem von ihm angesprochenen Sachverhalt befassen — im dritten Teil soll die Frage nach der Autorität in der Kir-che und damit der Kirche kritisch ins Auge gefaßt werden.

I

Autorität in der Krise

Wenn wir in einem ersten Abschnitt eine Situationsanalyse zu geben versuchen, so nehmen wir dabei einen noch nicht durchreflektierten Au-toritätsbegriff bewußt in Kauf. Mit dem Begriff selbst und den in ihm angelegten Verstehensmöglichkeiten soll sich der zweite Abschnitt befas-sen. Was auch immer sprach- und begriffsgeschichtlich noch zu erheben sein wird, wir setzen dort Autorität voraus, wo wirksame Einflußnah-me von einer Person oder von mehreren auf andere ausgeübt wird. Nach Theodor Mommsen ist Autorität mehr als ein Ratschlag und weniger als ein Befehl, ein »Ratschlag«, dessen Befolgung man sich füglich nicht ent-ziehen kann. Unter Berufung auf Richard Heinze, einen Schüler Mommsens, sagt Thomas Ellwein: »Autorität ist die im sozialen Bereich wirksame Mächtigkeit, Menschen zu Handlungen und zu Unterlassungen zu bestimmen.« Ohne eine Bewertung dieses Phänomens vorzunehmen oder nach dem Recht zu fragen, solche Autorität auszuüben, oder nach der Notwendigkeit, ihr zu entsprechen, läßt sich als Tatbestand konstatieren: In allen sozialen Bezügen begegnet uns Autorität: »in der Familie, in der Schule, im gesellschaftlichen, im politischen, im kulturellen und religiösen Bereich«[4]. Es ist wohl auch unbestritten — und unbestreitbar —, daß von dem Funktionieren dieses Prozesses der Ausübung von Einflußnahme und ihrer Entgegennahme sehr viel abhängt. Nur so gibt es Entwicklung, Fortschreiten, Wachstum, Aufbau, Kontinuität in einem Erfahrungs- und Lernprozeß, der sich über Generationen hin erstreckt. Ohne Autorität in diesem Sinne, d. h. ohne eine wirksame und akzeptierte Mächtigkeit ist Leben weder im biologischen noch im geistigen oder religiösen Sinne möglich.

Wenn wir nun nach der Krise fragen, in die hinein der Autoritätsvollzug in den verschiedensten Bezügen geraten ist, wollen wir uns zunächst einer Bewertung nach Möglichkeit enthalten. Wir stellen also die Frage noch zurück, ob die Ursache der Krise vor allem bei der Instanz zu suchen ist, von der Autorität ausgeht, oder umgekehrt bei denen, von denen erwartet wird, sich ihr zu fügen. Hans Joachim Türk, der Herausgeber des Grünewald-Materialbuches zum Thema Autorität, formuliert so: »Krise will heißen, daß etwas, das an sich fraglos gültig sein und als solches überliefert werden sollte, fraglich geworden ist, der Krisis ausgesetzt, mit Unbehagen beantwortet, bereits wirksam angegriffen wird und verändert werden soll[5].«

---

[4] Vgl. Evang. Kirchenlexikon, Bd. 1, S. 275, Artikel: Autorität
[5] Vgl. Autorität, hrsg. v. Hans Joachim Türk, Mainz 1973, S. 12. Dieses Grünewald-Materialbuch über Autorität will in möglichst umfassender Weise informieren und darüber hinaus zur eigenen Urteilsbildung anleiten. An den Anfang sind zwei Situationsanalysen gestellt: »Die Krise der Autorität in der gegenwärtigen Gesellschaft« (H. J. Türk) und »Die Autoritätskrise in den Kirchen« (R. Tilmann). Dann folgen geschichtlich orientierte und orientierende Beiträge — u. a. Autorität und Tabus religionsgeschichtlich betrachtet (H. Mynarek), Autorität im Alten und im Neuen Testament (A. Weiser), Autorität in Theologiegeschichte und kirchlicher Praxis (K. Weber), Der revolutionäre Protest gegen Autorität (R. Strunk). Ein dritter Abschnitt befaßt sich mit der Autoritätsproblematik in der Soziologie (N. Martin), der Tiefenpsychologie (H. Link) und der Pädagogik (F. Kasper und G. R. Schmidt). Ein besonderes Informationskapitel ist dem Thema Kirche gewidmet, und zwar u. a. der Frage nach der Autorität Gottes (W. Tinnefeld), nach der Autorität Jesu als Frage nach Gott (L. Mattern) und dem Autoritätsproblem in kirchenrechtlicher (L. v. Hout) und in moraltheologischer Hinsicht (K. W. Merks). Bevor das Buch mit einem Auswertungsvorschlag für Erwachsenenbildung, Unterricht und Predigt (von H. J. Türk und H. Link) schließt, ver-

Im Rahmen dieses Vortrages können wir nur einige Hinweise darüber bringen, wo und wie Autorität in eine Krise geraten ist. H. J. Türk, der den schon genannten Materialband mit dem Artikel »Die Krise der Autorität in der gegenwärtigen Gesellschaft« eröffnet, warnt vor Verallgemeinerungen und Globalbehauptungen — etwa in der Weise, daß wir heute vor einem noch nie dagewesenen Autoritätsschwund stünden, der fast notwendig ins Chaos führe —, in einer Krise, die historisch erstmalig und einmalig sei, weil sie »umfassender in ihrer Breite und radikaler im Ansatz als frühere Krisenerscheinungen« sei[6].

Er verweist — nicht mit der Absicht einer Verharmlosung der Gegenwartssituation — auf einige historische Fakten: »Es ist nicht ausgemacht, daß die heute zu beobachtenden Erosionserscheinungen überkommener Autorität in gleicher oder gar radikalerer Weise die Fundamente der gesellschaftlichen Verhältnisse berühren wie die Entbindung des Individuums aus den (im Grunde identischen) gesellschaftlichen, kirchlichen, ethischen, staatlichen Ordnungen des Mittelalters, auch wenn diese Emanzipation zunächst nur bei den privilegierten einzelnen zur Zeit der Renaissance, des Humanismus und der ersten Aufklärung begonnen hatte[7].«

Er fragt dann weiter, ob die reale Entmachtung von Adel und Geistlichkeit durch die Französische Revolution, durch die Verfassungen vom 18. bis zum 20. Jahrhundert in ihrer gesellschaftlichen Breiten- und Tiefenwirkung nicht bedeutsamer und effektiver war als die in der Gegenwart sich ankündigenden Wandlungen gesellschaftlicher Autorität. Sind besonders krisenhaft erscheinende Gegenwartsphänomene nicht vielleicht nur Fern- und Nachwirkungen dessen, was sich grundsätzlich längst entschieden hat? Schließlich weist er auf Vertreter eines prinzipiellen Anarchismus hin (wie Godwin, Stirner u. a.), die bereits vor 200 Jahren jedwede Autorität ablehnten[8].

Zwei Folgerungen dürfen aus diesem Hinweis auf die geistige »Großwetterlage« nicht gezogen werden. Wir dürfen nicht über die jeweils neuen aktuellen Symptome der Autoritätskrise hinwegsehen. H. J. Türk geht u. a. auf die Autoritätsproblematik in Ehe, Familie und Erziehung im Zusammenhang mit den sich dort vollziehenden Rollenänderungen ein, auf das Heraufkommen von spezialisierter — auf besonderer Sachkenntnis gründender — Autorität, aber auch auf die damit verbundenen Gefahren eines Mißbrauches[9]. — Und das andere: Wir sollten uns vor

sucht der Herausgeber eine eigene Interpretation der Auffassungen von Autorität zu geben
[6] a.a.O., S. 13
[7] a.a.O., S. 15
[8] vgl. ebd.
[9] Der Aufsatz von Türk hat auch durch Hinweise auf zahlreiche neuere Arbei-

einem mechanistischen Geschichtsverständnis hüten, als ob der Mensch den Entwicklungen nur schicksalhaft ausgeliefert sei. Er gewinnt und bewahrt sein Humanum doch gerade darin, daß er sich den Herausforderungen stellt: »Ob ... Krise eine sinnvolle Phase der Entwicklung zu besseren Verhältnissen oder eine tödliche Gefahr darstellt, hängt mindestens für alle, die Geschichte nicht als naturgesetzlich determiniert ansehen, davon ab, als was *handelnde* Menschen die krisenhaften Phänomene ansehen *wollen*[10].« So kommt Türk am Ende der Situationsanalyse zu der Feststellung: »Das letzte Problem, zugleich das schwierigste, aber auch das gewichtigste, ist dieses: Nach welchen *Kriterien* ist zu bemessen, ob Autorität erhalten, verändert, abgebaut oder bekämpft werden muß[11]?«

Damit ist — wenigstens indirekt — die Frage aufgeworfen: Wie steht es mit Autorität in theologischer Sicht? Gewinnen wir mit der Frage nach der von Gott ausgehenden und von ihm gewollten Autorität die notwendigen Kriterien? Wo sind diese zu finden und wie sehen sie aus? Aber bevor wir uns damit im letzten Teil des Vortrages befassen, soll etwas zur Autoritätskrise in Kirche und Theologie gesagt werden.

Auch unter diesem Stichwort ist sehr viel hervorzuheben. R. Tillmann, ein junger, katholischer Theologe, spannt den Rahmen sehr weit. Er nennt sehr vordergründige Symptome kirchlicher Autorität — Gewänder, Farben, Kreuze —, die keineswegs mehr allgemein respekteinflößend wirken, sondern eher Aggressivität und zunehmend Gleichgültigkeit auslösen. Zweifellos sehr viel wichtiger ist sein Hinweis auf die Autoritätskrise, die die päpstliche Enzyklika »Humanae vitae« zur Geburtenregelung (von 1968) hervorgerufen hat. Die immer noch zunehmende Diskrepanz zwischen dem autoritativ erhobenen Anspruch und dem faktischen Verhalten, aber auch den innerkirchlichen Gegenäußerungen, sind in ihrer Auswirkung noch nicht übersehbar[12].

ten zum Autoritätsthema einen guten Informationswert. Vgl. u. a. H. Hartmann, Funktionelle Autorität. Systematische Abhandlung zu einem soziologischen Begriff, 1964; E. E. Geißler, Autorität — zwischen Amt und Person, in: Vierteljahrschrift für wiss. Pädagogik, 1966; Th. Eschenburg, Über Autorität, 1965; H. Arendt, Was ist Autorität? in: Fragwürdige Traditionsbestände im politischen Denken der Gegenwart, 1957; T. Brocher, Aufstand gegen die Tradition, 1972; R. Strohal, Autorität. Ihr Wesen und ihre Funktion im Leben der Gemeinschaft. Eine psychologisch-pädagogische Darstellung, 1955

[10] Vgl. a.a.O., S. 14
[11] Vgl. a.a.O., S. 25
[12] Vgl. R. Tillmann im Grünewalder Materialbuch: Die Autoritätskrisen in den Kirchen, S. 26 ff. »Die spontane und selbstverständliche Zustimmung zum Amtsträger scheint weithin gebrochen. Die Geistlichen kleiden sich zivil, Bischöfe wie Pfarrer; denn sie müssen bei ihrem plötzlichen Erscheinen mit Schweigen, Mißtrauen oder Aggressivität rechnen.« »Häufig sehen sich der

Sachlich gehört in diesen Zusammenhang auch die Frage nach der Unfehlbarkeit des Papstes, sofern er ex cathedra zu Fragen der Lehre und des christlichen Lebens Stellung nimmt. Durch den Tübinger Theologen Hans Küng ist der ganze damit verbundene Komplex in einer Weise neu zur Diskussion gestellt, daß wir auch in der evangelischen Christenheit uns vor die Frage gestellt sehen: Gibt es für die Kirche und damit in der Kirche für die Welt eine solche Instanz, der Unfehlbarkeit eignet und deshalb gültige Autorität zukommt[13]?

Aber wie steht es mit der Autoritätskrise in dem uns näheren Bereich der evangelischen Christenheit? Der allgemeine kirchliche Autoritätsverlust, verglichen mit der Zeit von vor dreißig Jahren, ist unverkennbar. Die Erwartungshaltung gegenüber kirchlichen Maßnahmen, Worten und Aktionen war in der Zeit unmittelbar nach dem Kriege wesentlich größer als heute. Das Wort der Kirche war gefragt, mit einem Vertrauensvorschuß umgeben. Heute stößt es bei sehr vielen — das macht sich bemerkbar bei kirchlichen Denkschriften zu aktuellen ethischen oder gesellschaftspolitischen Fragen — auf Zurückhaltung, ja auch auf Mißtrauen. Es ist allenfalls *ein* Diskussionsbeitrag neben anderen, aber nicht mehr das maß-gebliche, Orientierungsdaten setzende Wort.

Aber könnte dieser Autoritätsverlust nach außen nicht begründet sein in einer innerkirchlichen Autoritätskrise oder jedenfalls damit zusammenhängen? Was wird denn noch allgemein als autoritativ gültig anerkannt? Daß überkommene Formen der Sitte, der kirchlichen Strukturen, auch eines autoritativen Amtsbewußtseins besonders bei der nachdrückenden Theologengeneration kritische Rückfragen auslösen, mag noch als im Rahmen normaler Wachstums- und Lernprozesse bleibend gesehen werden. Aber haben wir es darüber hinaus nicht mit einem Autoritätsverlust zu tun, der deshalb viel schwerer wiegt, weil er das für den

kirchliche Autoritätsträger und die Gemeinschaft der Gläubigen polar, in manchen Konflikten sogar feindlich gegenübergestellt« (S. 26). »Wo bei Pfarrern und Bischöfen die Amtsautorität noch intakt ist, äußert sie sich als persönliche Autorität, deren erwiesene Qualitäten man anerkennt« (S. 26). »Die Krise der kirchlichen Autorität ist demnach nicht nur eine Bedrohung von außen, sondern hat das Selbstverständnis der Amtsträger längst schon von innen ergriffen und Forderungen nach Veränderung des Autoritätsverständnisses und der praktischen Autoritätsausübung in der Kirche geweckt« (S. 27). »Soll kirchliche Autorität auf längere Zukunft hin akzeptiert werden und eine Wirkung haben, dann muß sie nahe am Ort, erreichbar, dialogfähig sein« (S.36). »Nur in kollegialer und dialogischer Form hat kirchliche Autorität Zukunft« (S. 37)

[13] Vgl. H. Küng, Unfehlbar? Eine Anfrage, Einsiedeln-Zürich-Köln 1970. Diskussionsbeiträge zu Küngs Buch: K. Rahner (Hrsg.), Zum Problem der Unfehlbarkeit, Freiburg i. Br. 1971; ferner Hans Küng (Hrsg.), Fehlbar? Eine Bilanz, Einsiedeln-Zürich-Köln 1973

Glauben — für das Sein und den Dienst der Kirche in der Welt — Fundamentale betrifft?

Georg Vicedom spricht in seinem — posthum — erschienenen Buch »Actio Dei — Mission und Reich Gottes« von einem »Autoritätsverlust des geoffenbarten Wortes«[14]. Ob die Rolle, die dabei die historisch-kritische Forschung und die kerygmatische Theologie gespielt haben und spielen, von ihm zutreffend gesehen wird oder nicht, wäre sicher noch zu überprüfen; der hier angesprochene Sachverhalt erfordert aber größte Aufmerksamkeit. Er läßt sich allerdings nicht in einer Disziplin oder gar einer Forschungsrichtung lokalisieren — was auch Vicedom nicht wollte —, sondern betrifft den Gottes- und Christusglauben in seiner Offenbarungsgrundlage überhaupt. An welcher Stelle die Autoritätskrise dann konkret wird, ist von untergeordneter Bedeutung. Sie kann an der Schrift aufbrechen, von der angeblich keine Autorität mehr ausgeht, weil sie — so die einen — in sich selbst widersprüchlich ist, oder weil sie — so andere — einer vergangenen Zeit angehört und für unsere Zeit sprachlos geworden ist. Sie kann sich in der Bekenntnisfrage konzentrieren und etwa so argumentieren: Ist die autoritative Verbindlichkeit, in der geschichtlich gewordene Bekenntnisse an die nachfolgenden Generationen weitergegeben werden, mit der Freiheit und Spontaneität des Glaubens vereinbar? Die gleiche Frage tritt uns aber — ausgesprochen oder unausgesprochen — in manchen jüngst erschienenen Jesusbüchern entgegen. So läuft R. Augsteins Versuch mit seinem Jesusbuch darauf hinaus, Jesus jede Autorität für existentiell wichtige Fragen zu nehmen. Andere möchten ihm eine spezielle Autorität — etwa in gesellschaftsverändernder Hinsicht — zuschreiben[15]. Schließlich ist hier an die Diskussion über den Gottesglauben zu erinnern, die in der sog. Gott-ist-tot-Theologie (ob man diese als Entartungserscheinung, Schwächezustand oder freiwilligen Offenbarungseid der Theologie beurteilt) in letzter Tiefe das Autoritätsproblem signalisiert. Denn es ist doch wohl H. Kuhn zuzustimmen, wenn er schreibt: Die »Autoritätskrise der modernen Welt hat ihren zentralen Wirbel in der Leugnung Gottes«[16].

Auch hier ist es angebracht — wieder nicht zu verstehen als Versuch einer Verharmlosung der Gegenwartssituation oder als Kritik an Gegenbewegungen, dem Offenbarungszeugnis von Gott in Jesus Christus und damit Bibel und Bekenntnis, die ihnen eignende und zukommende Autorität zu geben —, einige historische Tatsachen in Erinnerung zu rufen. Alle eben genannten bzw. angedeuteten Symptome der gegenwär-

[14] München 1975, S. 132
[15] R. Augstein: Jesus — Menschensohn, Gütersloh 1972; J. Lehmann, Jesus-Report, Protokoll einer Verfälschung, Düsseldorf-Wien 1970
[16] Zitiert nach Grünewald-Materialbuch: Autorität, S. 190

tigen Autoritätskrise in Kirche und Theologie sind bereits angelegt in dem aufklärerischen Anspruch der Vernunft, ihrer selbst Herr zu sein. Sie sind nur Ausdruck einer Bewegung der Selbstemanzipation der Vernunft von der Macht und dem Wahrheitsanspruch der Geschichte. Schon vor 200 Jahren trat der viel besprochene »garstige breite Graben« (Lessing) zwischen nur zufälligen historischen Wahrheiten und allgemeingültigen Vernunftwahrheiten ins Bewußtsein. Jede göttliche Autoritätsbezeugung, die auf geschichtliche Überlieferungsmittel — wie Bibel, Bekenntnis, Dogma, Kirche und Lehramt — angewiesen war, war damit einer prinzipiellen Kritik ausgesetzt.

Sofern es um eine Beurteilung der Situation und um eine Stellungnahme in ihr und zu ihr geht, sollten wir mit der Schuldfrage vorsichtig umgehen und in der — gewiß notwendigen — theologischen Auseinandersetzung auch mit Vorwürfen sparsam sein, als sei es nur Unverstand oder gar böser Wille, der sich auf der einen Seite, und Glaube, Gehorsam und Treue, der sich auf der anderen finde. Wir dürfen nämlich eines nicht vergessen, wie immer das in seinen Konsequenzen auch zu beurteilen sein mag: An einem für den Weg unserer Kirche entscheidenden Wendepunkt stand und steht die Gestalt Martin Luthers. Durch sein Wort und Verhalten hat er eine Autoritätskrise in der Kirche — mit erheblichen Wirkungen auf die gesamte Umwelt — heraufbeschworen, die es so vorher noch nicht gegeben hatte. Sein Wort — und das entsprechende Verhalten —: »Auch Päpste und Konzilien können irren und haben geirrt«, hat geschichtlich gewordene, sich selbst von der Offenbarung Gottes her begründende Autorität in Frage gestellt. Luther hat das nicht mutwillig getan. Beweggrund war für ihn das geoffenbarte Wort Gottes und sein daran gebundenes Gewissen. So ist denn Luthers Satz in das Bekenntnis unserer Kirche eingegangen, daß allein Gottes Wort und niemand sonst Artikel des Glaubens stellen kann. Aber, und das mag von einer von Luther selbst nicht geahnten Tragweite gewesen sein: Als er am 18. April 1521 auf dem Reichstag zu Worms mit der geltenden kirchlichen Autorität (die ja weitgehend zugleich auch die staatliche war) konfrontiert wurde, da brach er aus: Nur wenn ich durch Zeugnisse der Heiligen Schrift oder klare vernünftige Gründe überzeugt werde, sonst werde ich mich nicht beugen. »Klare, vernünftige Gründe«: man darf gewiß die später eingetretene Entwicklung hin zur autonomen Vernunft (wie etwa bei Descartes) nicht rückwirkend Luther anlasten. Umgekehrt können wir hier möglicherweise bestehende geistesgeschichtliche Zusammenhänge auch nicht einfach bestreiten. Sie gehören zu dem geistigen Erbe — und auch der Last —, womit wir leben müssen.

Aber zu dem Thema »Autorität in der Krise« ist schließlich noch ein ganz anderer Hinweis notwendig. Im letzten Teil werden wir uns damit dann noch einmal zu befassen haben. Wenn wir im Rückbezug auf die Schrift fragen, wie uns im Offenbarungszeugnis Autorität begegnet, dann stoßen wir gleich im ersten Buch des Neuen Testamentes (Mt 5) auf die spannungsgeladenen Sätze Jesu: Ihr habt gehört, daß zu den Alten gesagt ist ... Ich aber sage euch. Wir sehen dann schließlich, wie diesem Jesus von Nazareth, dem die Gottesautorität des Mose nicht das Letzte ist, der Prozeß gemacht wurde, weil er — im Sinne unseres Vortrages ausgedrückt — sich den Zeichen überkommener göttlicher Autorität (Tempel — Gesetz — und Frömmigkeitsideale) nicht fügte, sondern sie umgekehrt in eine Krise hineinzog. Daß er in Wirklichkeit gerade damit die eigentliche Autorität Gottes in Kraft setzte — die Urheberschaft seiner Liebe, des von ihm ausgehenden Lebens —, das wurde erst rückblickend offenbar.

II

Die Bedeutung des Begriffes Autorität

Unser deutsches Wort Autorität kommt aus dem Lateinischen. Es ist abgeleitet von auctoritas. Auctor, d. i. Urheber, Beförderer, Gewährsmann. Das entsprechende Verbum lautet augere — vermehren, bereichern, wachsen lassen. Wichtiger aber ist noch: Wort und Begriff haben sich in der römischen Welt entwickelt, während die Griechen kein ähnlich geprägtes Wort für die Sache hatten. Entsprechendes gilt für die hebräische Sprache. Wenn man also dem auf die Spur kommen will, was die Bibel zum Sachverhalt Autorität Gottes sagt, und darüber, wie sie geltend gemacht wird, hilft eine Begriffsuntersuchung allein nicht weiter.

Richard Heinze, ein Schüler Mommsens, auf den sich die wichtigsten Nachschlagewerke ebenso berufen wie Sachartikel, ist der Begriffsentwicklung im Lateinischen nachgegangen[17]. Auctor und auctoritas tauchen in sehr früher Zeit bei Rechtsvorgängen wie Kaufen und Verkaufen auf, aber auch im Zusammenhang der Gesetzgebung. Auctores, d. h. solche, die die auctoritas haben, bieten für die Rechtmäßigkeit eines gekauften Besitzes die Gewähr, wenn diese von dritter Seite bestritten wird. »*Auctores* sind in alter Zeit die patres für alle Beschlüsse der Gesetzgebungs- und Wahlkomitien, die erst durch diese nachträglich erteilte *auctoritas* Gültigkeit erlangen[18].« Sehr früh begegnet auctoritas schon im Sinne der später so häufigen Urheberschaft einer Lehre, eines Ge-

---

[17] R. Heinze, Auctoritas, in: Vom Geist des Römertums. Ausgewählte Aufsätze, 3. Auflage, hrsg. v. Erich Buck, Darmstadt 1960, S. 43 ff
[18] A.a.O., S. 45

rüchtes, aber auch eines maßgeblichen Rates, zu dem der auctor durch seine besondere Einsicht befugt ist und dem sich der danach Fragende von vornherein unterordnet.

Nach Heinze vollzog sich ein großer Schritt in der Bedeutungsentwicklung, als das »auctorem esse« nicht mehr einen Einzelfall bezeichnete, sondern Eigenschaftscharakter annahm und sich damit gewissermaßen institutionalisierte. »Auctoritas kann der einzelne so gut besitzen wie ein Kollektivum, ein Stand, z. B. der Senat: und unendlich oft begegnet uns gerade auctoritas senatus ... als der dauernde, innerlich berechtigte Einfluß oder das Gewicht der Senatsmeinungen für die Handlungen einzelner, seien es Magistrate oder Privatpersonen, wie des ganzen Volkes[19].«

So kommt auctoritas unserem »Ansehen« — »Prestige« sehr nahe. Der Aspekt, daß dies Ansehen andere in ihren Handlungen bestimmt, darf dabei allerdings nicht verlorengehen. Zum Träger dieser autoritas wurde im römischen Gemeinwesen immer stärker der Senat. Nach Heinze hat selbst Kaiser Augustus nicht entfernt daran gedacht, seine auctoritas — von der er sehr hoch dachte — der des Senats an die Seite zu stellen oder gar überzuordnen. Daß der Senat im Prinzip die summa auctoritas besitzt, steht für die nicht revolutionäre res publica der alten Zeit und ebenso für die res publica restituta des Augustus unbedingt fest.

Zusammenfassend sagt Heinze darum: Das System der republikanischen Verfassung wird getragen durch das im Volk lebende Gefühl, innerlich gebunden zu sein an den Rat der verhältnismäßig wenigen, denen man politische Einsicht und Verantwortungsgefühl zutraut. Eine solche Macht der auctoritas im gesamten Leben wäre kaum denkbar, wenn nicht die gesamte Lebensführung des römischen Volkes von einem »Gefühl für auctoritas durchtränkt wäre«[20].

Aber der Begriff auctoritas hat nicht nur in der Entwicklung der römischen Rechtswissenschaft eine entscheidende Rolle gespielt, sondern weit darüber hinaus Bedeutung gewonnen, und zwar für die Bereiche der Rhetorik, der Philosophie, der Ethik. Auctoritas verleiht dem Redner Überzeugungskraft und Vertrauenswürdigkeit, ähnlich wie Philosophen, und zwar sowohl, was Weisheit und Erkenntnis, als auch, was Vorbildlichkeit im Verhalten betrifft.

Hier taucht nun allerdings sofort auch das Problem auf, das mit dem Gebrauch von Autorität und dem Umgang mit ihr verbunden war und ist. So kann Cicero wohl mit Ehrerbietung von der auctoritas großer Philosophen sprechen, er lehnt es aber dann doch ab, sie in wichtigen Dingen einfach entscheiden zu lassen, weil für ihn die ratio, das eigene

[19] A.a.O., S. 48
[20] A.a.O., S. 52

iudicium mit ins Spiel gebracht werden muß[21]. So gehört also auf seiten des Menschen zu auctoritas ein Korrelat, das im Lebensvollzug der Ausübung und Entgegennahme von Autorität mit zur Geltung kommen muß. Wir dürfen — nach Heinze — »nicht vergessen, daß die auctoritas ihrem wahren Wesen nach die Freiheit nicht beeinträchtigt: Niemand ist ja verpflichtet, selbst wenn er um Rat gebeten hat, ihn anzunehmen; er wird es nach freiem Entschlusse tun, wenn er davon überzeugt ist, damit seinem eigenen Wohle zu dienen«[22].

Heinze wirft schließlich die Frage auf, »inwieweit der altrömische Begriff der auctoritas ... bei den lateinischen Kirchenvätern nachwirkt«, und er erinnert an den bekannten Satz Augustins: ego vero evangelio non crederem, nisi me catholicae (scil. ecclesiae) commoveret auctoritas[23]. Das Verhältnis von auctoritas zu ratio und iudicium darf nicht einfach dem von kirchlicher Autorität zu persönlichem Glauben gleichgesetzt werden. Der ganz andere Faktor, der Autorität zur Geltung kommen läßt und zugleich Glauben ermöglicht, ist der Heilige Geist. Weil dieser Geist aber der Geist der Freiheit ist, darum scheint mir die Feststellung zutreffend zu sein: »Zur recht verstandenen Autorität gehört die Anerkenntnis von Freiheit: Autorität zwingt nicht, sondern ruft zur Entscheidung in Freiheit. So gesehen steht die Autorität immer im Dienste des Menschen: das Moment der Hilfestellung bei der Verwirklichung wahren Menschseins gehört wesentlich zur Ausübung von Autorität[24].«

Das sich in diesen Sätzen abzeichnende Autoritätsverständnis läßt sich nicht einfach begriffsgeschichtlich herleiten. Wir haben es mit einer begrifflichen Weiterentwicklung und inhaltlichen Füllung vom christlichen Glauben her zu tun. Aber die Möglichkeiten dazu waren doch in besonders eindrücklicher Weise gegeben. Nach Heinze hätte kein Grieche, überhaupt niemand, der nicht im Gefühl für auctoritas groß geworden war, auf diesen so folgenschweren, bis in die Gegenwart nachwirkenden Gedanken verfallen können[25].

III

Wir sind damit beim dritten Teil des Referates: Was ist *für* die Kirche und damit *in der* Kirche Autorität, und zwar für ihren Auftrag und

[21] A.a.O., S. 53
[22] A.a.O., S. 57
[23] A.a.O., S. 55
[24] Handbuch der Dogmengeschichte (hrsg. v. M. Schmaus, A. Grillmeier und L. Scheffczyk), Bd. I, Fasz. 3 a: Kanon, von A. Sand, Basel—Wien 1974, S. 86
[25] A.a.O., S. 55

Dienst, ihre Sendung in die Welt? Wir könnten aber genausogut fragen: Was ist für den Glauben gültige Autorität? Oder eine Fragestellung aus dem ersten Teil aufnehmend und an sie anknüpfend: Wo finden wir die notwendigen Kriterien, und wie sehen diese aus, die uns dazu helfen, mit der Autorität theologisch gesehen recht, d. h. auftragsgemäß umzugehen und der sich immer auch meldenden Versuchung zum Autoritätsmißbrauch nicht zu verfallen?

Der zweite Teil hat gezeigt, daß eine Begriffsuntersuchung allein uns keine Antwort gibt. Sie war allerdings insofern hilfreich, als sie »das tief gegrabene Bett der auctoritas« aufzeigten, in das von woanders herkommende Begriffe, Lebensvorgänge, Einflüsse »wie von selbst einmünden«[26]. Da wir uns um eine theologische Besinnung bemühen, richten wir unser Augenmerk auf das Zeugnis von der Offenbarung Gottes, wie es in den Schriften des Alten und des Neuen Testamentes seinen Niederschlag gefunden hat. Wir fragen also: Wie, wo und in welchem Geschichts- und Sachzusammenhang ist dem Menschen von Gott her Autorität, wirksame Einflußnahme entgegengetreten, und inwiefern tut sie das heute?

Hier ist der richtige Ort für eine notwendige Zwischenbemerkung: Wir dürfen als christliche Theologen nicht so tun, als ob für uns alle mit Autorität zusammenhängenden Fragen prinzipiell noch offen wären. Das ist nicht der Fall. In doppelter Hinsicht kommen wir an Vorentscheidungen nicht vorbei, weil mit ihnen unser Christsein steht und fällt. So ist weder die Frage offen, ob überhaupt für uns als Menschen christlichen Glaubens Autorität anzuerkennen ist, noch wo sie zu finden bzw. woher sie zu erwarten ist. Denn da der christliche Glaube es doch mit dem Gott- und Herrsein des Gottes zu tun hat, der als der Schöpfer, der auctor allen Lebens geglaubt und bekannt wird, darum ist die Frage nach der Autorität von der Gottesfrage nicht zu trennen. Umgekehrt steht mit der Frage nach Gott auch die Frage nach der Autorität zur Debatte. Die andere Vorentscheidung ergibt sich damit von selbst. Da der christliche Gottesglaube bekennende Antwort auf die in der Geschichte ergangene Selbstbezeugung Gottes ist, suchen wir dort Autorität und erwarten von dort Autorität, wo diese Offenbarung in Erscheinung getreten ist und tritt.

Damit ist nun keineswegs die Autoritätsproblematik gelöst, sondern nun erst stellt sie sich wirklich — nämlich darin: Wie übt Gott Autorität? Wie will er die Entsprechung auf seiten der Menschen? Wo sind konkret, sei es in Personen, Dokumenten oder Institutionen, die für den Menschen autoritativ gültigen Instanzen?

Mit diesem — hier ist das Wort wohl angebracht — Bekenntnis zu

---

[26] Vgl. Heinze, a.a.O., S. 53

grundlegenden Vorentscheidungen soll das nicht verharmlost werden, was wir im ersten Teil über Autoritätskrise und Autoritätsverlust gesagt haben. Davon ist die Autorität in wohl jeder Erscheinungsform und jeder Weise der Selbstdarstellung betroffen. Das gilt in ausgesprochener Weise in weiten Teilen der Welt für die Christenheit — ob es nun um die Amtsautorität, die Autorität ihrer kirchlichen Lehr- und Bekenntnistradition, die Autorität der Bibel oder gar ihres Redens von Gott geht. Ein Ausweg aus diesem Dilemma ist es nicht, wenn die Kirche sich von einem allgemeinen Agnostizismus anstecken läßt und über Gott keine verbindlichen, d. h. keine bindenden und befreienden Aussagen mehr zu machen wagt, wenn ihre Theologie zur Autorität der Bibel ein gebrochenes Verhältnis hat, die kirchliche Lehr- und Bekenntnistradition nivelliert und einer wie auch immer gearteten Amtsautorität bewußt ausweicht. Die Krise kann umgekehrt dann zum Guten ausschlagen, wenn sie Anlaß zu einer Besinnung darauf wird, wie Gott nach dem Zeugnis der Bibel, in seiner Geschichte mit dem Menschen an sein Ziel kommt und kommen will. Und für eine Befragung der Bibel scheint mir das Begriffs-, Denk- und Erfahrungsmodell einer Autorität, die auf Freiheit aus ist, mit der Freiheit korrespondiert, sehr hilfreich zu sein.

Nun haben wir zwar — worauf bereits hingewiesen wurde — weder in der hebräischen noch in der griechischen Sprache eine direkte begriffliche Entsprechung für Autorität. Aber die in der Geschichte der Erwählung, Aussonderung und Indienstnahme Israels bis zur Erfüllung dieser Israelsgeschichte in und durch Jesus Christus gemachte Gotteserfahrung läßt sich sachlich zutreffend mit Hilfe des Mit- und Ineinanders von Autorität und Freiheit zur Sprache bringen.

Daß von Jahwe Autorität ausgeht, d. h. wirksame Mächtigkeit, auctoritas im Sinne von Urheberschaft, ist grundlegend für die Gotteserfahrung in Israel. Das hat dann im Gottesbekenntnis Israels seinen Niederschlag gefunden; zunächst zur Urheberschaft der Heilstat der Errettung des Volkes aus Ägypten — ›Ich bin Jahwe, dein Gott, der ich dich aus Ägyptenland, aus der Knechtschaft geführt habe, Ex 20,2‹ — bis hin zum Bekenntnis zu Jahwe als dem Schöpfer aller Kreatur, dem Urheber des Seins überhaupt. Das ist dann allerdings mehr, das greift tiefer und weiter als der im römischen Denken entwickelte Autoritätsbegriff.

Alfons Weiser weist in seiner Studie »Autorität im Alten und im Neuen Testament« auf das Phänomen des Bundes hin[27]. Gottes Gottsein für Israel, seine Urheberschaft, nimmt die Gestalt eines Bundes an. Die Initiative dazu liegt allein in Jahwe: »Nicht hat euch Jahwe angenommen und euch erwählt, weil ihr größer wäret als alle Völker — du bist viel-

---

[27] A. Weiser im Grünewald-Materialbuch: Autorität. »Autorität im Alten und im Neuen Testament«, S. 60 ff

mehr das kleinste unter allen Völkern, sondern weil er euch geliebt hat« (Deut 7,7–8). Und du darfst und sollst wissen, daß Jahwe, dein Gott, allein Gott ist — d. h. es gibt keine wirkliche Urheberschaft, die diesen Namen verdient, außer ihn —, der Gott der Treue, der den Bund und die Barmherzigkeit denen hält, die ihn lieben und seine Gebote halten bis in das tausendste Glied (V. 9).

Diese Sätze zeigen einmal, wie im Erwählungs- und Heilsglauben der Schöpfungsglaube grundgelegt ist: Dein Gott, der allein Gott ist. Daraus wird sich mit innerer Notwendigkeit die Glaubenseinsicht ergeben, daß sich die Welt schlechthin in ihrem Dasein Gott verdankt. Sie hat dann später in den beiden sogenannten Schöpfungsberichten am Anfang der Bibel ihre literarische Ausdrucksform gefunden.

Aber auch in diesem erweiterten Horizont der Erfahrung der auctoritas, der Urheberschaft Gottes, behält der Gottesbund seine zentrale Stellung, nur daß er jetzt dem Menschen schlechthin gilt. Denn wir werden das Glaubensbekenntnis zum Ursprung des Menschseins nach Gen 1,26 doch wohl sachgemäß mit Hilfe des Bundesbegriffes auslegen dürfen. Gott sprach: Lasset uns Menschen machen, ein Bild, das uns gleich sei. Und Gott schuf den Menschen zu seinem Bilde, zum Bilde Gottes schuf er ihn.

Aus Deut 7 — und in dessen Fluchtlinie Gen 1 — ergibt sich ferner: Erwählung-Bund-Schöpfung-auctoritas Gottes, soweit sie auf den Menschen zielen und ihm eine Mittelpunktsstellung zuweisen, muten ihm den Bewegungsraum der Freiheit zu, in dem er zum Ja zur Autorschaft Gottes kommt und er sich selbst als Gottes Partner annimmt. Das ist allerdings eine andere Freiheit als die, der der auf sich selbst gestellte Herkules am Scheidewege ausgeliefert ist.

Während Heinze für das römische Denken sagt, auctoritas beeinträchtige ihrem wahren Wesen nach die Freiheit nicht, ist es gesamtbiblische Überzeugung: Gott ist in seiner Hinwendung zum Menschen der Urheber der Freiheit. Freiheit ist ursprunghaft Befreiung, aus der Knechtschaft Ägyptens, aus dem Chaos des Nichtseienden, aus der Verdammnis des Gesetzes der Sünde und des Todes, um die wichtigsten Aspekte wenigstens anzudeuten, die die biblische Rede von der Freiheit uns bedenken läßt.

Das Spannungsverhältnis zwischen Autorität und Freiheit ist damit keineswegs beseitigt. Im Rückblick auf die Geschichte Gottes mit dem Menschen, wie sie uns in der Bibel gedeutet wird, erscheint mir der Satz erlaubt: Gott ist das Risiko der Freiheit bewußt eingegangen. Davon ist das Erwählungs-, Schöpfungs- und Heilshandeln Gottes in je eigentümlicher Weise bestimmt. Gott will in seinem Plan mit dem Menschen nicht mit Macht und Zwang zum Ziel kommen, sondern so, daß er ihm in Freiheit die Möglichkeit zum Glauben nahebringt.

Nach dem Welt- und Menschenverständnis der Bibel verspielte der Mensch die ihm als Geschöpf und Ebenbild Gottes zugemessene Freiheit, weil er Freiheit nicht im vertrauensvollen und gehorsamen Gegenüber zu Gott, sondern als Emanzipation von Gott haben wollte. Die Geschichte der Erwählung Israels erlebt umgekehrt ihre Krise darin, daß die von Gott ausgehende Autorität als Knechtschaft unter dem Gesetz mißverstanden und mißbraucht wurde. Auf diesem Hintergrunde und zugleich in diesem Kontext ist nach dem Zeugnis der Schrift die Sendung und das Wirken Jesu Christi zu sehen.

Er ist der zweite Adam — das Ebenbild Gottes — der Sohn, der Gottes Autorität *und* die darin beschlossene Freiheit in Anspruch nahm, aber nicht für sich, sondern für die vielen, über die das Unheil der menschlichen Urverfehlung gekommen war. Er machte Gottes freisprechende Autorität so geltend, daß er — mit dem Christushymnus aus Phil. 2 ausgedrückt, es nicht wie einen Raub an sich riß, Gott gleich zu sein, sondern sich aus freiem Entschluß heraus dem autoritären Mißbrauch des Gesetzes Gottes auslieferte. In diesem Sinne, als Autorität der Freiheit, d. h. als Urheberschaft der Befreiung, versteht das Neue Testament jedenfalls das Geschehen von Tod und Auferstehung Jesu.

So laufen die in der Bibel aufgezeigten Linien des Schöpfungs- und des Erwählungshandelns Gottes in Jesus Christus zusammen. In einer der jüngsten Schriften des Neuen Testamentes, die den Christusglauben stärker als andere theologisch reflektiert, wird ihm darum jede nur denkbare Autorität zuerkannt. Er ist das letztgültige Wort Gottes nach den mancherlei Worten Gottes in vergangener Geschichte. Autorität, Urheberschaft im Bereich der Schöpfung und Erhaltung der Welt kommt ihm ebenso zu wie die Mittlerschaft im Versöhnungshandeln. Und wenn es dann weiter heißt: Er hat sich gesetzt zu der Rechten der Majestät in der Höhe, so ist damit die Frage nach der Autorität für den christlichen Glauben endgültig beantwortet (vgl. Hebr 1,1 ff). Sie kommt allein dem dreifaltigen Gott zu, der sein Urhebersein, d. h. sein aus sich Heraustreten als der Schöpfer, der Versöhner und der Neuschöpfer in Jesus Christus end-gültig »unter Beweis« gestellt hat.

Die Worte »unter Beweis gestellt« sind allerdings mißverständlich und bedürfen deshalb einer näheren Erklärung. Die von Gott ausgehende Autorität ist auf Befreiung und Freiheit aus, darum darf sie nicht mit Zwang und Macht gleichgesetzt werden. Sie übt auch in geistig-intellektueller Hinsicht keinen Zwang aus. So steht im Zentrum der Autoritätsverwirklichung Gottes das ohnmächtige Sterben Jesu am Kreuz. Das ist — wie Paulus eindrücklich an die Korinther schreibt — Torheit für alle, die nach Weisheit als der gültigen Autorität fragen, und ein Ärgernis, Skandalon für alle, die auf vorweisbare Macht setzen. Aber es ist urchristliche Grundüberzeugung, daß das Wort vom Kreuz, d. h. das Wort vom gekreuzigten und auferstandenen Christus, als auctoritas — oder mit Paulusworten — als göttliche Kraft und Weisheit erfahren worden ist und werden kann. Denn Tod und Auferstehung Jesu Christi haben das Wirken des Geistes Gottes freigesetzt, der Glauben wirkend und Gehorsam hervorrufend den Raum der Freiheit ausfüllt. In diesen Kontext gehört das Gebot zur Autoritätsausübung: So besteht nun in der *Freiheit*, zu der Christus euch befreit hat.

Es wäre zur Begründung, Ergänzung und Erläuterung dessen, was die Bibel über Gott als Ursprung und Verwirklicher der Autorität sagt, noch sehr viel zu sagen. Das würde den Rahmen eines Vortrages sprengen. In einigen Schlußüberlegungen soll aber, wenigstens andeutungsweise, gezeigt werden, wie dieses am trinitarischen Gottesglauben sich orientierende Autoritätsverständnis in Kirche und Theologie konkrete Gestalt annimmt.

Wenn wir mit der Beobachtung recht haben, daß Gott in seiner Autorität Freiheit gewährt und seinen eigentlichen Willen nicht mit Macht und Zwang durchsetzt, dann muß das Folgen haben für jede nur denkbare Weise, wie Autorität in der Kirche und für die Kirche zur Geltung kommt und durch sie geltend gemacht wird. Eine Anmerkung ist hier allerdings angebracht. Wir haben bewußt vom eigentlichen Willen Gottes gesprochen, den er nicht mit Macht und Zwang durchsetzt. Damit soll nicht bestritten werden, daß es auch Fälle, Situationen, ja Lebensbereiche geben kann, wo sich Autorität gewaltsam Anerkennung verschaffen muß. Wir verweisen hier auf das Problem der Unterscheidung zwischen den beiden Regimenten Gottes, das heute keineswegs an Aktualität verloren hat. Dort, wo das dem Erhaltungswillen Gottes entsprechende bzw. aus ihm hergeleitete »Weltliche Recht« zur Diskussion steht, darf der Verzicht auf Macht und Zwang nicht gefordert werden[28]. Das menschliche Miteinander in der Gesellschaft läßt sich nicht allein auf Freiheit und Freiwilligkeit abstellen. Es gibt Gesetze, Anweisungen und Verbote, die bei Nichtbeachtung oder Übertretung den Einsatz von

---

[28] Die 1951 von E. Schlink veröffentlichten Thesen zum Thema: »Das theologische Problem des Naturrechtes« sind eine gute Orientierungshilfe. (Viva Vox Evangelii, Festschrift für Landesbischof Meiser, München 1951, S. 246 ff). Eine gewichtige Rolle spielt dort auch der Begriff des »weltlichen Rechtes«, das Schlink bezogen wissen will auf den Willen Gottes des Erhalters und unterschieden von dem des Erlösers, vgl. Leitsatz 10: Der Wille Gottes des Erhalters und des Erlösers sind zu unterscheiden wie der noachitische und der Gnadenbund. Beide nicht miteinander zu vermengen (.a.aO., S. 257). Unterscheidung meint natürlich nicht Trennung und Scheidung. Vgl. Leitsatz 8: Die Kirche hat allen Völkern nicht nur das Evangelium, sondern auch den Willen Gottes zu verkündigen, der das Leben des Menschen in Sünde und Tod erhält, auf daß sie durch das Evangelium zum Glauben kommen und gerettet werden (S. 256).

Macht und Zwang notwendig machen. Das gilt nicht nur für das Strafrecht, sondern auch für manche Bereiche des bürgerlichen Rechtes. Es bekommt einer menschlichen Gesellschaft schlecht, wenn Autorität und deren Ausübung deswegen prinzipiell »geächtet« werden. Wir verzichten aber bewußt darauf, das Thema in dieser Richtung weiter zu entfalten[29]. Welche konkreten Folgerungen ergeben sich nun aus den grundsätzlichen Überlegungen? Das soll abschließend in zwei miteinander korrespondierenden Aussagereihen anzudeuten versucht werden.

a) Das Gebot der Stunde, weil im gültigen Angebot Gottes begründet, scheint mir für die Kirche und ihre Theologie zu sein: Mut zur Autorität — und zwar dazu, Autorität gelten zu lassen und geltend zu machen. Konkret heißt das: traut dem der Kirche anvertrauten und aufgetragenen Wort von Gott — von dem, der um Jesu willen der Welt gut ist — Aussagekraft, auctoritas, Urheberschaft zum Glauben und zu einem neuen Leben zu. Das Pauluswort aus Röm 1 hat seit den Tagen der Urgemeinde an Aktualität nichts eingebüßt: »Ich schäme mich des Evangeliums von Christus nicht, denn es ist eine Kraft Gottes, die da rettet alle, die daran glauben« (V. 16).

Ob in diesem Sinne Mut zur Autorität besteht, erweist sich an der Stel-

[29] In diesem Zusammenhang muß die Schrift von Fr. Gogarten: »Wider die Ächtung der Autorität« (Jena 1930) erwähnt werden. Nach der Häufigkeit zu urteilen, mit der sie in den Literaturangaben zu Beiträgen zum Thema Autorität auftaucht, scheint sie zur klassischen Literatur gerechnet zu werden. Dabei ist sie ein ausgesprochenes Zeitdokument, in dem Gogarten sich gegen den »Individualismus des modernen Denkens« (S. 10) und gegen das individualistische Verständnis des Menschen wendet. Die Idee vom freien, sich selbst gehörenden und über sich selbst bestimmenden Menschen und das ihr entsprechende individualistisch-emanzipatorische Freiheitsverständnis haben nach G. ihren Ursprung im Abfall des Menschen von Gott (Gen 3) (vgl. S. 32). Diesem Ideal des »An-und-für-sich-Sein« des Menschen setzt G. das seiner Überzeugung nach biblisch-christliche und zugleich realistische Verständnis des »Mit-dem-Andern-Sein« und »Von-dem-Andern-Sein« entgegen (S. 34). Für G. ist die Frage entscheidend, ob die politische Existenz des Menschen (damit meint er das menschliche Miteinanderleben überhaupt) grundsätzlich auf Freiheit und Gleichheit gestellt sein soll oder nicht. Sein Plädoyer für die Autorität und ihre Wahrnehmung mit Gewalt und Zwang (auch den Begriff »autoritär« gebraucht G. bewußt positiv) ist der Versuch einer Absage an das seit der Renaissance sich entwickelnde moderne Denken. Seine Ausführungen zum Thema Autorität stehen zwar unter dem Vorzeichen der Welterhaltung Gottes; aber auch hier ist negative Orientierung an einem liberalistischen Freiheitsbegriff belastend. Das wäre bei einem näheren Eingehen auf die nur angedeuteten Themen Politik und Erziehung deutlich geworden. G's Verständnis von Autorität ist mit Zwang und Macht verbunden, Autorität ist auf Gehorsam aus. Daß mit ihr Freiheit korrespondiert, nicht nur im Bereich der Heilszuwendung Gottes an den Menschen, sondern auch in der Wahrnehmung des welterhaltenden Willens Gottes, wird bei G. nicht in Betracht gezogen.

lung, die die Bibel in Kirche und Theologie hat. Schon der Prozeß einer Sammlung zunächst jüdischer und dann christlicher Schriften war von Anfang an durch die Frage nach der rechten Autorität bestimmt. Es ging dabei nicht um die Herausstellung einer Autorität neben Christus oder über Christus hinaus, sondern um die Anerkennung seiner Autorität und das Festhalten an ihr. Wichtiger als diese unbestreitbare historische Rück-erinnerung ist aber die Frage nach dem Stellenwert, den die Bibel in der Theologie heute hat. Angesichts der theologischen Gesamtsituation ist die Aufforderung wohl angebracht: Habt Mut zur Autorität der Bibel als des für alle Zeiten gültigen Zeugnisses des geoffenbarten Wortes Gottes. Das wird sich daran erweisen, wie wir mit ihr umgehen, im Befragen ihrer Texte uns sagen lassen, was uns zu hören notwendig ist, und so auch eine Antwort auf neue, den Menschen heute angehende Fragen bekommen.

Unter diesem Stichwort: »Mut zur Autorität« möchte ich aber noch einen weiteren Hinweis geben, auch wenn ich mir seiner Unpopularität bewußt bin. Traut der Kirche, ihrem Dasein in der Welt, ihrem Bekenntnis, ihrem Amt, den Diensten in ihr, Autorität zu. »Recht verstandene« — in Jesus Christus begründete — Autorität legitimiert »nicht nur die Wirksamkeit der Apostel und der Urgemeinden«, sondern hat auch die Kirche bevollmächtigt, mit »diesem auf Jesus und die Apostel zurück-gehenden Anspruch in der Welt aufzutreten«[30].

Heute besteht weithin ein Hang — auch bei Mitarbeitern der Kirche —, das Leiden an der Kirche zu artikulieren. Anlässe dazu gibt es sicher genug. Und einem selbstbewußten Gerede vom Jahrhundert der Kirche möchte ich nicht Vorschub leisten. Kritik an der Kirche soll geübt werden, wo sie gerechtfertigt und geboten ist. Sie ist notwendig, wenn sie aus Sorge um die rechte Wahrnehmung der ihr unausweichlich zufallenden Autorität kommt. Denn Jesus hat sein Wort nicht zurückgenommen: Wer euch hört, der hört mich. Und wer euch verachtet, der verachtet mich; wer aber mich verachtet, der verachtet den, der mich gesandt hat (Lk 10,16).

Aber es gibt keinen Anlaß, sich des Daseins der Kirche in der Welt — und mag sie mit noch so vielen Schwächen und Fehlern behaftet sein — und der Zugehörigkeit zu ihr zu schämen. Allen Argumenten, die ihre Auflösung in die Welt, in die Gesellschaft hinein propagieren, ist zu widerstehen. Alle die in der Kirche sind schlecht beraten, die ihrem Bekenntnis — ob es nun, wie das Apostolische und Nizänische Credo, in der Frühzeit formuliert wurde oder wie andere in der Reformation oder auch in der Gegenwart — keine Aussagekraft, keine Autorität für Sammlung und Scheidung mehr zutrauen. Und von daher gilt es auch:

[30] Vgl. A. Sand, a.a.O., S. 88

Mut zum Amt – zur Autorität des Amtes: Denn: Amt ist Dienst, Einsatz in einem Auftrag, der zur Zeit und Unzeit geschehen will.

b) Dieser ersten, keineswegs Vollständigkeit beanspruchenden Aussagereihe ist eine zweite, damit korrespondierende, dazu aber auch in Spannung stehende anzufügen. Mit der Aufforderung »Mut zur Autorität« ist die andere unlöslich verbunden: Macht von dem Angebot der Freiheit Gebrauch! Das ist zunächst, seiner eigentlichen Zielsetzung nach, Ruf, Einladung zum Glauben. Denn Glauben heißt, wenn wir nach dem Grundsinn des Wortes und der Sache in der hebräischen Sprache fragen: sich der rettenden und schaffenden Urheberschaft Gottes vertrauend aussetzen, sich das Ja und Amen der rettenden Hinwendung Gottes zum Menschen gefallen lassen. So meine ich, seien Paulusworte wie 2. Kor 5,19 ff zu verstehen. Dem Hinweis auf Gottes alleinige Autorschaft zum Heil – Gott hat in Christus die Welt mit sich selbst versöhnt – fügt er die Aufforderung hinzu: So bitten wir nun an Christi Statt: Lasset euch versöhnen mit Gott.

Aber dieser Satz: »Macht von dem Angebot der Freiheit Gebrauch« besagt nun doch noch mehr. Unser Thema heißt ja: Autorität – Auftrag und Versuchung. Darum ist der Satz: »Macht Gebrauch von dem Angebot der Freiheit« ein Alarmzeichen in all den Fällen, in denen der Auftrag zum Mißbrauch wird, wo Träger der Autorität der Versuchung zum Autoritären verfallen. In einzigartiger, unwiederholbarer und so nicht nachzuahmender Weise hat Jesus das selber getan. Er hat damit die Freiheit, zu der er befreit, zu der alles bestimmenden neuen Wirklichkeit gemacht. Wer in seiner Nachfolge vom Angebot der Freiheit Gebrauch macht, begibt sich aber nicht in einen autoritäts- und orientierungslosen Raum, sondern tritt (nach Röm 8,2 ff) in den Wirkungsbereich des Geistes Gottes. Hier wird die Urheberschaft Gottes schlechthin erfahren. »Denn welche der Geist Gottes treibt, die sind Gottes Kinder« (V. 14).

Vom Durchbruch Jesu in die Freiheit und der Aufrichtung der Autorität seiner Freiheit ist das paulinische Christuszeugnis geprägt. Sein Kampf für die Freiheit des Evangeliums, die Abwehr sich absolut setzender, das heißt sich autorität verhaltender Traditionen war bestimmend für den Weg des Glaubens. Die Versuchung zum Mißbrauch der Autorität blieb allerdings in mannigfacher Gestalt die Wegbegleiterin der Kirche auf ihrem Weg durch die Zeiten und Völker; ob sie nun ein Bündnis mit der politischen Autorität einging und im Glauben erkannte und bekannte Wahrheit in Gestalt von Dogmen autorität durchzusetzen bestrebt war, oder ob ihr das kirchliche Amt und die hierarchische Amtstruktur der Kirche zur Versuchung wurde.

Luther griff bewußt auf Paulus zurück. Am Anfang der Reformation stand der Protest gegen autoritäres Verhalten der Kirche und in der Kirche. Aber die mit dem – unverzichtbaren – Auftrag zur Wahrnehmung von Autorität verbundene Versuchung war damit keineswegs aus dem Bereich der Kirche verbannt. Gerade das Festhalten an der neu entdeckten Heiligen Schrift als der Autorität und dem Bekenntnis zum unverfälschten Evangelium konnte selbst zur Versuchung werden. Ihr verfallen Kirche und Theologie dort, wo sie Schrift- und Bekenntnisautorität gesetzlich, autoritär verstehen oder handhaben, wo Autorität nicht mehr dialogfähig ist und dialogwillig ausgeübt wird.

Für die Kirche der Reformation stand die Schriftfrage schon immer im Zentrum des Autoritätsproblems. Die Bibel ist die Instanz, die das »Sagen« hat. Gott will durch ihr Wort zu Wort kommen. Damit ist aber ein Lebensprozeß angesprochen, der sich weder begrifflich noch rechtlich oder institutionell einfangen läßt, weil er auf das Wirksamwerden des Geistes angewiesen ist. Die hier zugestandene und in Anspruch genommene oder die vorenthaltene Freiheit ist vielmehr beispielhaft für das Verständnis von Autorität und für ihre Handhabung überhaupt[31].

Die Autorität der Heiligen Schrift — und ähnlich auch der Bekenntnisse — herausstellen, schließt nicht die Forderung einer Anerkennung der jeweiligen Sprach- und Ausdrucksform, einer Übernahme des Weltbildes, in denen die Texte jeweils entstanden sind, in sich. Die Bibel will kein naturkundliches, geschichtliches, geographisches etc. »Lehrbuch« sein. Es gibt viele Bereiche und Fragestellungen, wo sie nicht als Autorität ins Feld geführt werden darf. Wir sprechen hier »Einsichten« an, die sich z. T. erst mühsam haben durchsetzen müssen. Der damit verbundene Lernprozeß ist auch noch keineswegs abgeschlossen. Aber die Notwendigkeit, sich ihm aufzuschließen, ist schwerlich zu bestreiten, und die Bereitschaft, sich auf ihn einzulassen, ist weit über den Bereich der Berufstheologen hinaus vorhanden.

Im Umgang mit der Schrift muß das Thema: »Autorität«, die auf Freiheit aus ist, in geduldiger Kleinarbeit eingeübt werden. Die Theologie in der Kirche reformatorischen Bekenntnisses, die sich auf die alleinige Autorität der heiligen Schrift hatte einschwören lassen, hat in einem mühsamen, von Verirrungen nach manchen Seiten nicht freien Weg Erfahrungen gesammelt und Erkenntnisse gewonnen, die es verdienen, der ganzen Christenheit zugute zu kommen. Die hermeneutische Problematik behält ihre Aktualität. Es ist kein gutes Zeichen, wenn das Interesse an ihr verlorengeht. Die Frage nach dem Recht und den Grenzen der Entmythologisierung und der existentialen Interpretation darf weder mit einem pauschalen Ja noch einem verständnislosen Nein zum Schwei-

---

[31] Mit dem hier angeschnittenen Thema habe ich mich an anderer Stelle ausführlicher befaßt. Vgl. »Die Autorität des apostolischen Zeugnisses«, Evang. Theol. 1952/53; »Die Verbindlichkeit des Kanons«, in: Fuldaer Hefte 1960; Der herausgeforderte Glaube, Breklum 1972, S. 101 ff.

gen gebracht werden. Denn im Umgang mit konkreten Texten soll falsche Autorität abgebaut werden, damit die wahre aufleuchte — die nämlich, die es gestern war, heute ist und morgen sein wird: Jesus Christus, der Anfänger und Vollender des Glaubens (Hebr 12,2).

Die Kirche ist gut beraten, wenn sie im Vertrauen auf die von Gott her gültige und zur Geltung zu bringende Autorität einen weiten Bewegungsraum der Freiheit gewährt und in Anspruch nimmt. Sie darf und sie soll dabei mit der Verheißung der von Jesus selbst in Aussicht gestellten letzten Autorität rechnen: Der Geist, den er sendet, wird in alle Wahrheit leiten (Joh 16,19).

HELMUT ANGERMEYER

Die Kategorie der Erfahrung und der Religionsunterricht

Erfahrung ist ein anthropologisch zentraler Begriff. Leben heißt Erfahrungen machen. Wohl kann der Mensch Erfahrungen nicht erzwingen; er muß sie sammeln, wie sie ihn treffen, und muß auch immer für neue Erfahrungen offenbleiben. Dabei ist wichtig, daß Eigenerfahrung und daraus gewonnene Einsicht durch Fremderfahrungen erweitert, korrigiert oder aufgehoben werden. Deshalb ist Erfahrung auch eine bedeutsame pädagogische Kategorie. Der Erzieher muß die Selbsterfahrung der Schüler zu Bewußtsein und Sprache bringen und zugleich andere, vor allem auch geschichtlich gewordene, Erfahrungsmodelle vermitteln. Didaktisch gesprochen ist die Aufgabe dieses hermeneutischen Vorgangs die Erschließung von »Grunderfahrungen« und »Grunderlebnissen« (Wolfgang Klafki), in denen sich Wirklichkeit dem Menschen auslegt, und zwar vorrangig zu bestimmten Situationen seiner Zukunft[1].

Zum christlichen Glauben gehört Erfahrung von seinem Grundansatz her. Darauf hat nun vor allem Gerhard Ebeling wieder hingewiesen: »Vom Wahrheitsverständnis des christlichen Glaubens ist das Moment der Erfahrung unabtrennbar. Und als gelebter Glaube hat er naturgemäß seinen Ort in der Fülle menschlicher Lebenserfahrung. Allerdings gilt von beidem, der Erkenntnis und der Bewährung des Glaubens, daß sie sich dem gängigen Erfahrungsurteil nicht konformistisch fügen.« Wenn auch die Theologiegeschichte zeigt, wie strittig die theologische Einschätzung der Erfahrung ist, so ist, wie Ebeling unterstreicht, in der Theologie als »verantwortender Rechenschaft über den Glauben« der Gesichtspunkt der Erfahrung in doppelter Hinsicht impliziert: in Gestalt überlieferter Erfahrung und in Gestalt der dadurch herausgeforderten Erfahrung. Vom christlichen Glauben könne nicht die Rede sein, ohne daß dabei »das ursprüngliche Glaubenszeugnis als Erfahrungsaussage den Primat hat«. Zugleich werde überlieferte Erfahrung »nur dann wirklich als Erfahrung vernehmbar, wenn dabei die eigene Erfahrung ins Spiel kommt und aufs Spiel gesetzt wird«[2].

---

[1] W. Klafki, Das pädagogische Problem des Elementaren und die Theorie der kategorialen Bildung, 3. Aufl., Weinheim 1963, S. 442 f

[2] G. Ebeling, Die Klage über das Erfahrungsdefizit in der Theologie als Frage nach ihrer Sache, in: ders., Wort und Glaube, Band III, Tübingen 1975, S. 25

I. Wie kann menschliche Erfahrung bewältigt werden?

Es ist wohl gerade die Vieldeutigkeit, weshalb sich der Begriff der Erfahrung heute als Elementarbegriff anbietet: »In ihm sind Subjekt und Objekt, Aktivität und Passivität des Menschen, der einzelne und die Gemeinschaft, die Geschichte und die Natur, inneres und äußeres Erleben noch nicht auseinandergetreten oder schon wieder vereinigt« (Rainer Röhricht)[3]. Auch die Religionspädagogik versucht deshalb, den christlichen Glauben von diesem Ansatz her zu vergegenwärtigen und zu interpretieren[4]. Er enthält verschiedene ineinandergreifende Möglichkeiten: Einmal kann man den subjektiven Charakter von Glaube, Religion und Frömmigkeit zur Geltung bringen; zugleich kann man das Problem der Vermittlung und Weitergabe des Glaubens beschreiben; dabei kommt man auch auf seinen Ursprung, nämlich die in einem geschichtlichen Prozeß gewachsene Gotteserfahrung und Gotteserkenntnis.

1. Der thematisch-problemorientierte Religionsunterricht

Damit ist bereits das didaktische Konzept des themenorientierten Religionsunterrichts angesprochen, das neben dem bibelorientierten Unterricht entwickelt worden ist[5]. Es nimmt seinen Ansatz beim Schüler als dem Subjekt des Lernprozesses und bei dessen lebensgeschichtlich bedeutsamen Situationen. Diese sollen aber nicht nur »Ausgangspunkt«, nicht »Aufhänger« für die eigentliche Sache des Religionsunterrichts sein, sondern Thema und Inhalt dieses Unterrichts selbst. Es wird vom Menschen und seinem Leben gesprochen, um von Gott und vom Glauben sprechen zu können. Die Fragerichtung geht also auf das heutige Leben und auf die Bedeutung heutiger Erfahrung. Diese Erfahrungen werden bewußt gemacht und reflektiert, und dann wird versucht, sie mit dem christlichen Glauben in Beziehung zu bringen. »Thematisch« bedeutet dabei also Orientierung an der Wirklichkeit, speziell an kinderspezifischen Lebenssituationen; »problemorientiert« meint die Bemühung, die Erfahrungen des Daseins in ihrer Frag-Würdigkeit ernst zu nehmen. Das wird mit Nachdruck schon für die Primarstufe gefordert; bereits hier können und

---

[3] R. Röhricht, Zum Problem der religiösen Erfahrung, in: Wissenschaft und Praxis in Kirche und Gesellschaft (WPKG), 63. Jg., 1974, S. 290

[4] Z. B. E. Feifel u. a. (Hrsg.), Handbuch der Religionspädagogik, Bd. 1, Gütersloh/Zürich 1973, S. 86 ff; D. Zilleßen, Religionsunterricht, in: F. Klostermann u. R. Zerfaß (Hrsg.), Praktische Theologie heute, München/Mainz 1974, S. 497 f

[5] Zur Orientierung: H.-B. Kaufmann (Hrsg.), Streit um den problemorientierten Unterricht in Schule und Kirche, Frankfurt 1973; H. Angermeyer, Der thematisch-problemorientierte Religionsunterricht, Gütersloh 1973

müssen menschliche Gunderfahrungen in altersgemäßen Denkformen reflektiert werden.

1.1. Damit stellen sich zwei Aufgaben. Die eine betrifft die Findung der Lebenssituationen, der Erfahrungen und Probleme, und zwar nach ihren Inhalten und ihrer Orientierung. Daß der Lehrer vom ersten Jahgang der Grundschule an den Erfahrungshorizont der Schüler trifft und möglichst päzise anspricht, ist keineswegs unerheblich. Wir sind hier teilweise noch auf Vermutungen angewiesen; darum kann nur ein im Prinzip dialogisch angesetzter Unterricht von Fall zu Fall die Existenz treffen. Man kann allerdings zugleich auch von der Grundvoraussetzung ausgehen, daß bestimmte anthropologische Konstanten für alle Altersstufen bedeutsam sind und diese Grundthemen menschlichen Lebens immer wieder aufgegriffen werden, auch im Horizont des Glaubens. Man kann die Häufigkeit der Situationen nach ihrer Bedeutsamkeit für den Schüler, für die Gesellschaft und für den Glauben und die ihn reflektierende Theologie auswählen. Doch kann es nicht genügen, festzustellen, welche Situationen mit Wahrscheinlichkeit von einem Schüler bewältigt werden müssen. Es stellt sich ja gleichzeitig immer das Normenproblem, gleich, ob man nun mehr formale oder sachliche Kriterien einsetzt[6].

1.2. Die andere Aufgabe ist mit dem Ziel gegeben, diese Erfahrungen mit dem christlichen Glauben in Beziehung zu bringen, sie von daher zu deuten. Hier zeigt sich die Schwierigkeit darin, daß man notwendigerweise »religiöse Erfahrung« in sehr weitem Sinn fassen muß. Gerade der Religionsunterricht ist ja der Ort, an dem seit langem besonders deutlich wird, was unserer nachwachsenden Generation abgeht, nämlich die Möglichkeiten christlicher Erfahrung. Das hängt mit der zunehmenden Tabuisierung des Christlichen in der Erwachsenenwelt zusammen, wobei es sich heute bereits weithin um eine Eliminierung handelt. Immer mehr Kinder haben keine Gelegenheit, an gemeinsame Formen praktizierten Glaubens teilzunehmen. Andererseits kann gerade der Religionsunterricht die Tatsache nicht verschweigen, daß die Gesellschaft selbst von Fragen bewegt ist, die sich mit sachlichen Lösungen nicht beantworten lassen. Seine Aufgabe ist, diese Fragen so bewußt zu machen, daß sie in ihrer Offenheit erkannt werden können. Der Schüler soll also seine eigenen Erfahrungen in dem großen Erfahrungs- und Fragebereich der Gesellschaft erkennen[7].

---

[6] K. Wegenast, Das Problem der Probleme, in: Evang. Erz., 24. Jg., 1972, S. 106; G. R. Schmidt, Die Inhalte des Religionsunterrichts aus der Sicht der allgemeinen Curriculum-Theorie, in: Evang. Erz., 22. Jg., 1970, S. 17 f; H. Angermeyer, a.a.O., S. 16 ff

[7] Vgl. I. Hiller-Ketter, Kind — Gesellschaft — Evangelium, Theologisch-didaktische und soziopolitische Überlegungen zu Unterrichtsversuchen in der Grundschule, Stuttgart/München 1971

In dieser Lernorientierung stellt sich die Aufgabe, wie man die Aussage des christlichen Glaubens, voran die biblische Tradition, wichtig machen kann. Sie soll nicht nur historisch interessant sein; sie kann auch nicht nur wegen ihres Gewichtes, das sie in der Kirche hat, erscheinen; vielmehr soll sie sprechender Kontext zum Leben der Kinder und Jugendlichen sein. Das Thema dieses Unterrichts muß darum »Christus in der Welt« lauten (Karl Ernst Nipkow). Dieses Thema wird »in den Horizont der kindlichen und jugendlichen Alltagswelt thematisiert und von da aus auf die Botschaft der biblischen Schriften zurückbezogen«[8]. Darum geht der Weg also von der heutigen Situation hin zur biblischen Tradition. Der Schüler sieht sich auf Wichtiges in seinem Leben angesprochen, und er soll erkennen können, daß das biblische Wort eine Möglichkeit der Existenz zeigt, bei der in seiner Welt etwas anders werden kann. »Die Richtung hat ihren Ausgangspunkt in der Situation, welche nach der Tradition hereinholend greift« (Walter Baltin)[9].

2. Verbindung von Glaubensinhalt und Lebenssituation

Damit ist die entscheidende Aufgabe, das eigentliche Problem dieses didaktischen Modells ganz deutlich formuliert: Wie greift die Situation nach der Tradition? Wie wird mittels der Tradition die Situation erhellt? Um die Fragestellung noch exakter zu zeigen: Gibt es die behauptete Erfahrungsanalogie, so daß es zu einer Korrelation des der damaligen Situation entsprechenden Wirklichkeitshorizontes mit dem Wirklichkeitshorizont des jungen Menschen kommt? Denn darum geht es ja: Um die gegenseitige Annäherung, den gegenseitigen Bezug aufeinander; nur so kann der Schüler das Angebot einer neuen Existenzmöglichkeit erkennen.

2.1 Aus den letzten Jahren liegen genügend Versuche und Planungen vor, die eine Antwort möglich machen. Die Analyse wurde schon mehrmals versucht[10]. Etwas vergröbert kann man drei Verfahrensweisen erheben, wie die Zuordnung von Lebenssituation und Glaubensaussage versucht worden ist. Anschließend sollen dann die Gründe für die erkennbaren Schwierigkeiten gesucht werden.

[8] K. E. Nipkow, Christlicher Glaubensunterricht in der Säkularität. Die zwei didaktischen Grundtypen des evangelischen Religionsunterrichts, in: Evang. Erz., 20. Jg., 1968, S. 185; wieder in: ders., Schule und Religionsunterricht im Wandel. Ausgewählte Studien zur Pädagogik und Religionspädagogik, Heidelberg/Düsseldorf 1971, S. 257

[9] W. Baltin, Der biblische Unterricht zwischen Situation und Tradition, in: Die Christenlehre, 26. Jg., 1973, S. 339

[10] H. Angermeyer, a.a.O., S. 27 ff; G. Baudler, Wie sollen Lebenssituation und Glaubensinhalt miteinander verbunden werden? In: Katech. Bl., 98. Jg., 1973, S. 365 ff

a) Die Weise der Addition: Es wird über die Lebenswirklichkeit reflektiert, dann werden Glaubensaussagen angefügt. Nebeneinander stehen Lebensentwürfe der Gegenwart und der christlichen Vergangenheit, ohne daß es zu einer Nachfrage nach den dahinterstehenden Argumenten, nach den bestimmenden Größen käme. Das Verbindende ist die Situation. Es ist aber die Frage, ob sich die Schüler dadurch zu einem Dialog herausgefordert fühlen. Georg Baudler bezeichnet das Verfahren als eine Verfälschung beider Größen, eben »indem man sie auf einer mittleren Ebene zu etwas Gleichartigem stilisiert«.

b) Das Frage- und Antwort-Schema. Auch hier handelt es sich um ein Aneinanderfügen, doch nun in der Weise, daß aus einer Situation eine Frage herausgearbeitet wird; die Antwort darauf erfolgt aus einem biblischen Satz oder einer biblischen Geschichte. Hier nimmt das Bibelwort eine thematisch-normative Rolle ein, seine Verbalaussage bekommt endgültigen Charakter — ein Gespräch ist wieder kaum möglich. »Der Glaube wird letztlich als satzhafte Antwort verstanden, als ›Auskunft‹, mit der die Frage letztlich ›erledigt‹ ist« (Baudler). Man sucht kein Bezugszentrum zwischen Text und heutiger Situation, weil man das biblische Wort aus seiner Situation löst. Zu einem Dialog kann es nur dann kommen, wenn es in seiner Relation auf das gesehen wird, was ihm damals anhing, in dem damaligen Prozeß zwischen bestimmten Menschen und Gott. Nur so kann es auch als Angebot, als Frage, als Forderung an uns heute gehört werden; andernfalls ist es hartes Gesetz.

c) Die Reduzierung von Glaubensinhalten zum ethischen Beispiel. Aus der biblischen Tradition wird ein Verhalten geholt, das beispielhaft eine Möglichkeit zur Lösung eines ethischen Problems zeigt. Viele Unterrichtsmodelle haben menschliche Verhaltensweisen zum Thema. Diese werden sehr lebensnah in ihren Spannungen und Gefährdungen behandelt. Wenn dazu eine biblische Geschichte gestellt wird, dann wird diese leicht in einem passenden ethischen Aspekt gesehen bzw. einem solchen zugeordnet. Es werden nicht nur gegenwärtige soziologische Begriffe ungeschichtlich in eine frühere andersartige Situation eingetragen; zugleich wird verhindert oder erschwert zu erkennen, daß dort eine andere Dimension gemeint ist. Es erfolgt eine eigenartige »Verdünnung« (Baudler), und zwar hinsichtlich der Glaubensaussage wie oft auch bei dem Fall aus dem Lebensbereich des Schülers.

2.2. Wir fragen nun: Was fällt insgesamt auf?

Erstens: Es kommt nur sehr schwer zu einer echten Verbindung von Lebenssituation und Glaubensaussage aus der Bibel. Die Zuwendung zum biblischen Text erfolgt sehr wohl aus einer gewissen Motivation, doch kommt es selten zu einer spontanen Auseinandersetzung mit der christlichen Tradition. Kennzeichnend ist, daß man trotz des situativen Ansatzes in der Gegenwart ungeschichtlich denkt, sobald man sich mit der

Bibel beschäftigt. Der biblische Teil steht, das ist ebenfalls kennzeichnend, immer am Schluß des Lernprozesses; es folgt nichts mehr darauf, keine Rückkoppelung, keine Korrelation. Dieser von Paul Tillich geprägte Korrelationsbegriff wird zwar in der Theorie häufig gebraucht, aber selten didaktisch fruchtbar angesetzt[11]. Denn Tillich meint damit ja gerade nicht ein einliniges Frage-Antwort-Schema, er meint weder Addition noch neutrales Nebeneinander. Die Korrelation ist vielmehr erst dann möglich, wenn man »die Einheit von Abhängigkeit und Unabhängigkeit zwischen existentiellen Fragen und theologischen Antworten« erkennt und im Unterrichtsprozeß wahrt. Das bedeutet einmal: das »Material« der Frage wird unabhängig von der Antwort aus der menschlichen Situation gewonnen. Das heißt zum andern: die Antworten kann man nicht aus den Fragen ableiten, sie gehen vielmehr darüber hinaus, ja sie ändern auch Form und Richtung der Frage. Die Substanz der Antwort ist unabhängig von den Fragen — und doch wird die Antwort nun gemäß der Weise, wie gefragt wird, ausgerichtet.

Es fällt zweitens auf: Das spezifische Christliche geht in einen weiten Religionsbegriff ein. Das hängt damit zusammen, daß die menschliche Wirklichkeit als solche religiös qualifiziert wird. Man will »eine möglichst allgemeingültige Bestimmung von Begriff und Wesen der Religion« erreichen. Dann aber »bleibt nur die Möglichkeit, die ›Formenwelt des Religiösen‹ (Goldammer) auf eine letzte, vor uns liegende, fundamentale Gemeinsamkeit zu reduzieren, mithin auf die religiöse Verfaßtheit des Menschen, seine je schon a priori existential vorhandene ›Selbst-Transzendenz‹ (Tillich — Rahner) zu konzentrieren«, wie Wolfgang Esser gesteht[12].

Mit diesem anthropologisch-ontologischen Religionsbegriff arbeiten vor allem die katholischen Religionspädagogen, die den schulischen Religionsunterricht von der kirchlichen Katechese ›theologisch‹ absetzen wollen. Was alle Menschen ausweist, so wird argumentiert, ist, daß sie sich als Gefragte verstehen; darum wird auch jedem Menschen zugemutet, sich damit als religiös zu verstehen. Karl Ernst Nipkow trifft die Unklarheit der Argumentation, wenn er sagt: »Es entwickelt sich ein Theorem, das im Sinne eines ›fundamentalen Religionsbegriffs‹ zwar vor jeder christlich-theologischen Deutung von Religion angesiedelt sein soll und darum allgemeine Anerkennung zu erhalten hofft, das aber gleichwohl ohne den christlichen Denkhintergrund gar nicht zu verstehen

---

[11] P. Tillich, Systematische Theologie, Bd. II, Stuttgart 1956, S. 19 f; H. Frik, Religionsunterricht im Dialog mit Theologie und Psychologie, Stuttgart 1968, S. 22 ff; W. Jentsch, Der Einfluß Tillichs auf die Religionspädagogik der Gegenwart, in: Evang. Erz., 22. Jg., 1970, S. 345 ff

[12] G. Stachel/W. G. Esser (Hrsg.), Was ist Religionspädagogik? Zürich u. a. 1971, S. 43

ist[13].« So kann es aber eigentlich kaum mehr zu einem spannungsvollen Dialog zwischen einer anthropologischen Sicht einer Lebenssituation und der christlich-theologischen kommen. Das biblische Beispiel kann nur als Bestätigung oder als eine andere Möglichkeit neben der eigenen Auffassung stehen, aber eben ohne einen spezifisch anderen Charakter.

3. *Analyse eines Unterrichtsversuchs*

Es muß an dieser Stelle betont werden, daß der daseinsorientierte Ansatz nicht schon eine Vorentscheidung über die Geltung der biblischen Überlieferung in diesem Unterricht ist. Es gibt curriculare Lehrpläne und Unterrichtsentwürfe, denen daran gelegen ist, daß die menschliche Existenz durch die Aussagen des christlichen Glaubens erhellt wird, die also auf einen ernsthaften Dialog zielen und nicht biblische Aussagen durch ein allgemeines, etwa auch ethisch orientiertes Religionsverständnis entschärfen möchten. Wir halten uns hier an die umfangreichste Analyse eines solchen Vorhabens und stellen wieder die Frage nach der möglichen Verbindung von Lebenssituation und Glaubensaussage. Es handelt sich um Unterrichtsversuche zum Thema »Schuld und Vergebung«, die Christine Reents in einem längeren Zeitraum in verschiedenen Klassen der Grund-, Haupt- und Realschule auf der Altersstufe vor der Pubertät durchgeführt hat[14]. Das Ziel des Unterrichts war, theologische Positionen in die Fragen und Probleme der Kinder einzubringen. Die Fragestellung lautete daher: Wie weit kann zu »kritisch-produktivem Denken« erzogen werden, und können Kinder in diesem Vollzug ansatzweise theologische Aussagen von ihrer Erfahrung her verstehen und ihre Welt in der Dimension des Glaubens interpretieren? Als biblischer Text wurde die Parabel vom König, der mit seinem schuldig gewordenen Knecht Abrechnung hält, gewählt (Mt 18,23–35). Es wurden jeweils drei Unterrichtsstunden auf die Erarbeitung heutigen Verhaltens und Urteilens an einem Beispiel aus dem Lebensraum der Schüler verwendet und auf die Erarbeitung der Parabel. Formal könnte also der Eindruck entstehen, daß nach dem Schema der Addition verfahren wurde. Die Intention war aber dahin gerichtet, daß es zur Korrelation kommen sollte.

3.1. Wir fragen zuerst: Was tritt bei der Analyse der zahlreichen Versuche als typisch heraus? Wenn vom Thema ausgegangen wird, wählen die Schüler meist aus ihrer eigenen Welt ein fast banal erscheinendes Bei-

---

[13] K. E. Nipkow, Grundfragen der Religionspädagogik, Bd. 1: Gesellschaftliche Herausforderungen und theoretische Ausgangspunkte, Gütersloh 1975 (GTB 105), S. 144

[14] C. Reents, Kritisch-produktives Denken im Religionsunterricht (Handbücherei für den RU, Bd. 18), Gütersloh 1974

spiel, etwa: sich schlagen und wieder vertragen; Klatsch unter Nachbarn; einem andern die Schuld zuschieben, wenn beim Fußball eine Scheibe eingeworfen worden ist. Harte Beispiele werden aus der Bildzeitung oder aus dem Fernsehen geholt. Bei näherem Bedenken der eigenen Erlebnisse zeigt sich, daß man sich bewußt ist, daß ein vorher intaktes Verhältnis zerstört wurde. »Es ist dabei ein Wissen um eigene Schuld zu beobachten; Schüler sagen: man ist erschrocken, ängstlich oder auch ganz still. Man kann verschweigen oder ehrlich zugeben, Schuld abschieben oder in Ordnung bringen ... Es ergeben sich vielfältige Ansätze zu rationalen Lösungsmöglichkeiten. Es ergibt sich aber auch, daß Kinder keine dieser Lösungsmöglichkeiten ohne weiteres akzeptieren: ›Das vergeß ich dir nie!‹, sagt einer[15].« Im großen und ganzen wird bestätigt, was Jean Piaget feststellt: Unter Ausschaltung des Sühnegedankens geht es um »einfache Zurückführung auf die Proportionen der einfachen Wiedergutmachung und einer einfachen Gerechtigkeitsmaßnahme«. Es zeigt sich aber auch dies: »Die Barmherzigkeit und die Verzeihung gehen in den Augen vieler über die bloße Gleichheit hinaus ... Der Grundsatz: ›Was du nicht willst, daß man dir tu, das füg auch keinem andern zu‹ ersetzt die brutale Gegenseitigkeit. Das Kind stellt die Verzeihung über die Rache, nicht aus Schwäche, sondern weil man mit der Rache ›nie fertig werden würde‹ — so ein Junge mit 10 Jahren ... Ohne die Gegenseitigkeit zu verlassen, verbindet sich die Großmut — ein Charakteristikum besonders im Stadium mit 11 bis 12 Jahren — mit der einfachen Gerechtigkeit« (Piaqet)[16].

Zu ganz ähnlichen Beobachtungen kommt Volker Schmidt, der jüngst eine Studie zum Lernprozeß einer 5. Klasse bezüglich der gleichen Thematik vorgelegt hat. »Legt man Schülern einen derartigen Fall (hier: ein Schüler wird von einem Mitschüler verführt zur mißbräuchlichen Verwendung seines Sparschweins und zum Warenhausdiebstahl) vor, so engagieren sie sich zumeist dafür, daß auf die individuelle Problemlage des Betroffenen liebevoll einzugehen und der Geltungsanspruch der Konventionen hintanzusetzen sei.« Schärfer reagieren sie allerdings oft dann, wenn sie selbst mit einem derartigen Geschehen konfrontiert sind; wobei festzustellen ist, daß ihnen diese Diskrepanz gar nicht bewußt wird[17]. Natürlich erfolgt hier weithin Anpassung an das Verhalten der Erwachsenen. Kinder sehen viele Beispiele dafür, wie man passende Wege zur Wiederherstellung des Gleichgewichts zu finden sucht. Sie wissen aber

[15] A.a.O., S. 66
[16] J. Piaget, Der Gerechtigkeitsbegriff des Kindes, in: A. Flitner/H. Scheurl (Hrsg.), Einführung in pädagogisches Sehen und Denken, 2. Aufl., München 1968, S. 131 f
[17] V. Schmidt, Das Fragen nach der Schuld als Verhaltensdisposition. Studie zum Lernprozeß einer 5. Klasse, in: Evang. Erz., 27. Jg., 1975, S. 278 ff

sehr wohl auch von schwerwiegenden ungelösten Konflikten unter Erwachsenen. Als abhängige Kinder sind sie auch heute bei der Findung sinnvoller Lösungen abhängig von dem Kategoriengefüge, das ihnen angeboten wird. Das ist das erste Ergebnis dieser empirischen Unterrichtsversuche.

Hinsichtlich der gestellten Aufgabe — dies ist das zweite Ergebnis — zeigt sich ganz deutlich die Grenze, ja die Unfähigkeit zu abstrahierendem Reflektieren. In Begriffen wie »Schuld« und »Sünde« finden die Schüler nur schwer ihre eigenen Erfahrungen wieder. Man kann sich hier wohl nicht mit der Erklärung zufriedengeben, dies sei eine altersbedingte Grenze, auch wenn sich im Unterricht mit älteren Schülern, vor allem mit Gymnasiasten, bessere Möglichkeiten zeigen. Man muß vielmehr auch darüber nachdenken, wie weit kritisch-produktives Denken bei allen Menschen auf abstrahierende Reflexion ausgerichtet werden kann. Entscheidend ist und bleibt für jeden Menschen dies, daß sich mit richtigen Beispielen richtige Begriffe verbinden.

Material dazu hat schon vor Jahren eine Untersuchung von Rudolf Pohl geliefert. Er ließ kurz vor Schulabschluß Volksschüler Niederschriften zu Wortfeldern fertigen. Die zum Wortfeld »Sünde« gemachten Aussagen zeigen genau diesen prinzipiellen Mangel, z. B. in dem Satz: »Sünde fängt schon damit an, daß der Mensch als Baby in die Hosen und ins Bett macht.« Ein anderer Schüler schrieb: »Sünde ist für mich, wenn jemand stiehlt oder sonst etwas verbricht. Eine Sünde kann man durch Buße wiedergutmachen. Ein schweres Verbrechen kann man keine Sünde nennen und es auch nicht wiedergutmachen[18]!« Diese Beispiele zeigen auch die Unklarheit im Verhältnis von Sünde und Schuld. Der Begriff Sünde wird heute oft untergewichtig verwendet, weithin als Bagatelle, während mit Schuld vor allem im öffentlichen politischen Bereich harte, die Existenz bedrohende Anklagen verbunden sein können. Damit ist die Notwendigkeit einer theologischen Klarstellung unterstrichen, aber eben nicht theologisch-begrifflich, sondern in einer für Kinder einprägsam-faßlichen Weise.

Eine dritte Beobachtung führt in das Zentrum unserer Fragestellung. Wenn man prüft, was die Parabel Jesu zu den Überlegungen der Schüler beiträgt, dann muß man einmal feststellen, daß die Schüler sie unter einseitiger Betonung seiner ethischen Komponente auslegen: sich vertragen ist besser als Streit haben. Das Durchstehen eines Konflikts kommt nicht in den Blick. Ferner ist zu beobachten, daß die Gestalt des Königs in der Parabel blaß und unanschaulich bleibt. Es ist für die Schüler nicht naheliegend, sie mit Gott in Verbindung zu bringen, auch dann nicht, wenn

[18] R. Pohl, Die religiöse Gedankenwelt bei Volks- und Hilfsschülern (Beiheft von: Schule und Psychologie, Nr. 49), München/Basel 1968, S. 143

man sie darauf hinweist, daß diese Erzählung doch von Jesus stamme. Theologische Argumentationen also, etwa daß Menschen sich vertragen um Gottes willen, kommen nicht in ihr Gesichtsfeld. Christine Reents ist zur Feststellung genötigt: »Aus dieser Differenz zwischen theologischer Auslegung und dem Denken der Schüler folgt, daß aus dem Ineinander von Rechtfertigung und Ethik ein Primat zwischenmenschlicher Ethik im Unterricht wurde, denn das Gleichnis wurde primär im appellativen Sinn verstanden[19].«

3.2. Wir möchten daraus zwei Folgerungen ziehen. Erstens wird durch diese zahlreichen Beobachtungen die theologische Einsicht bestätigt: Sündenerkenntnis und Gotteserkenntnis bedingen einander. Man kann von Sünde und Schuld nicht isoliert vom Wort der Vergebung reden, nicht einmal als »Auftakt zur Botschaft von der Erlösung in Jesus Christus«, wie Walter Neidhardt meint, sondern so, daß man von der Instanz hört, die die Schuld löst[20]. Zu dieser Botschaft gehört dann, daß etwas gesagt wird davon, wie der Glaube an die Rechtfertigung in der Liebe konkret wird und sich bewähren muß. Diese theologische Einsicht ist auch pädagogisch äußerst relevant. »Gerade weil wir Kinder so moralistisch gefangenhalten, müßten wir sie im Gegenteil in der religiösen Erziehung die Befreiung von dem Druck, von diesem ganzen Netzwerk dessen, was Menschen für gut und böse halten, erfahren lassen. Worauf es in der Haltung unseres Glaubens für die Kinder ankommt, ist, ihnen zu zeigen, daß sie so akzeptiert, anerkannt, bis zum äußersten von Gott geliebt werden, daß sie ›dazugehören‹, daß sie nicht ausgeschlossen sind, daß Gott Menschen anders beurteilt, als es die Menschen tun oder die Welt« (Johanna Klink)[21]. Sie begegnen hier einem bedingungslosen Vertrauen auch auf Zukunft hin, wie es im zwischenmenschlichen Umgang kaum so radikal erfahren wird.

Der bereits genannte Unterrichtsversuch von Volker Schmidt gibt hierzu ebenfalls wieder wichtige Belege. In dreifachem Durchspielen einer Ausgangsszene kommt es endlich zu einem Angebot der Vergebung. Der Geschädigte zeigt sich bereit, dem anderen Jungen den Betrug verzeihen zu wollen. Doch wird das Angebot mit einer Klausel versehen: »Na gut, Gerd, wenn du das noch einmal machst, dann will ich nie wieder dein Freund werden.« Auf die nochmalige Frage »Willst du mich als Freund haben oder nicht?« kommt die Antwort: »Ich finde das sehr nett von ihm, daß er mir jetzt noch helfen will, nachdem das alles so geschehen ist.« Es ist der Versuch, Verzeihen zu realisieren, aber gekoppelt mit der

---

[19] C. Reents, a.a.O., S. 80
[20] W. Neidhardt, Soziologische und psychologische Aspekte der Schulderfahrung, in: Wege zum Menschen, 21. Jg., 1969, S. 106
[21] J. Klink, Kind und Leben, Zürich/Düsseldorf 1972, S. 143

Bedingung des Wohlverhaltens[22]. Bedingungsloses Vertrauen auf die Zukunft hin kann kaum aus bisher gemachten Erfahrungen der Mitmenschlichkeit herauswachsen; es bedarf einer außermenschlichen Motivation.

Die zweite Folgerung bezieht sich auf den Umgang mit biblischen Texten. Ausgehend von der Reflexion eigener Erfahrungen ist es in diesem Fall nicht gelungen, die Bedeutsamkeit biblischer Aussagen zu erkennen. Es war für die Schüler nicht naheliegend, die Gestalt des Königs und sein Verhalten mit Gott zu verbinden. Der Grund kann doch nur darin liegen, daß ihnen Erfahrungen versagt blieben, wie in der Welt der Erwachsenen Gott bei der Lösung von Schuld eine Funktion hatte. Das könnte die Vermutung bestätigen: Bildet die Auslegung eigener Erfahrungen den primären Inhalt des Unterrichts, so ist zumindest die Gefahr einer Beeinflussung der Interpretation des biblischen Wortes durch das Vorverständnis der Schüler gegeben. Ein sinnvolles Verständnis davon, daß Menschen Gott etwas schuldig sind, daß sie auf seine Vergebung angewiesen sind, von seiner Vergebung aber auch leben können, kann nur keimen und wachsen, wenn von Menschen erzählt wird, in deren Leben dies eine Rolle gespielt hat. Der junge Mensch muß nachdenken können, und zwar nicht nur über eigene Erfahrungen und über mögliche Verhaltensweisen seiner Mitmenschen, sondern auch über Erfahrungen, die ihm in der christlichen Tradition begegnen. Das ist etwas anderes, als wenn man dem Schüler entsprechende lehrhafte Aussagen durch Lernen und Wiederholen in den Mund legt.

Wir meinen aber noch einen weiteren Schluß ziehen zu sollen. Die Versuche haben auch gezeigt, daß es auf die Textwahl ankommt. Für Kinder dieses Alters ist die gewählte Parabel zu kompliziert, als daß sie zu weiterem Argumentieren ermuntert. Es ist aber darüber hinaus auch einmal zu fragen, ob es leicht ist, das von Gott Gesagte, in diesem Fall sein Umgehen mit dem Sünder, zu erkennen, wenn es in der literarischen Gestalt einer ausgedachten Parabel erscheint. Kinder hören aus Gleichnissen, gerade wenn sie nicht sehr kompliziert sind, zuerst Allgemeines, also Gemeinplätze heraus. Es ist für sie nicht leicht zu erkennen, wen oder was die Bilder im besonderen abdecken oder interpretieren sollen. Echte Lebensnähe begegnet in »wirklichen« Lebenserzählungen, und zwar solchen, die intensiv auch im Detail mit erlebbar sind. Im Neuen Testament sind es die Erzählungen von Jesu Umgang mit verschiedenen Menschen. Hier wird im Lebensvollzug ablesbar, wovon Jesus auch in Gleichnissen geredet hat. Zugleich aber löst Jesu Verhalten auch heute die Frage aus: Wer ist dieser? Welche Wirklichkeit deckt er mit seinem Reden und Verhalten auf? Zu welchen Erfahrungen verhilft er?

Die geschilderten Unterrichtsversuche unterstreichen die Einsicht: Eine

---

[22] V. Schmidt, a.a.O., S. 291 f

breite Information über die Tradition ist eine prinzipielle Notwendigkeit, und zwar in der Weise der Erzählung von Lebens- und Erfahrungsmustern aus der Tradition des Alten und Neuen Testaments. Dabei handelt es sich sehr wohl zum Teil um Fragestellungen vergangener Generationen, zum Teil aber auch um Situationen, die uns, auch Kindern, nicht fremd sind, weil sie Grundfragen menschlichen Daseins betreffen. Die Schüler können hier elementar die Fundamentalia des Glaubens kennenlernen. Sie können sie dann auch in den Gleichsnissen erkennen, wie ebenso die Gleichnisse den Hilfsdienst leisten, die Sache Gottes schärfer zu sehen, die aus Erzählungen schon bekannt ist[23]. So wie man sich in den zurückliegenden Jahren über die Bedeutsamkeit der Gleichnisreden Rechenschaft gegeben hat, sollte man darum in der Religionspädagogik nun die Bedeutsamkeit der großen erzählenden Traditionsstücke bedenken, denen es ja nach ihrem eigenen Selbstverständnis eben um die Weitergabe von Erfahrungen geht, die die »Väter« mit Gott und damit auch zugleich mit sich und ihrer Lebenswirklichkeit gemacht haben. Vielleicht fällt es heutigen Menschen gar nicht so schwer, sie zu den Grunderfahrungen ihres eigenen Lebens in Bezug zu setzen.

II. Die elementare Bedeutung der biblischen Erzählung

Wir sprechen damit nicht nur ein theologisches Grundproblem an, sondern zugleich eine Frage im Bildungsbereich. Theologisch geht es um die Vorgabe der christlichen Tradition zur Intensivierung und Thematisierung der religiösen Fragestellung; pädagogisch um die Vermittlung von Vorstellungsbildern, die dazu verhelfen, daß der Schüler den Radius seiner Möglichkeiten ausschreiten kann. Der Mensch kann seine Identität nicht allein gewinnen. Diese allgemeine Wahrheit wird zum Problem, sobald sie pädagogisch umgesetzt werden soll, sobald konkret Vorstellungsbilder vermittelt werden sollen.

---

[23] Die Parabel schafft dem Hörer eine gewisse Distanz und lehrt damit die Sache neu sehen. Aber E. Linnemann hat recht, wenn sie einen allzu engen Zusammenhang von »Bild« und »Sache« negiert. »Nur wenn die Parabelerzählung ihre Selbständigkeit wahrt, kann sie als Argument zur Sache wirksam werden.« E. Linnemann, Gleichnisse Jesu, 4. Aufl., Göttingen 1966, S. 36. Aber darin sehen wir auch eine Begründung dafür, daß sie die biblischen Erzählungen von Erfahrungen der Menschen mit Jesus als Pendant brauchen. — Zu den Verstehensschwierigkeiten bei Gleichnissen auch W. Neidhart in: W. Neidhardt u. H. Eggenberger, Erzählbuch Bibel, Zürich 1975

4. Fremderfahrung als Fremdbestimmung?

Im zurückliegenden Jahrzehnt beherrschten die Pädagogik vorrangig zwei Prinzipien, nämlich die erzieherische Aufgabe zur Emanzipation und die Orientierung der Bildung an der Wissenschaft. Auch der Religionsunterricht an den öffentlichen Schulen hat diese Tendenzen aufgegriffen[24]. Doch wenden wir uns zuerst der pädagogischen Diskussion zu.

4.1 Man hat erst spät erkannt, daß die beiden Grundsätze der Emanzipation und der Wissenschaftsorientierung in scharfer Spannung zueinander stehen können. In der Tat ließ die verobjektivierende Bestimmung durch Wissenschaft die Schule immer weniger den »Erfahrungsraum« sein, den sie darstellen sollte. Hartmut von Hentig sieht sich zu der Feststellung veranlaßt: »Wir haben in der Schule Erfahrung weitgehend durch Belehrung ersetzt. Ein großer Teil der Schulreform ist im Begriff, das Lernen durch Belehrung noch weiter zu perfektionieren. Dabei wissen wir, daß Lernen — wenn es nicht Abrichtung sein soll — der Aktivität, Spontaneität, Realität bedarf[25].« Das Verständnis der Emanzipation erfuhr dabei zugleich eine individualistische Verengung. Dagegen stellt nun Karl Ernst Nipkow die Forderung: »Freiheit muß kommunikativ buchstabiert werden[26]!« Er sieht die »Krise grundlegender Bildungsstrukturen durch geschichtsvergessenes, sinnarmes und entfremdetes Lernen, das mit persönlicher Erfahrung nicht verbunden ist«. Durch die Dominanz einer umfassenden Wissenschaftsorientierung kommt es zur »Vernachlässigung der vorwissenschaftlichen Erfahrungen der Kinder«. Das geschieht etwa in der Schule dann, wenn Bereiche der Natur im Unterricht behandelt werden. Vor allem aber kommen »vor- und außerschulisch *soziale* Erfahrungen , einschließlich der *religiösen*« zu kurz. Hier sind die beiden Erfahrungsbereiche angesprochen, der persönliche im sozialen Lebensbereich und der, den Erinnerung an Geschehenes, Vermittlung von Geschichte, erschließt. In beiden Erfahrungsfeldern bietet sich die Möglichkeit »entdeckenden Lernens«. Und eben dies muß die Schule ermöglichen, sehr oft stellvertretend für andere Erziehungsfaktoren, die dies unterlassen.

[24] Z. B. S. Vierzig, Religion und Emanzipation; ders., Thesen: Emanzipation oder absolute Werte als Zielsetzung der Religionspädagogik, in: information 3'4/1970; P. Biehl/H.-B. Kaufmann (Hrsg.), Emanzipation und Tradition, Frankfurt 1975; W. Lohff, Glaube und Erziehung (Kleine Vandenhoeck-Reihe Nr. 1392), Göttingen 1974, bes. S. 27–31

[25] H. v. Hentig, Schule als Erfahrungsraum? Einübung im Konkretisieren einer pädagogischen Idee, Stuttgart 1973

[26] K. E. Nipkow, Grundfragen der Religionspädagogik, Bd. 1: Gesellschaftliche Herausforderungen und theoretische Ausgangspunkte, Gütersloh 1975, S. 17 u. 98 f

Nun ist ohne Zweifel der außerschulische Erfahrungsraum gerade beim »entdeckenden Lernen« von besonderer Bedeutung. Die Qualität der Beziehung, die zwischen Eltern und Kindern wie überhaupt im engeren Sozialisationsfeld besteht, entscheidet weithin über die »Transportfähigkeit« von Verhaltensmustern und Problemlösungsangeboten. Doch machen neue Sozialisationsstudien auch wieder auf die Chance aufmerksam, die der Unterricht in der Person des Lehrers heute hat, und zwar gerade angesichts mangelnder Angebote zu bestimmten Primärerfahrungen im Elternhaus[27]. Diese Erfahrungsangebote in der Schule können motivierend verstärkt werden, wenn sie einerseits für die Problemlage des Kindes glaubhaft demonstriert werden und wenn sie zugleich entgegen der Anpassung an die Durchschnittsnorm individuelle Denkprozesse in Freiheit ermöglichen. Tobias Brocher spricht hier geradezu von einer »Kraft der Fremderfahrung«. Diese Erfahrung kann verschieden wirksam werden: sie kann »mich bestätigen, indem sie mir etwas bewußter macht, was bei mir da ist; sie kann mich zum kritischen Nachdenken anregen, indem ich etwas hinterfrage: sie kann mich zu neuen Einsichten befähigen«. Dabei haben es »Einsichten« immer mit dem ganzen Menschen zu tun, auch wenn das »Tun« nicht gleich erfolgen kann. Brocher unterstreicht, wie wichtig gerade in diesem Fall das offene, freie Gespräch ist, wenn er sagt: »Es bedarf dazu einer Gruppe von Menschen, die bereit ist, gegenseitig sich Realitätswahrnehmungen so mitzuteilen, daß an der Fremdwahrnehmung die bisherige Eigenwahrnehmung korrigiert werden kann[28].« Diese Kraft der Fremdwahrnehmung ist nicht immer gleich stark, sie macht auch im Laufe eines Menschenlebens Wandlungen durch. Doch besteht auch die Möglichkeit zur Korrektur frühkindlicher emotionaler Prägungen, und zwar dann, wenn auch das Neue gleichzeitig emotionale und rationale Prozesse ermöglicht. Auf diese gleichzeitige Wahrnehmung kommt es an. Wir wissen, daß sie in unserem schulischen Bildungsvorgang nicht selbstverständlich angeboten ist.

4.2. Eben darum muß sich der Religionslehrer bewußt sein, daß ihm von den Zielen und Inhalten seines Faches her Möglichkeiten zu solchen mehrdimensionalen Unterricht geboten sind. Hier soll sich »entdeckendes Lernen« vollziehen können, das nach Martinus J. Langeveld gerade in der religiösen Entwicklung eine entscheidende Rolle spielt. Er unterstreicht aber, daß diese Entwicklung nicht naturhaft vor sich geht, sondern eine Vorgabe braucht. »Damit wird eine in der christlichen Erzie-

---

[27] L. Krappmann, Konsequenzen der Sozialisationsforschung für das Lernen in der Schule, in: Neue Sammlung, 15. Jg., 1975, S. 28 f
[28] T. Brocher, Sind wir ver-rückt? Lebensprobleme des modernen Menschen, Stuttgart 1973, S. 205 u. 211

hungswelt allgemein anerkannte Wahrheit sehr deutlich ausgedrückt: es muß eine ganz neue Tatsache in das Leben des Kindes eingebracht werden. Oder das Kind muß etwas ganz Bestimmtes entdecken, das es nur entdecken kann, wenn es irgendwo für es entdeckbar gemacht wird«. Langeveld meint damit keineswegs, daß dem Kind die religiöse Überlieferung als fertige Antwort präsentiert wird. Entdeckendes Lernen bedeutet ja gerade, daß das Kind »innerhalb des Vorgelebten und Gebotenen ... weitgehend seine eigenen Wege gehen darf«[29]. Es soll suchen dürfen und dabei seine eigenen Erfahrungen einbringen. Aber es braucht die Hilfe, daß aus den Grunderfahrungen seines Lebens Glaubenserfahrungen werden. Wir sehen heute die vielen Grunderfahrungen, die Kinder und Jugendliche machen, als ein großes »Vorfeld des Glaubens« an; sie sind wesentlich für die Ermöglichung des Glaubens. Aber sie müssen eben transparent werden für Gotteserfahrungen. Zur Erfahrung muß das Wort hinzukommen, und zwar in seinen verschiedenen Weisen: als Zusprechen und Verkündigen, als Erklären und Argumentieren, als Singen, Loben, Beten, vor allem auch als Erzählen von den Glaubens- und Gotteserfahrungen anderer Menschen.

In diesem Zusammenhang ist noch ein Hinweis auf Hartmut von Hentig angebracht, der in seiner Entfaltung der »Lernziele der Gesamtschule« vor Jahren die Bedeutung der Erzählung biblischer Geschichten für die Einführung in den Glauben unterstrichen hat: »In der biblischen Geschichte nimmt diese rätselhafte Welt nun die Form einer Erzählung an, die dem Kind einen eigenen Nachvollzug, eine ihm verläßlich erscheinende Deutung der unverstandenen Verhältnisse erlaubt. Sie antwortet mit verständlichen Abfolgen und Gründen auf Fragen wie: Warum bin ich in der Welt und nicht nicht? Warum bin ich? Warum hat das Recht so oft keine Macht? Was und wer ist böse — und was und wer ist gut? Wo führt das alles hin? Kann ich geliebt werden? In der Antwort der biblischen Geschichte liegt Sinn, Beruhigung, Menschlichkeit. Sie übernimmt — wozu Erwachsene von Haus aus immer weniger den Mut haben — Verantwortung dafür, daß die Welt so ist, wie sie ist. Sie entlastet das Kind von der Notwendigkeit, für ihren Sinn aufzukommen[30].«

Man wird einer so verstandenen Begegnung mit der christlichen Überlieferung nicht den Vorwurf der Manipulation und Indoktrination machen können. Es geht um die Anerkennung der religiösen Tradition als Gesprächselement. Sie kann nicht dem Menschen gegenüberstehen als

---

[29] M. J. Langeveld, Das Kind und der Glaube, Braunschweig/Berlin 1959, S. 96 u. 28. — Aus der neueren Literatur vor allem: M. Leist, Kein Glaube ohne Erfahrung, Kevelaer 1972; L. Wachinger, Erinnern und Erzählen, Reden von Gott aus Erfahrung, München 1974

[30] H. v. Hentig, Lernziele der Gesamtschule, in: Deutscher Bildungsrat, Gutachten und Studien der Bildungskommission, Heft 12, Stuttgart 1969 S. 35 f

eine autoritäte Sache, die selbst nur Antworten gibt oder die man kritisch befragt; sie hat vielmehr eine hermeneutische Dienstfunktion, sie liefert Denkanstöße. Die Erklärung der Gemeinsamen Römisch-katholischen Synode über den RU, verabschiedet in Würzburg 1974, hat dieses Konzept (in Abschnitt 2.3.2) folgendermaßen formuliert: »Der Schüler soll nicht nur die Antworten des Glaubens kennen, aus denen die tradierten Formen erwachsen sind. Er soll auch die menschlichen Fragen und Bedürfnisse wahrnehmen und formulieren können, die den Antworten und Verheißungen der Religion entsprechen. Beides kann ein Akt der Befreiung sein: zu fragen und sich in Frage stellen zu lassen[31].«

Die gegenwärtige Diskussion in der Religionspädagogik über die Funktion des Bibelunterrichts setzt genau an dieser Stelle ein. Klaus Wegenast unterstreicht, daß es sich bei »Emanzipation« und »Tradition« um komplementäre Begriffe handelt, sie also »keine Gegensätze darstellen, sondern eher sich ergänzende Prinzipien, die sich allerdings nur dann entfalten können, wenn sie in Spannung zueinander bleiben«. Peter Biehl und Hans-Bernhard Kaufmann nehmen dies auf und betonen: Es geht gerade auch darum, den Horizont der gegenwärtigen Lebenswelt »hermeneutisch mit kritischer Erinnerung von Tradition und Antizipation zukünftigen Lebens zu vermitteln«. Darum können sie den »Vorsprung der Texte« nicht — wie etwa Ingo Baldermann — in einer Normativität der Texte an sich sehen; er komme vielmehr zur Geltung »als der nicht hintergehbare, aber rekonstruierbare Interpretationshorizont für die theologische Auslegung von Erfahrung und Wirklichkeit«[32]. Es gehe um eine hermeneutische Vorgabe, die zugleich »die Ausarbeitung von Kategorien ermöglicht, mit denen Erfahrung und Wirklichkeit strukturiert und auf gegenwärtiges Handeln hin interpretiert werden kann«. Die »didaktische Leistung« bestehe darin, daß Richtpunkte »nicht aus den gegenwärtigen Konfliktsituationen abgeleitet, sondern begründet an sie herangetragen« werden, »um die Situation zu strukturieren, die Probleme in ihrem wechselseitigen Zusammenhang durchschaubar zu machen und um sie theologisch interpretieren zu können«.

Es hat sich zugleich gezeigt, daß biblische Erzählungen auch insofern eine didaktische Leistung vollbringen, als an ihnen die Grundstrukturen

---

[31] Herder-Korrespondenz, 29. Jg. (Heft 9/1975), S. 466. Text zu beziehen u. a. über: Arbeitsgemeinschaft Synodalbüros, Augsburg, Jesuitengasse 21

[32] K. Wegenast, Die Bedeutung biblischer Texte für den RU, in: Evang.-Theologie, 34. Jg., 1974, S. 329; P. Biehl/H.-B. Kaufmann, Die Bedeutung der biblischen Überlieferung und ihrer Wirkungsgeschichte für den RU, ebd. S. 335 ff; I. Baldermann, Der Vorsprung der Bibel, in: N. Schneider (Hrsg.), Religionsunterricht — Konflikte und Konzepte, Hamburg/München 1971, S. 57 ff; ebenfalls in: I. Baldermann/G. Kittel, Die Sache des RU, Göttingen 1975, S. 69 f

menschlicher Existenz und ihres Wandels klar und überschaubar vorgeführt werden. Schüler können sie bei der Interpretation von Bibelgeschichten meist genügend eindeutig erkennen, während sie bei der Besprechung von Situationen der eigenen Zeit durch deren Komplexität verwirrt werden. Sie können dann auch ihre eigene Situation in ihrem religiösen Bezug deutlicher zur Sprache bringen[33].

Beschäftigung mit der Bibel in diesem Sinne ist also nicht Rückbesinnung, sondern etwas, was als Angebot der Zukunft auf den Menschen zukommt. Er erhält mit der »Vorgabe der Bibel« für sich und seine Mitmenschen eine »Vorgabe« im Sinne einer Verheißung. Es begegnen ihm ja nicht nur Erfahrungen, in denen er seine eigenen Erfahrungen und Probleme wie in einem Spiegel erkennen kann. Er sieht zugleich wie durch ein Fenster andere Erfahrungen und Lebensmöglichkeiten vorgestellt.

Nach solchen Möglichkeiten greift der Mensch auch mit seiner Phantasie. Er nimmt in ihr — spielend — vorweg, was anders sein kann und anders werden soll und was damit den Bann dessen sprengt, was ist. Die Phantasie stellt sich auch Gewesenes vor, um darin Neues für Gegenwart und Zukunft zu finden. Ernst Lange sprach darum davon, daß der Glaube zu seinen Träumen in einem Zustand der gesteigerten Wachsamkeit kommt, den er als »gespanntes Verhältnis zur Wirklichkeit« umschrieb. Menschen in der Gemeinde, sagte er, können so helfen, »daß in der Wirklichkeit des Alltags der Glaube *offenbleibt* für das Kommende und das Kommende für den Glauben«[34]. Man »sieht« mehr — dabei ist dieses »Träumen« realitätsbezogen!

Wir sprechen damit etwas an, das noch genauer bedacht sein will, und zwar vor allem gerade hinsichtlich der Form und Gestalt, in der die Begegnung mit Erfahrungen in der Bibel erfolgen kann.

5. Der Vorrang des Narrativen im Religionsunterricht

Heinz Zahrnt hat u. a. darauf hingewiesen, daß die Erfahrung in den letzten Jahren eine theologische Aufwertung erhalten hat. Da die Form der Mitteilung von Erfahrung die Erzählung sei, könne sie theologisch nur als narrative Theologie Gestalt gewinnen. Er qualifiziert sie nach der proklamativen Theologie Karl Barths und der gesellschaftspolitisch aktiv orientierten appellativen Theologie als drittes Stadium in der

---

[33] Darauf hat vor allem hingewiesen F. Uplegger, Religionsunterricht — Mißerfolg und Wiederherstellung, Gütersloh 1971, S. 52 f

[34] E. Lange, Chancen des Alltags (Handbücherei des Christen in der Welt, Bd. VIII), Stuttgart/Gelnhausen 1965, S. 253 f. Vgl. dazu: R. Bohren, Predigtlehre, 3. Aufl., München 1971, S. 272 ff mit dem Verweis auf A. Schlatter S. 273 f

Nachkriegszeit, und zwar im Sinne einer »neuen Erfahrungstheologie«[35].

Im Bereich der Homiletik haben sich vor Jahren bereits Rudolf Bohren und Hans-Rudolf Müller-Schwefe damit auseinandergesetzt und nach den spezifisch gegenwärtigen Bedingungen und Merkmalen »predigenden Erzählens« gesucht[36]. Beide unterstreichen, daß »predigendes Erzählen« zur Grundstruktur der Predigt gehört und damit heute also an ein großes Erbe angeknüpft wird. Das spezifische Profil in der Gegenwart sei besonders in der Subjektivität des Erzählers als des Gestalters der Erzählung zu sehen. Gerade dieser Gesichtspunkt ist auch für die Religionspädagogik wieder höchst bedeutsam geworden. Zuvor sollen aber zwei andere Probleme erörtert werden, die ebenfalls in diesem Zusammenhang geklärt werden müssen.

5.1. Die Spannung zwischen Erzählung und der an exegetischen Methoden orientierten Textauslegung. Es stellt sich nämlich die Frage nach dem Verhältnis des Narrativen zur historisch-kritischen Forschung. Durch die Anwendung der Methoden der Literarkritik, durch die Erforschung von Tradition, Redaktion wie der sprachlichen Gattung wird die Rolle der Narratio bei der Entstehungsgeschichte biblischer Texte bewußt. Jeder Erzähler hat seine eigenen Erfahrungen wie die Erfahrungen der Gemeinden eingebracht und sie dadurch pointiert, ergänzt und mit anderen Traditionen verknüpft. Zugleich ist deutlich geworden, daß narrative Elemente in den verschiedensten Arten des Redens und Schreibens wiederkehren. Darum darf »narrativ« auf keinen Fall mit der konkreten Gattung der Erzählung gleichgesetzt werden. »Der Begriff setzt viel tiefer an«, unterstreicht Gerhard Lohfink[37]. Bei der Frage, in welchem Verhältnis die drei vorherrschenden Sprechweisen, die Argumentatio, Appellatio und Narratio, zueinander stehen, kommt der Narratio die »Primärfunktion« zu; denn in ihrem innersten Zentrum ist die christliche Sprache Erzählung. Allen vier Evangelien geht es in erster Linie um das Christus*geschehen*, einfach deshalb, weil die ursprüngliche Botschaft Bekenntnis der Heilstaten Gottes in Jesus Christus gewesen ist, also von Anfang an narrativen Charakter hatte. Lohfink verweist auch auf den engen Zusammenhang zwischen der narrativen Struktur der Briefe und der Evangelien. So tauchen im Römerbrief mehrmals narra-

[35] H. Zahrnt, Religiöse Aspekte gegenwärtiger Welt- und Lebenserfahrung. Reflexionen über die Notwendigkeit einer neuen Erfahrungstheologie, in: Zeitschr. f. Theol. u. Kirche, 71 Jg., 1974, S. 113

[36] R. Bohren, Predigtlehre, München 1971; H.-R. Müller-Schwefe, Die Praxis der Verkündigung, Homiletik, Bd. 3, Hamburg 1973

[37] G. Lohfink, Erzählung als Theologie. Zur sprachlichen Grundstruktur der Evangelien, in: Stimmen der Zeit, 99. Jg., 1974, S. 522. Dort viele Literaturhinweise

tive Texte auf. Auch die Bekenntnisformeln haben narrative Struktur, ebenso die Appellationen, etwa Phil 2,5 die Forderung, demütig zu leben. Man dürfte aber ebensowenig die Hymnen im Neuen Testament vergessen. Auf narrative Elemente im Alten Testament hat bekanntlich schon Gerhard von Rad hingewiesen[38].

»Narrativ« meint also primär dies, daß im christlichen Glauben ein Geschehen mitgeteilt wird, unabhängig von der Form. In jedem Fall erfolgt diese Mitteilung in sprachlichen Modellen, die in einer Situation der Glaubenserfahrung beheimatet sind; sie antworten auf Situationen des Glaubens oder führen diese direkt aus. Dabei ist von besonderer Bedeutung, daß verschiedene Sprachakte des Glaubens begegnen, solche des Vertrauens, aber auch des Zweifelns, solche des Klagens und des Bittens wie des Lobens und Jubelns. Zugleich werden auch verschiedene Sprechweisen vermittelt, z. B. sprachliche Bilder und Symbole des Glaubens[39]. Worin liegt nun die besondere Bedeutung dieser kurz skizzierten Einsichten für den Religionslehrer? Hier ist daran zu erinnern, daß in den letzten Jahren — jedenfalls zum Teil bewußt — das Erzählen in den Hintergrund gestellt worden ist. Die neuen Religionsbücher sind als Arbeitsbücher für den Schüler gestaltet. Eine Grundform des Unterrichts ist die Textinterpretation, für die oft Informationen und Erläuterungen beigefügt sind[40]. Damit sollen Verstehensschwierigkeiten aus dem Wege geräumt werden. Um so mehr besteht nun aber die Aufgabe des *Lehrers* darin, den Schülern zur Wahrnehmung zu helfen, daß hinter dem »Text«, hinter dem Sprachgebrauch Lebenssituationen und Lebensformen stehen. Diese schließen ein sinngebendes Subjekt ein: Gott dringt mitten hinein in den Alltag der Menschenwelt, um überall den Menschen aufzusuchen und ihm nahe zu sein.

Im Zusammenhang damit wird nun die Forderung von Günter Kegel bedeutsam, die biblischen Geschichten »unkerygmatisch« zu erzählen, jedenfalls zuerst nur geschichtswissenschaftlich Gesichertes mitzuteilen[41]. Vor allem in der Grundschule solle das Kind einzig mit den entsprechenden Sachverhalten vertraut gemacht werden, die den biblischen Texten zugrunde liegen — in diesem Fall sehr wohl in Erzählform. Die eigent-

---

[38] G. von Rad, Theologie des Alten Testaments, Bd. 1, München 1957
[39] Dazu u. a. A. Grabner-Jaider, Sprechen und Glauben. Ein sprachanalytischer Beitrag zur Theorie und Methode des Religionsunterrichts, Donauwörth 1975
[40] Dazu H. Schultze, Das Religionsbuch, in: E. Feifel u. a. (Hrsg.), Handbuch der Religionspädagogik, Bd. 2, Gütersloh/Zürich 1974, bes. S. 121 f
[41] G. Kegel, Vom Sinn oder Unsinn biblische Geschichten zu erzählen, Gütersloh 1971, S. 44 u. a. Man muß hier auch an die »Vorformen« dieser Intention denken, nämlich an die Zerstörung der Erzählungsgestalt durch ständiges Einfließen belehrender exegetischer Erläuterungen, wie sie z. B. in einigen Erzählbeispielen in der Reihe »Handbücherei für den Religionsunterricht«, Gütersloh 1965 ff zu beobachten ist

lichen biblischen Geschichten dagegen solle der Schüler erst in späteren Jahren kennenlernen, nämlich dann, wenn er genügend im historisch-kritischen Umgang mit Texten vorgebildet ist. Hier werden zwei Motive wirksam. Einmal begegnet uns in der Schule eine Generation, der in noch stärkerem Maße als früheren die Kenntnisse über die Welt der Bibel fehlen. Darum wird nun der notwendige Informationshintergrund in besonderen thematisierten Lerneinheiten erfaßt. Es besteht kein Zweifel darüber, daß diese Lernziele positiv zu bewerten sind. Die kritische Frage richtet sich darauf, ob man lange Zeit hindurch die Verklammerung von Geschichte und Kerygma verborgen halten kann, indem man die situativen Kenntnisse völlig getrennt von inhaltlichen biblischen Aussagen vermittelt.

Das zweite Motiv hängt damit zusammen: Es ist die Abwehr eines zu naiven und damit falschen Verständnisses biblischer Aussagen. Bei der Neukonzeption der Lehrpläne sind darum auch Überlegungen über die altersgerechte Zuordnung von Inhalten zu bestimmten Lernzielen wirksam geworden[42]. Es soll vermieden werden, daß naheliegendes unrichtiges Verständnis noch im Unterricht verstärkt bzw. bestätigt wird. Freilich haben neuere Untersuchungen wieder gezeigt, daß exegetische Einsichten nur in begrenztem Maße für das Verständnis von Texten wirksam werden, vor allem bei Hauptschülern. Sie behalten deutlich eine Dienstfunktion; der Lehrer wird sie vor allem zur Überholung von Mißverständnissen irrationaler Art einsetzen[43]. Fragwürdig werden aber solche Entscheidungen, die wissenschaftsorientiertes Verstehen — das jeweils ja auch relativ und subjektiv ist — zur *conditio sine qua non* für die Begegnung der Schüler mit biblischen Texten machen.

Eben dagegen richtet sich Johann Baptist Metz mit seiner Forderung, »das Erinnerungs- und Erzählungspotential des Christentums nicht aus lauter Angst vor Unwissenschaftlichkeit zu verstecken und zu leugnen, sondern es zu schützen und in neuer Weise zu mobilisieren gegen den Bann einer vermeintlich postnarrativen Zeit«[44]. Er macht auf den Zu-

---

[42] Beispiel aus dem (vorläufigen) Curricularen Rahmenplan für den evang. RU an der Hauptschule in Bayern, München 1972: Im 6. Jahrgang sollen Wundererzählungen und Kindheitsgeschichten Jesu »in nachösterlicher Sicht« besprochen werden; sie erscheinen im Lehrplan deshalb auch nach Passionsgeschichte und Ostererzählungen

[43] Dazu u. a. U. Becker, Überlegungen zu einer methodischen Einführung in die Kunst des Verstehens biblischer Texte im RU, in: K. Wegenast (Hrsg.), Theologie und Kirche, Festgabe für Hans Stock, Gütersloh 1969, S. 247 ff; H. Angermeyer, Zur Funktion der Bibel im thematisch-problemorientierten RU, in: W. Andersen u. H. Angermeyer (Hrsg.), Kontinuität im Umbruch, Theologische Aufsätze von Mitarbeitern an der Augustana-Hochschule, München 1973, bes. S. 264 ff

[44] J. B. Metz, Kleine Apologie des Erzählens, in: Concilium, 9. Jg., 1973, S. 335

sammenhang zwischen Erzählung und Erfahrung aufmerksam: »Eine Theologie, der die Kategorie des Erzählens abhanden gekommen ist oder die das Erzählen als vorkritische Ausdrucksform theologisch ächtet, kann die ›eigentlichen‹ und ›ursprünglichen‹ Erfahrungen des Glaubens nur abdrängen in die Ungegenständlichkeit und Sprachlosigkeit ... Dadurch wird aber die Erfahrung des Glaubens selbst unbestimmt, und ihr Inhalt wird dann ausschließlich in der Sprache der Riten und Dogmen festgehalten, ohne daß die darin zur Formel gewordene Erzählgestalt selbst noch die Kraft des Austausches von Erfahrungen zeigte.« Seine Sorge ist also die, daß ohne die Erzählung die Erfahrung des Heils sprachlos bliebe; denn die Erzählung repräsentiert lebendige Erfahrung, der man einst schon die eigene Erfahrung hinzugefügt hat und die ebenso den Dialog mit heutigen eigenen Erfahrungen ermöglicht. Die Erzählung unterscheidet sich damit vom Bericht. Ein Bericht ist etwas Abgeschlossenes – die Erzählung hingegen lebt.

Nun darf auch Metz nicht einseitig interpretiert werden. Unsere Frage nach dem Verhältnis des Narrativen zu einem historisch-exegetisch orientierten Umgang mit biblischen Texten ist darum so zu beantworten: Das Hauptanliegen der Narratio schließt nicht Lernziele aus, die über Sachverhalte informieren und zum Verständnis der Sprache und der Gestalt der Überlieferung verhelfen. Solche Lernziele sind geradezu notwendig, damit man heute biblische Überlieferungen hören kann. Aber damit ist auch schon unterstrichen, daß solche Lernziele die Begegnung mit der Narratio nicht aufheben können; denn diese ermöglicht erst, daß der Hörer sich in ein Verhältnis zu ursprünglichen Erfahrungen des Glaubens setzen kann.

5.2. Das zweite Problemfeld betrifft die Spannung zwischen Erzählung und kritischem Denken. Hier geht es u. a. um die Auseinandersetzung mit der Linguistik. Harald Weinrich z. B. sieht im Erzählen eine charakteristische Verhaltensweise des Menschen gegenüber der Welt. Bei ihm verbinden sich Einsichten in die Bedeutung der Tempora bei der Sprechhaltung mit entwicklungspsychologischen Aussagen, wenn er feststellt: »Das Kind soll gerade lernen und lernt mit der Zeit, an einer Welt Anteil zu nehmen, die seiner Einwirkung entzogen ist. Es lernt damit, den Kreis seiner Sympathie weiter zu ziehen, als durch die nahe Bedürfnissphäre vorgezeichnet ist.« Doch kommt er nun zugleich zu einem Gegensatz von Erzählung und Reflexion. Er beklagt, daß das Erzählen des Christentums seit der Antike durch das »Räsonieren und Diskutieren, das Ergotieren und Theoretisieren« verdrängt worden sei[45]. Es wäre leicht, aus der Geschichte der christlichen Kirchen die Einseitig-

---

[45] H. Weinrich, Tempus. Besprochene und erzählte Welt, 2. Aufl., Stuttgart 1971, S. 18 ff; ders., Narrative Theologie, in: Concilium 9. Jg., 1973, S. 329 ff

keit der »Feststellung« Weinrichs zu widerlegen. Wir greifen die aktuelle Frage auf: Wie stehen Narratio und Reflexion zueinander? Stellt sich Erzählen der Erfahrungen gegen kritisches Denken?

Auch dazu hat sich Metz geäußert, indem er im Blick auf die Gegenwart die Frage stellt, ob es nicht »Erzählungen mit öffentlicher, gewissermaßen gesellschaftskritischer Reizwirkung, ›gefährliche Geschichten‹ also« gebe. Er wendet sich aber auch prinzipiell dagegen, Erinnern und Erzählen gegen Argumentieren ausspielen zu wollen; im Blick auf eine Theologie des Heils jedoch meint er, sie »kann nicht rein argumentativ, sie muß immer *auch* narrativ expliziert werden«. Es geht ihm dabei wohl als katholischem Theologen auch um die entsprechende Relativierung der argumentativen Theologie seiner Kirche. Doch spricht er zugleich von der Aufgabe, die »erzählende Erinnerung ... kritisch in der argumentativen Unterbrechung aufs Spiel zu setzen«. Er nennt auch Fragen, die diese »Apologie des Erzählens« aufwirft, z. B.: »Was bedeutet die Einführung der Narrativität für die Frage des ›historischen Jesus‹[46]?«

Auch Lohfink geht auf diese Fragestellung ein. Ihm ist ebenfalls daran gelegen, daß nicht der Eindruck entsteht von einer Abwertung der Aufgabe der Argumentation. Deshalb unterstreicht er, daß die Argumentation in der Theologie einen sehr großen Platz einnehmen müsse. Doch stoße jede Denkbewegung irgendwo an eine Grenze, nämlich dort, wo sie auf das einmalige Handeln Gottes trifft: »An dieser Stelle angekommen, kann die Theologie nicht mehr *argumentiv*, sondern nur noch *narrativ* sprechen[47].« Wenn wir die Brücke zum Religionsunterricht schlagen, so ist deutlich, daß in diesem Fall die beiden didaktischen Grundtypen angesprochen sind. Es geht im bibelzentrierten wie im thematisch orientierten Unterricht um die Aufgabe, zu kritisch-produktivem Denken zu erziehen. Kritisches Denken meint dabei: Urteil aus dem prüfenden Vergleich. Produktivität bedeutet, etwas zu finden, was vom subjektiven Stand des Lernenden neu ist[48]. Produktives Lernen braucht vor allem anspornende Ausgangspositionen; es müssen Fragestellungen und Problemfelder begegnen, die den Schüler herausfordern. Das gilt natürlich auch hinsichtlich der weiterführenden Vermittlungshilfen. Zu kritischem Argumentieren eignen sich darum solche Formen der »Information«, die rationale und affektive Elemente gleichermaßen enthalten. Das trifft in besonderem Maße dann zu, wenn die mitgeteilten Erfahrungen stark biographisch strukturiert sind. Sie haben die Kraft, daß man in sie »verstrickt wird« (Müller-Schwefe). Wirksam ist dabei die

---

[46] Metz, a.a.O., S. 337 u. 339
[47] Lohfink, a.a.O., S. 529
[48] Dazu C. Reents, Erziehung zum kritisch-produktiven Denken im RU der Grund- und Orientierungsstufe. Theoretische Grundlegung, Gütersloh 1974, S. 123 f

»biographische Dimension« sowohl der Geschichte des einzelnen als auch der einer Gemeinschaft, die Geschichte eines Problems ebenso wie einer Redeform[49].

Der Religionsunterricht bewegt sich heute seinem eigenen Verständnis nach stark in der biographischen Dimension, wenn es darum geht, Lebenssituationen zu erheben und zu bedenken. Das wird besonders deutlich an einigen Schulbüchern für die Grundschule[50]. Wichtig ist, daß diese Form durchgehalten wird im Unterricht mit älteren Schülern, gerade wenn sie »neutrale, sachliche Information« fordern. Denn wenn »Information« in einer neutralisierten, auf Normen und Thesen reduzierten Weise erfolgt, entspricht sie nicht mehr dem Leben, beinhaltet sie nicht mehr Erfahrungen — und kann dann auch nicht zu kritischem Umgang mit diesen Erfahrungen herausfordern. Wenn Jugendliche über das Leben nachdenken und diskutieren, dann geschieht das im Grunde immer biographisch orientiert, auf eigene Erfahrungen bezogen. Auch über Gott können sie nur so nachdenken. Darum kommt es so sehr darauf an, Probleme wie Lösungsversuche sowohl aus dem gegenwärtigen Leben wie aus Lebensentwürfen der Tradition in ihrer narrativen Gestalt in den Unterricht einzubringen. Der biblischen Narratio kommt dabei zugute, daß sie weder rational kopflastig noch einseitig emotional überfrachtet ist. Sie nimmt den Schüler in seiner Fähigkeit zu kritischem Argumentieren ernst, weil ihm in diesen erzählten Lebensprozessen immer wieder Argumente begegnen, Argumente des Glaubens wie des Unglaubens, des Vertrauens wie des Zweifelns; Glaube wird also auch an keiner Stelle von der Vernunft isoliert. Zugleich spricht die biblische Narratio aber auch Ebenen an, die neben, »über« bzw. »unter« der der Vernunft liegen. Deshalb ist möglich, daß sich das ereignet, was Zahrnt als typisch für die narrative Theologie bezeichnet: »Der Zeitgenosse wird eingeladen, sich als aktiver Partner an einem gemeinsamen Erfahrungsaustausch zu beteiligen und seinerseits die von ihm gemachten — gleichen oder gegenteiligen — Erfahrungen mit Gott und der Welt auszusprechen[51].« An dieser Stelle könnte deutlich werden, daß es sich bei der sog. »Narrativen Theologie« eigentlich nicht um eine neue »Theologie« handelt, nicht um ein neues Konzept neben dem der »Theologie der Hoffnung« oder der »Theologie der Revolution« usw. Denn wenn sie den Anspruch erhebt, die Grundform der Aussage und der Weitergabe christlicher

---

[49] H.-R. Müller-Schwefe, Die Praxis der Verkündigung. Möglichkeiten geistlicher Rede in unserer Zeit, Hamburg 1973, 133—156. Dazu: E. Rau, Leben — Erfahrung — Erzählen, in: WPKG, 64. Jg., 1975, S. 342 ff

[50] Als hervorragendes Beispiel gilt hier das Religionsbuch für die Grundschule »Wie wir Menschen leben«, Heft 1—4, Freiburg; für die Vorschulerziehung: H. May, Religion im Kinderzimmer? Frankfurt 1973

[51] Zahrnt, a.a.O., S. 113

Glaubenserfahrung zu sein, muß ihr jede Theologie entsprechen[52]. Darum wird es (hoffentlich!) auch nicht dazu kommen, von einem »narrativen Religionsunterricht« zu sprechen. Wenn Klaus Schilling von einer »narrativen Struktur« des Religionsunterrichts redet, geht es ihm genau um das Einführen des Narrativen als grundsätzliches und damit auch kritisches Element. Er wendet sich damit einerseits dagegen, daß der Unterricht einseitig »kopflastig, handlungsorientiert oder emotional überfrachtet« ist. Andererseits »darf die grundsätzlich narrative Struktur nicht so verstanden werden, als wenn nun jede einzelne Stunde, jedes Unterrichtselement narrativ sein müsse. Vielmehr ist erforderlich, das *Gesamt des Religionsunterrichts* danach auszurichten. Dem widerspricht nicht, wenn Stunden oder Unterrichtseinheiten u. U. primär z. B. argumentativ sind. Gerade die Tatsache, daß Narrativität eine umfassende Vermittlungsform ist, macht es ja erforderlich, alle Fähigkeiten des Schülers zu berücksichtigen«[53].

6. Der gegenwärtige Erzähler

Es wurde bereits darauf hingewiesen, daß in der narrativen Theologie eine Bezugsgröße starkes Gewicht bekommt, der auch in der Religionspädagogik immer mehr an Verantwortung zufällt: es ist der Erzähler, der Lehrer qua Person. Ihn kann in seiner theologischen wie pädagogischen aktiven Verantwortung keine Institution abdecken. Er ist in seiner eigenen Existenz gefordert — und zwar von den Schülern wie von der »Sache«. Er ist der Vermittler der Erfahrungen der christlichen Tradition. Wie, in welcher Weise ist er als Subjekt betroffen und beteiligt?
6.1. In einer interessanten Analyse über die biographische Verstrickung in Geschichten, die man selbst liest, kommt Eckhard Rau anhand des Buches von Harvey Cox »Verführung des Geistes« zu der Frage, ob es bereits durch Besprechung einer Erzählung zum Austausch von Erfahrungen komme[54]. Wird Erfahrung durch Besprechung mitteilbar? Ist die Besprechung gar an die Stelle der Nach- und Neuerzählung getreten? Er möchte diese Fragen insofern mit »Nein« beantworten, als die Besprechung ausschließlich Angelegenheit des Erzählers bleibt; zugleich aber mit einem bedingten »Ja«, wenn sich der Hörer an der Besprechung beteiligt. Denn der Dialog ist Voraussetzung für den Austausch von Erfah-

---

[52] Dazu u. a. Rau, a.a.O., S. 335: »Eine narrative Theologie, scheint mir, ist eine contradictio in adiecto«. K. Schilling, Narrative Theologie und Religionsunterricht, in: Katechetische Bl. 100. Jg., S. 266, spricht von einer »narrativen Vermittlungsstruktur«

[53] Schilling, a.a.O., S. 267

[54] Rau, a.a.O., S. 342 u. 354; H. Cox, Verführung des Geistes, Maßstäbe des Menschlichen, Bd. 7., Stuttgart 1974, bes. 7–18

rungen. Und doch kommt er dann zu der Feststellung, daß die bloße Beteiligung an der Besprechung von Erzähltem noch kein Austausch von Erfahrungen sei. Er sagt: »Ich bin, wenn ich das Buch von Cox besprechend weitererzähle, mit meiner Erfahrung, wenn überhaupt, so doch nur sehr indirekt beteiligt. Zum wirklichen Austausch von Erfahrungen kommt es erst, wenn ich mich durch die Erzählungen des anderen zum Erzählen der eigenen ›Autobiographie‹ provozieren lasse. Seine Erzählungen bringen meine Erfahrungen zum Schwingen.« Wenn er im
zählungen bringen meine Erfahrungen zum Schwingen.« Wenn er im
Anschluß an Müller-Schwefe nun sogar von »Autobiographie« spricht, dann ist für ihn dabei dies entscheidend: Das Erzählen »speist sich am Nächsten ... In dem Maße, wie ich hörend und erzählend mein Leben erschließe und am Leben anderer partizipiere, erweitere ich meine Erfahrung. Sie beginnt, sich auf mehr als nur das Nächste zu beziehen. Sie verwandelt Information zurück in den Stoff, aus dem sie sich speist. Und ich entdecke als Erzählung, was ich mir bisher dadurch vom Leibe gehalten habe, daß ich ihm die Gestalt der Information gab«. Diese letzten Erkenntnisse scheinen mir die entscheidenden zu sein, wenn es um Erzählen biblischer Tradition geht. Rau kommt in seinen Überlegungen hinsichtlich der Wirkungsgeschichte einer Erzählung ja bis dahin, daß die ursprüngliche Erzählung ganz zurücktritt. Dies ist im Religionsunterricht nicht unsere Absicht; wir wollen zur Begegnung mit der tradierten Erfahrung führen. Aber da gilt eben doch dies gleiche: diese Erfahrung kann uns nur nahekommen als erzählte Erfahrung — und dazu muß sich der Erzähler mit seiner Erfahrung dieser anderen Erfahrung stellen.

So wird unser Problem konzentriert auf die Person des heutigen Erzählers. Wir versuchen die Klärung in zwei Schritten.

6.1 Auf jeden Fall muß gelten: Auch das Erzählen biblischer Geschichten ist nicht ein Weiter-Erzählen, sondern immer ein Neu-Erzählen. Verbale Rede von Gott ist in der Schrift stets situationsbezogen. Sie muß erst neue, aktuelle Relevanz gewinnen. Dazu muß der Erzähler sein Ich zugeben, wenn er Erfahrungen anderer weitererzählen will; andernfalls erzählt er überhaupt nicht, sondern macht aus der tradierten Erzählung eine indirekte Mitteilung. Damit werden einige Versuche unmöglich, weil ungenügend:

a) Der vor Jahren beliebte Rückzug auf historische Überlieferungssituationen, z. B. »der Evangelist Lukas berichtet ..., der Gottesmann erzählt«. Damit hat man die Sicherstellung der Objektivität des Unterrichts genau an der falschen Stelle versucht; die Fixierung auf einen früheren »Zeugen« hat zuerst einmal eine Entfremdung verursacht bzw. verstärkt.

b) Dahinter stand zum Teil das Vertrauen auf die Wirkkraft der biblischen Sprache als solcher. Ingo Baldermann hat ohne Zweifel eine richtige Beobachtung aufgegriffen, als er auf die Zusammengehörigkeit von Form und Inhalt verwies und auf die sprachliche Bewegung in jedem Text, die auf ein dialogisches Geschehen zielt[55]. Doch besagt die Tatsache, daß ein Text zu bestimmten Zeiten beredt war, nicht ohne weiteres, daß er es immer in der gleichen Intensität ist. Die heutige Aufgabe kann darum nicht nur in der Entfaltung der »Dichte der Sprache« bestehen. Erzählung muß durch einen Erzähler weitergegeben werden, und dessen Aufgabe ist nicht nur die Berücksichtigung der sich wandelnden Verstehensvoraussetzungen.

c) Man erinnert sich darum heute wieder der ausführlichen, erlebnisstarken Erzählweise früherer Generationen, vor allem des Erlebnisunterrichts. Ziel war damals, die Intuition und Phantasie der Kinder anzusprechen und so nachempfindende Erlebnisse auszulösen. Der personale Bezug zwischen Lehrer und Schülern hatte die Funktion »religionserzeugenden« Geschehens. Diese Tendenz zu einer Akzentuierung der Religiosität gegenüber der Religion bestimmte den Umgang mit biblischen Erzählungen; im Grunde ging es um psychologische Einfühlung in die tradierten Erlebnisse, bestimmt vom eigenen religiösen Empfinden, also gewiß nicht im Sinne einer bewußten kritischen Auseinandersetzung. Nicht zuletzt mußte damals der Erlebnisunterricht an der einseitigen Kultivierung des Emotionalbereichs scheitern, die jeden »kognitiven Kern der Bewertung« (Weber) vermied[56].

Vor Jahren schon hat Erich Bochinger die Situation und damit zugleich die Aufgabe treffend gekennzeichnet in der Formel »Distanz und Nähe«[57]. Er kommt darauf innerhalb des Sprachproblems, in dem uns die Wirklichkeit Gottes begegnet. Ihm geht es jedoch nicht so sehr um die zeitliche, sondern vielmehr um die innere Distanz des Menschen. Er kann eigentlich immer nur in eine »gebrochene Nähe« kommen, sofern er sich die Distanz bewußt macht und sie auf keine Weise zu überspielen versucht. Nur auf diesem Wege kann man auch die Nähe dieser Wirklichkeit erfahren: sie stellt vor Unerwartetes, Besonderes und »eröffnet neue Perspektiven des Denkens, Fragens, Zur-Kenntnis-Nehmens«. Das ist aber nur persongebunden möglich. Der Religionslehrer muß sich der Tradition stellen. »Er kann und er muß sie anfragen. Sie antwortet — stau-

[55] I. Baldermann, Biblische Didaktik. Die sprachliche Form als Leitfaden unterrichtlicher Texterschließung am Beispiel synoptischer Erzählungen, Hamburg 1963; ders., Der biblische Unterricht, Braunschweig 1969

[56] E. Weber, Emotionalität und Erziehung, in: R. Oerter u. E. Weber (Hrsg.), Der Aspekt des Emotionalen in Unterricht und Erziehung, Donauwörth 1975, bes. S. 72

[57] E. Bochinger, Distanz und Nähe. Beiträge zur Didaktik des RU, Stuttgart 1968, S. 32 u. 34

nenswerterweise — so, daß sie auf die Fragen eingeht ... Bleibt der Mensch in seiner Fragehaltung offen, so eröffnen sich ihm neue Perspektiven. Zugleich bleibt die Wirklichkeit offen für die Entdeckung neuer Möglichkeiten.« Auch damit ist wieder deutlich: er kann die Erzählung von den biblischen Erfahrungen nicht ungebrochen weitergeben; er kommt zu einem Neu-Erzählen, denn beim Reden von Gott geht es immer um unsere Wirklichkeit.

6.2. Damit stellt sich verstärkt noch einmal die Frage: In welcher Weise soll das Ich des Erzählers in Funktion treten? Will er nun eigentlich von sich erzählen, von seinen Lebens- und Glaubenserfahrungen, oder will er die Erfahrungen der Menschen der Bibel erzählen, aber eben *er* als der *Erzähler*? Wie soll und kann er seinen eigenen Durchgangsprozeß durch »Distanz und Nähe« wirksam werden lassen in der Erzählung? Denn auf keinen Fall soll er ja eben nur behaupten, daß das Wort der biblischen Botschaft uns je in unserer Situation ansprechen kann, sondern erkennen lassen, in welcher Richtung das geschieht. Die oben schon behandelte Frage nach der hermeneutischen Vorgabe ist also nicht »nur theoretisch« eine Grund-Frage[58]! Die Schärfe der Problemstellung tritt bei dem Vergleich von zwei Positionen, die durch praktische Erzählbeispiele realisiert sind, heraus. Walter Neidhart vertritt in seinem neuen »Erzählbuch zur Bibel« die These: »Ich trete als Erzähler für meine Schüler an die Stelle des biblischen Erzählers, der in seiner Zeit für eine bestimmte Hörergruppe erzählt hat. Ich übernehme dieselbe Verantwortung wie er und habe dieselben Freiheiten zur Umgestaltung[59].« Er meint das nicht nur hinsichtlich einiger Details, sondern prinzipiell mit dem Gewicht dessen, der Tradition aufnimmt und neu weitergibt, so wie er glaubt, sie heute nur verstehen und weitergeben zu können. Das Maß holt sich Neidhart primär bei dem Glaubensverständnis seiner gegenwärtigen Hörer. »Nur *das* Kriterium gilt, ob ich selber verantworten kann, *was* durch meine Geschichte *beim Hörer ausgelöst wird*.« Daran liegt ihm entscheidend: daß die Geschichte durch ihre Gestalt »optimal auf die Hörer wirkt«. Die Erfahrung, daß seine Schüler heute emotional teilweise völlig anders reagieren als die Menschen, für welche die biblischen Geschichten ursprünglich fixiert wurden, ist für ihn Veranlassung,

---

[58] Vgl. dazu: E. Bochinger, Wie können wir heute im RU von Gott reden?, in: Wege zum Menschen, 22. Jg., 1970, S. 289 ff; K. H. Berg, Plädoyer für den biblischen Unterricht, in: r u, Zeitschr. f. d. Praxis des RU, 2. Jg., 1972, S. 2 ff; O. Betz, Erzählen — eine notwendig gewordene Wiederentdeckung, in: Kat. Blätter, 99. Jg., 1974, S. 486 ff; H. Grewel, Sachgemäßer Umgang mit der Überlieferung, in: Zeitschr. f. Religionspädagogik, 30. Jg., 1975, S. 68 ff

[59] W. Neidhart u. H. Eggenberger, Erzählbuch Bibel, Zürich/Köln/Lahr 1975, bes. S. 30—33

das »Erzählmaterial, das mir die biblischen Autoren liefern, so umzu-
formen, daß die Gruppe von Kindern und Jugendlichen, denen ich jeweils erzähle, ganz angesprochen werden«. Man hat den Eindruck, daß
von den beiden Elementen, die bei der Neu-Erzählung zusammenwirken, das Bemühen, die Schüler zu beeindrucken, noch gewichtiger ist als
die Weitergabe der persönlichen Wahrheiterkenntnis des Erzählers. Die
Notwendigkeit, gefühlsmäßige Teilhabe zu ermöglichen, bestimmt die
größere oder geringere Nähe zum biblischen Erzähler. Immer soll den
Hörern die Auseinandersetzung mit den Erfahrungen und Verhaltensweisen der Personen der biblischen Erzählung ermöglicht werden.

Dieser Versuch, die Intention Neidharts zu beschreiben, zeigt, daß man
nicht das Prinzip unterstellen kann, die Neu-Erzählung sei von der Anpassung an die heutigen Hörer bestimmt. Es geht ihm allerdings um die
Ermöglichung der gefühlsmäßigen Parteinahme; aber damit muß seiner
Meinung nach die Wahrheit nicht einer falsch verstandenen Kindgemäß-
heit geopfert werden, wie immer wieder befürchtet wird: »Die Wahrheit einer biblischen Geschichte läßt sich nicht objektiv, für jedermann
feststellbar erkennen, sie ist selber das Resultat der Auslegung, und in
jede Auslegung ist ein Element der subjektiven Auffassung des Auslegers eingegangen.«

Wenn wir ihm *Karl Würzburger* gegenüberstellen, so muß gesagt werden, daß auch für diesen die Determinante »Schüler«, d. h. Hörer, von
hohem Gewicht ist. Aber er argumentiert nun primär von der Reaktion
des heutigen Lesers und Erzählers auf die tradierte Erzählung her[60]. Für
die Schüler könne der Anstoß zum »entdeckenden Lernen« also gerade
dabei erfolgen, wenn sie merken, daß der Erzähler als ein Betroffener
erzählt, weil er sich mit der tradierten Erzählung auseinandergesetzt hat.
Diese subjektive Empfindung in der Begegnung mit der biblischen Wahrheit (wir gebrauchen hier bewußt das gleiche Vokabular wie Neidhart!)
ist also nun das, was die Neu-Erzählung prägt. Würzburger spricht davon, daß der Erzähler sich noch einmal vor den Ohren der Kinder fragen solle, was er sich selbst gefragt hatte beim eigenen Lesen und Nachdenken. Er meint damit nicht das direkte Aussprechen von Fragen, aber
das Anstoßen von Fragen. Als Pädagoge weiß er, daß die Kinder nicht
durch die Erwachsenenfragen festgelegt werden dürfen. Der Erzähler
kann aber Reflexionen einfließen lassen, ohne den Ablauf der Erzählung
zu unterbrechen.

Entscheidend ist für Würzburger, daß man beim Erzählen nicht ein Verstehen vortäuscht, über das man nicht verfügt. »Auch durch ein vorge-
täuschtes Verstehen mache ich mich unglaubwürdig. Und zwar vor kei-

---

[60] K. Würzburger, Kinder hören biblische Geschichte. Beispiele mit Erläuterungen, 3. erw. Aufl., München 1974, S. 35

nem Menschen so prompt wie vor einem Kind.« Er nennt Beispiele: »Ich
verstehe Kain. Aber ich verstehe nicht Gott, der den Brudermörder nicht
einfach laufen läßt. — ... Ich verstehe Abrahams Gehorsam. Aber nicht,
daß er an ihm nicht zerbrochen ist. — Ich verstehe, daß sich Menschen
fanden, die Jesus von Nazareth ans Kreuz schlugen. Aber ich verstehe
nicht, daß mit dem Kreuzestod Jesu unsere Schuld von uns genommen
ist.«
Er spricht damit genau das aus, was Lohfink mit dem Hinweis meint,
daß jede Denkbewegung einmal an eine Grenze stoße, nämlich dort, wo
sie auf das einmalige Handeln Gottes trifft. Würzburger legt Gewicht
auf die Unterscheidung: Wir sollten auf jeden Fall so erzählen, daß die
Kinder *verstehen*, was wir *meinen*. Etwas anderes wäre, einem Kind ein-
reden zu wollen, daß ich, der Erzähler, verstehe, was über Menschen-
verstand geht; d. h. »wir dürfen ihnen die Geheimnisse niemals preis-
geben«. Reformatorisch gedacht ist damit von der Angefochtenheit des
christlichen Glaubens, auch der christlichen Erfahrung die Rede. Sie soll
gerade beim Erzählen, bei meinem Erzählen von den Erfahrungen in
der Geschichte des Gottesvolkes erkennbar sein. Denn sie hat ja auch im
Leben der heutigen Hörer ihre Bestätigung noch vor sich.

7. Erfahrung — ein langer Weg

Mit diesen Sätzen ist bereits signalisiert, was zum Abschluß noch einmal
grundsätzlich festgestellt werden muß.
7.1. Es wäre ein Mißverständnis, wollte man aus diesen Überlegungen
einen Optimismus heraushören hinsichtlich neuer Chancen und Möglichkeiten im Religionsunterricht. Gewiß, der Bibelunterricht hat viel mehr
Aktualität, als man einige Zeit lang angenommen hat. Die Schüler sind
auf der einen Seite einer Fülle von Orientierungsmustern ausgesetzt, haben selbst aber meist nur einen kleinen Erfahrungshorizont. Das zeigt
sich im Vollzug des thematisch-problemorientierten Unterrichts immer
wieder. Es geht hier oft weniger darum, »verschüttete Fragen« zu wek-
ken, als vielmehr neue Eindrücke zu vermitteln, indem Gedanken, Fragen und Antworten anderer zugänglich gemacht werden. Hier kann die
Begegnung mit Lebenssituationen und Verhaltensweisen der Menschen
der Bibel neue Eindrücke vermitteln und die religiösen Fragen und Erwartungen intensivieren. Insofern kann man mit Recht von der Aufga-
gabe einer fach-spezifischen Motivierung der Schüler sprechen.
Es wäre jedoch ein pädagogisches Mißverständnis, wollte man daraus
eine besonders große Motivationskraft biblischer Texte ableiten. Es ist
nicht leicht, das Element der Zuwendung Gottes zum Menschen in die
Erfahrungswelt der Schüler einzubringen. Das wurde u. a. an den Untersuchungen von Christine Reents deutlich, bei denen es um das Ver-

ständnis von Schuld und Vergebung ging. Es bleibt aber genauso offen, ob Schüler durch den narrativ orientierten Religionsunterricht dahin kommen, daß sie mehr »sehen«. Aber auch wenn etwas wahrgenommen wird, ist es noch nicht aufgenommen. Es bleibt also auch offen, ob sich die Schüler auf das Angebot der Erfahrungen mit ihrer Person einlassen. Sie müßten dabei ja die Anfechtung erkennen, die der Prozeß christlicher Erfahrung einschließt.

Anders gesagt: Es wäre ein verhängnisvoller Irrtum, sollte es durch die Weitergabe der Erfahrungen aus der christlichen Tradition dahin kommen, daß ein Bewußtsein der *securitas,* der Absicherung durch Gott entstünde. Daß diese Gefahr bei manchen Jugendlichen heute besteht, ist zu beobachten. Der christliche Glaube ist aber gerade nicht Wunderglaube in diesem Sinn. Darum bürgt auch die Narratio von den Erfahrungen, die Menschen mit Gott gemacht haben, nicht für ähnliche Eigenerfahrung. Sie ermöglicht sie bestenfalls in dem Sinn, daß den Schülern klar wird, daß Erfahrung immer von dem einen lebt, der Grund und Mitte christlicher Narratio ist. Wir befinden uns hier in derselben Situation wie mit dem Problem des Gottesbeweises. »Man kann zu Erfahrungen beitragen, aber ein letztes, unverfügbares Moment bleibt« (Elmar Gruber)[61].

7.2. Es wäre auch ein Mißverständnis, wollte man die Leistung des Lehrers, die ohne Zweifel in hohem Maße gefordert ist, isoliert sehen. Die Schule ist nicht der einzige Erfahrungsraum. Darauf weist Erich Feifel hin, wenn er feststellt: »Der Spannungsbogen der Erfahrung reicht von der Erkenntnis zur Anerkenntnis der Wirklichkeit im praktischen Umgang mit Menschen und Dingen. Darum muß auch der Lernprozeß der Erfahrung ins Engagement führen.« Je mehr eigene und fremde Erfahrung aufgearbeitet wird, desto mehr wächst der Mut zum Handeln. Die Handlungsräume sind vor allem außerschulische Lebenssituationen. Sie will man dann »nicht nur als etwas Vorgegebenes verstehen, sondern muß sie entscheidend als Aufgegebenes, zu Veränderndes betrachten[62].« Ein notwendiger Lernschritt der Erfahrung führt also zu sozialen Konsequenzen.

Das bedeutet: Christliche Erfahrung will kommunikativ erlebt sein. Die Vereinzelung bestärkt zu stark in der Enttäuschung, in der Entfremdung von Gott; oder sie beschränkt den Glauben auf eine im Grunde beliebige und private personale Innerlichkeit, isoliert von den harten Feldern der Wirklichkeitserfahrung. Genau in diese Richtung weisen Ge-

---

[61] E. Gruber, Freiheit als Erfahrungswirklichkeit, in: Alles ist erlaubt, Überlegungen zur Freiheit des Christen, München 1972, S. 17
[62] E. Feifel, Handbuch der Religionspädagogik, Bd. 1, Gütersloh/Köln 1973, S. 105

sprächsprotokolle aus dem Unterricht mit Hauptschülern des 8. Jahrgangs, die nun Hartwig Weber vorgelegt hat. Die Frage nach Gott deckt bei den Jugendlichen eine große Unsicherheit auf — gerade im Vergleich zur »normalen Wirklichkeit«, die man sehen, betrachten und erfahren kann. Darum bekennen viele: »Ich habe kein Verhältnis zu Gott.« Vereinzelt findet sich die Aussage: »Eine Beziehung zu Gott besteht bei mir, obwohl es sehr schwer ist, an Gott zu glauben.« Dort, wo etwas von religiösem Erleben deutlich wird, hat es für diese Jugendlichen eine ganz bestimmte Prägung: Gott ist »Realität, die sich im andern Menschen widerspiegelt und in der Zuwendung zu ihm Gestalt gewinnt«[63]. Christliche Erfahrung wird kommunikativ erlebt.

Man muß in diesem Zusammenhang darum wieder auf die Grenzen des schulischen Religionsunterrichts verweisen; freilich nicht, um sein Ungenügen zu belegen, sondern um Menschen außerhalb der Schule, um Gemeinde herauszufordern. Denn in diesem Lebensraum muß sich realisieren können, wovon diese Jugendlichen »träumen«. Die Jugend will und soll selbst aktiv werden. Und doch braucht sie auch das Geleit durch andere, und zwar wieder zum Schutz vor einem Irrtum. Rainer Röhricht nennt ihn den »sozial-schwärmerischen Abweg«. Es ist das Zielen auf eine heile Welt auf Grund vertrauensvollen Engagements. Davor müssen erfahrene Christen sie schützen. »Die soziale Praxis der christlichen Erfahrung ... verbürgt nicht den Sieg des Unendlichen in dieser endlichen, raumzeitlichen Welt, sie verheißt keine vollkommene Menschheit im Diesseits[64].«

Der Weg zur religiösen Erfahrung ist lang. Der Religionslehrer, der Schüler mehrere Jahre hindurch begleitet, kennt dieses immer neue Hin- und Hergerissensein zwischen verschiedenen »Werten«. Das gilt auch dann, wenn der Religionsunterricht sich um ein Profil bemüht, das deutlich macht, daß und wie die »Sache« dieses Faches mit den Schülern und ihrem Leben zu tun hat. Der Weg hin zur Glaubwürdigkeit der Botschaft von der Realität der Liebe Gottes, der Realität des Wiederangenommen- und Gestütztseins ist schwer und muß auch immer neu beschritten werden. Deshalb muß sich auch der Religionslehrer immer neu — in jeder Altersstufe — darum bemühen, Situationen aus der biblischen Narratio glaubwürdig und zuständig erscheinen zu lassen, damit die Schüler wieder anfangen können, das eigene Suchen daran zu orientieren.

---

[63] H. Weber, Sprechen von Gott in sprachloser Zeit? Nürnberg/Berlin/Freiburg 1974, S. 61 ff
[64] R. Röhricht, a.a.O., S. 303

Herwig Wagner

Die Weite der Missio Dei

In memoriam Georg Friedrich Vicedom

Von der Weite der Missio Dei zu sprechen erlaubt es auch, der Weite des Lebenswerkes von Georg Vicedom zu gedenken. Die Bibliographie seiner Veröffentlichungen[1] weist diese Weite eindrücklich auf. Sie reicht von der großen dreibändigen völkerkundlichen Monographie bis zu den Kindergeschichten im Neuendettelsauer Missionsblatt, das er als Missionsinspektor zu betreuen hatte; vom Feuilletonbeitrag in Tageszeitungen über die Weltreligionen zu sorgfältig vorbereiteten Tagungsunterlagen, von der homiletischen Handreichung bis zu Synodalvorträgen, wo man sich mit der missionarischen Erneuerung der Kirche befaßte. Es ist ein ungeheures und weites Arbeitspensum gewesen, das Georg Vicedom neben seiner akademischen Lehrtätigkeit Jahr für Jahr bewältigt hat.

In derselben Weise könnte man auch von der Weite sprechen, in die Georg Vicedom im Verlauf seines Lebens geführt worden ist. Das gilt nicht nur geographisch von dem Sohn eines fränkischen Steigerwaldbauern, der schließlich alle fünf bzw. sechs Kontinente besucht hat. Daß er die Grenzen seiner Heimat überschritten hat und ihr dabei doch im tiefsten treu geblieben ist, gilt für sein ganzes Leben. Man merkt es ihm bis in den Charakter und Stil seiner ersten Veröffentlichungen hinein an, daß er ein Schüler Christian Keyßers gewesen ist, ein Sohn des Neuendettelsauer Missionshauses, von der Tradition Wilhelm Löhes tief geprägt. Doch er hat nicht nur wiederholt, was er gelernt hat, nicht nur treulich ausgeführt, wozu ihn seine Lehrer angeleitet hatten. Dazu dürften am ehesten noch seine völkerkundlichen Studien gehören, die, wie er selbst schreibt[2], eine Gelegenheitsarbeit waren, völkerkundliche Vorarbeiten zur missionarischen Verkündigung. Das war beste Tradition des Neuendettelsauer Missionshauses, hier in anspruchsvollem wissenschaftlichen Gewande.

---

[1] Eine umfassende Zusammenstellung der selbständigen Veröffentlichungen Vicedoms, seiner Aufsätze in Sammelwerken und Zeitschriften (mit Ausnahme seiner redaktionellen Beiträge in den Neuendettelsauer Missionsblättern) sowie seiner zu verschiedenen Lexika beigesteuerten Artikel habe ich veröffentlicht in: Evangelische Mission, Jahrbuch 1975, Hamburg, S. 164 ff. – Im folgenden sind die Titel von Vicedom ohne Autorenangabe aufgeführt, ggf. auch in Kurzform, mit Angabe der betreffenden Nummer dieser Bibliographie

[2] Die Mbowamb, Bd. I, Hamburg 1948, Vorwort, VI (Bibliogr. Nr. 5)

Doch dabei blieb Vicedom nicht stehen. Der Schritt über die Begrenzung der heimatlichen Wege hinaus erfolgte in den Jahren unmittelbar nach dem Kriege. Es war keine Wende; auch nicht theologisch. Die traditionellen Themen von situationsgerechter Verkündigung und Gemeindeaufbau, von Taufe und Abendmahl in den Jungen Kirchen, die Themen kirchlicher Praxis verschwinden nicht aus dem Gesichtskreis, auch nicht aus dem Vorlesungs- und Vortragsangebot, mit dem sich Georg Vicedom den Studenten in Neuendettelsau und Erlangen und darüber hinaus der Pfarrerschaft und Gemeinden seiner Kirche zur Verfügung stellte. Aber es kam eine neue Bewegung, eine neue systematische Leidenschaft in sein Reden von und über Mission, die von da an sein ganzes Lebenswerk prägte. Sie läßt sich im Begriff der Missio Dei konzentrieren, der, zumal nach dem Erscheinen seiner Missionstheologie[3], geradezu zu einem theologischen Modewort geworden ist. Heute wird dieser Begriff in der Literatur fast automatisch mit dem Namen Georg Vicedom verbunden, obwohl er ihn weder originär in die neuere Diskussion eingeführt hat noch sich alles, was heute mit diesem Begriff verbunden wird, rechtens auf seine, Vicedoms, Intentionen berufen kann. Dennoch gibt es kein Thema, unter dem sich das Lebenswerk von Georg Vicedom besser zusammenfassen und darstellen ließe.

Der Kairos nach dem Kriege

Der Schritt über die Grenze, in die Weite der gesamten Mission erfolgt bei Vicedom mit einem Neueinsatz des missionstheologischen Denkens, wie es seit 1940 und zumal in den Nachkriegsjahren für den gesamten deutschen Sprachraum zu bemerken war. Es ist wie ein Nachklang aus den unmittelbaren Nachkriegsjahren, wenn es bei Vicedom noch 1952 heißt: »Es ist, als hätte Gott der Mission seiner Kirche alles zerschlagen. Die Situation ist eine sehr kritische, aber auch eine sehr fruchtbare. Der Kairos ist da, daß das Gericht Gottes anfange (1. Petr. 4.17)[4].« Es war nicht nur der Krieg und die Niederlage Deutschlands. Es war nicht nur die Verweigerung der missionarischen Arbeit, ja auch nur der Mitarbeit für Deutsche in Übersee. Es war nicht nur, daß dadurch Vicedom auch ganz persönlich betroffen wurde[5]. In eben diesen Jahren erging auch ein

---

[3] Missio Dei, München 1958 (Bibliogr. Nr. 14)
[4] Die Rechtfertigung als gestaltende Kraft der Mission, Neuendettelsau 1952, 5 (Bibliogr. Nr. 10), vgl. auch: Vom göttlichen Sinn unserer Niederlage, in: Nachrichten, 1948, S. 135 f (Bibliogr. Nr. 81). Das war der unvergessene Eindruck der ersten Weltmissionskonferenz nach dem Kriege in Whitby 1947. Vgl. W. Freytag, Der große Auftrag, Stuttgart 1948, S. 11 ff
[5] Georg Vicedom war nach Absolvierung des Missions-Seminars in Neuendettels-

Scherbengericht über die deutsche Missionsarbeit und die deutsche Missionstheologie der Vorkriegszeit, also über die Lehrer und die Tradition, in der Vicedom groß geworden war. Schon während des Krieges hatte der Holländer J. Ch. Hoekendijk seine Arbeit über »Kirche und Volk in der deutschen Missionswissenschaft« geschrieben, worin er unbarmherzig ins Gericht ging mit der deutschen Tradition, die noch 1938 für die Weltmissionskonferenz in Tambaram in einer solennen Denkschrift gewichtig sich selbst dargestellt hatte[6]. In die Kritik Hoekendijks waren Chr. Keyßer und B. Gutmann ebensosehr einbezogen wie der Altmeister der deutschen Missionswissenschaft Gustav Warneck und seine Nachfolger Julius Richter, Martin Schlunk und Heinrich Frick. Sie alle sind unschwer als die geistigen Väter des Seminaristen und Pioniermissionars Georg Vicedom zu erkennen.

In dieser Situation der äußeren und inneren Verunsicherung wurde dem aus dem Kriege heimgekehrten Vicedom, der doch mit der ganzen Leidenschaft seines Herzens und seines Glaubens Pioniermissionar in Neuguinea gewesen war, das Amt eines Missionsinspektors in Neuendettelsau und zur selben Zeit auch der missionskundliche Unterricht am soeben wiedereröffneten Missionsseminar übertragen und gleich darauf auch der Lehrauftrag für Missionswissenschaft an der Augustana-Hochschule erteilt. Das muß eine einzige Herausforderung für den damals 45jährigen gewesen sein. Mit ungeheurer Intensität und Fleiß wandte sich Vicedom der Theologie zu; freilich nicht, um dort zu lernen, ob und wie Mission etwa theologisch zu begründen sei, sondern um im Gespräch mit den Exegeten und Missionstheologen das neu auszudrücken, wozu er sich in seinem Dienst in Neuguinea wie auch jetzt in seiner neuen Leitungs- und Lehraufgabe berufen wußte: nämlich was es heißt, im Dienst der Mission Gottes zu stehen. Vicedom wollte, so hat er es noch in seinen letzten Lebenstagen ausgedrückt, sein Leben lang Missionar sein und bleiben.

au und nach einem zusätzlichen völkerkundlichen Studium an der Universität Hamburg von 1929 bis zu seinem Heimaturlaub 1939 als Missionar in Neuguinea tätig, zuerst als Gründer der Station Mumeng (beim heutigen Bulolo), sodann als Pioniermissionar im Hochland und Gründer der Station Ogelbeng (7 km vom heutigen Mount Hagen). Mit Antritt seines ersten Urlaubs war, was er als seine Lebensaufgabe betrachtet hatte, unversehens zu Ende. Er hat Neuguinea später noch zweimal besucht, 1951 und wieder 1966

[6] Johannes C. Hoekendijk, Kerk en Volk in de Duitse Zendingwetenschap, Amsterdam 1948. Deutsch in: Theologische Bücherei, Bd. 35, München 1967. – Siegfried Knak, Erfahrungen und Grundgedanken der deutschen evangelischen Mission. Ein Beitrag zur Weltmissionskonferenz in Tambaram 1938, Berlin 1938

Der Begriff der Missio Dei war seit der Weltmissionskonferenz von Willingen 1952, der bisher einzigen, die in Deutschland stattgefunden hat, im Gespräch. Karl Hartenstein hatte ihn sachlich schon in den Vorbereitungsarbeiten für Willingen aufgenommen. Wenn Vicedom ihn dann betont übernahm und zum Titel seiner »Einführung in eine Theologie der Mission«[7] machte, faßte er die damalige Gesprächslage mit sicherem Griff zusammen. Zweifellos sind hier mehrere Ströme zusammengeflossen:

1. Zunächst ist in dem neu aufgenommenen Begriff der Genetivus subjectivus zu betonen: es ist die Mission Gottes, die wir treiben; es ist Gottes Mission, an der der einzelne beteiligt wird. Ohne Zweifel handelt es sich hier um ein Aufnehmen echt reformatorischer Anliegen, wie sie schon lange vor dem Kriege von Karl Hartenstein[8] ausgesprochen waren. Im englischen Sprachbereich betonte man zur gleichen Zeit den Unterschied von »our missions« zu »Mission«, zu der Mission Gottes, die alle missions (im Plural) stets überragt, ja, die deren Maß und Regel darstellt.

Ein Doppeltes war mit dieser Betonung der Mission als Gottes Mission gegeben: es verlagerte sich das Gewicht vom Missions-Methodischen auf das Systematische. Und es ergab sich gleichzeitig ein neues missionstheologisches Gefälle: Hatte man von G. Warneck an in immer neuen Anläufen Apologetik getrieben mit der Leitfrage: »Wie ist Mission zu begründen?«, »Wie können wir ihr Heimatrecht in Theologie und Kirche aufweisen?«, so stieß man nunmehr zu einer theologischen Aussage im strikten Sinne vor: Mission ist nicht abgeleitete Aussage, so oder auch anders zu begründen. Der Ausdruck Missio Dei signalisiert vielmehr: Mission ist Gottes unmittelbares Tun, sein ureigenes Werk[9], nicht anders als in Ihm selbst zu begründen.

---

[7] Missio Dei. (Bibliogr. Nr. 14). Vicedom beruft sich selbst a.a.O., S. 12 auf den Konferenzbericht von Karl Hartenstein: »Theologische Besinnung«, in: W. Freytag (Hrsg.), Mission zwischen gestern und morgen, Stuttgart 1952, S. 52 ff, wo dieser den terminus als solchen gebraucht hatte. Bei Vicedom auch schon in seiner früheren Programmschrift »Rechtfertigung« (Bibliogr. Nr. 10), ebenfalls aus dem Jahre 1952. Insgesamt siehe H. H. Rosin (ed.), Missio Dei, Term en functie in de zendingstheologise discussie, Leiden 1971

[8] Karl Hartenstein, Was hat die Theologie Karl Barths der Mission zu sagen? in: Zwischen den Zeiten, 1928, S. 59 f. Ders., Botschafter an Christi Statt, in: M. Schlunk (Hrsg.), Botschafter an Christi Statt (Richter-Festschrift), Gütersloh 1932. Ders., Mission als theologisches Problem, Berlin 1933

[9] Missio Dei, S. 12. Siehe dazu Wilhelm Andersen, Auf dem Wege zu einer Theologie der Mission. Gütersloh, 2. Aufl. 1958; Lesslie Newbigin, The Relevance of Trinitarian Doctrin for Today's Mission, CWME Study Pam-

2. Für Vicedom verband sich damit die lutherische und zugleich pietistische Unterscheidung von Gesetz und Evangelium, von Gericht und Gnade: als Gottes eigenstes Werk erkannt ist Mission somit Retter des Sünders, Gnadenakt Gottes, das Werk der Vaterliebe Gottes an den sonst Verlorenen. Wenn es ein »im Menschen begründetes Missionsmotiv« gibt, dann ist es nur seine Verlorenheit[10]. Die Botschaft vom Gericht Gottes[11] gehört somit unverzichtbar auch in die Taufunterweisung.

3. Mit dem Begriff der Missio Dei wird die Christologie in das Zentrum der Mission gerückt bzw. wird die Mission unmittelbar am Herzstück des christlichen Glaubens angesiedelt. Theologie treiben bedeutet Christologie treiben, und das heißt Soteriologie. So zentral gehört die Mission zum christlichen Glauben: sie ist Gottes Werk zur Rettung der Menschen. Genau dieses beinhaltet ja der alte trinitarische Sprachgebrauch, wonach Missio Dei doppelt auszulegen ist: Gott ist sowohl Subjekt der Sendung wie auch Objekt; Gott ist Sender wie auch der Gesandte[12], nämlich im Sohn. Vicedom bezieht sich ausdrücklich auf dieses altprotestantische (augustinische) Lehrstück aus der Trinitätslehre und zitiert in diesem Zusammenhang gern das Paul-Gerhardt-Lied »Ein Lämmlein geht und trägt die Schuld«, wo in der 2. und 3. Strophe das innertrinitarische Gespräch des Sendenden mit dem Sohn formuliert wird: »Ja, Vater, ja von Herzensgrund, leg auf, ich will dir's tragen[13].«

4. Die Sendung des Sohnes aber setzt sich fort in der Sendung seiner Gemeinde[14]. Der Missio Dei eingeordnet ist also eine missio ecclesiae, jedoch nur in dem qualifizierten Sinn, daß Gott seine Kirche gebrauchen will, indem er sie wieder sendet. Von einer ekklesiologischen Begründung will Vicedom betont nicht reden[15], weil aus der in Dienst genommenen keine eigensendende Kirche und damit keine Kirche werden darf, die über ihre Sendung in eigener Zuständigkeit entscheiden könnte. Entweder steht eine Kirche in der Mission — und darin hat sie ihr Leben — oder aber sie entzieht sich dem Willen Gottes und verwirkt damit im Ungehorsam ihr eigentliches Kirche-Sein.

5. Damit ist die Mission in den umfassenden Heilsplan Gottes mit seiner Welt eingeordnet, ja noch mehr: »es ist darum schlechthin der Sinn der

phlets No. 2, London 1963, deutsch: Missionarische Kirche in weltlicher Welt. Der dreieinige Gott und unsere Sendung, Bergen-Enkheim 1966
[10] Die Rechtfertigung als gestaltende Kraft der Mission, S. 8
[11] ebd., Missio Dei, S. 20, 27
[12] Missio Dei, S. 13 ff
[13] ebd.
[14] »Die Sendung der Gemeinde erwächst aus dem Gesandtsein des Sohnes, der in ihr weiterwirkt«. Rechtfertigung, S. 15, Missio Dei, S. 15
[15] Missio Dei, S. 39, unter betontem Rückgriff auf die theologischen Ergebnisse der Weltmissionskonferenz von Whitby (1947)

Zwischenzeit von Himmelfahrt bis zur Wiederkunft Christi, daß Gottes Barmherzigkeit durch den Dienst seiner Gemeinde der Welt kundgemacht werde[16].« Damit schließt sich Vicedom vollinhaltlich an die sog. eschatologisch-heilsgeschichtliche Linie in der Missionstheologie an, die sich besonders in Deutschland im Anschluß an O. Cullmann unter Führung von W. Freytag und K. Hartenstein kurz vor dem Kriege herausgebildet hatte.

6. Von hier aus ist es konsequent, wenn der Weg der Missionstheologie bei Vicedom, der zunächst bei der Rechtfertigung einsetzte, in eine umfassende Reich-Gottes-Theologie einmündet. So stellte Vicedom schon seine Missionstheologie von 1958 unter das Leitmotiv der Herrschaft Gottes; sein letztes Werk, die »Actio Dei«, erst nach seinem Tode erschienen, griff betont die Thematik »Mission und Reich Gottes« wieder auf, denn: »Der Begriff ›Reich Gottes‹ ist die umfassende Beschreibung dessen, was Gott für den Menschen getan hat und tut, was er durch seine Kirche unter den Menschen tun will[17].«

Diese Entfaltung des zentralen Begriffes von Missio Dei[18] zeigt, daß Vicedom in seiner missionstheologischen Arbeit durchaus im Kontext dessen gearbeitet hat, was um ihn herum gedacht und geschrieben wurde. Er hatte viele theologische Freunde und Bundesgenossen. Das zu sagen heißt nicht, ihm die Originalität abzusprechen. (Daran wäre ihm selbst freilich gar nicht viel gelegen gewesen.) Was ihn vielmehr auszeichnete, war die Festigkeit und Treue, mit der er in allen Verzweigungen seines arbeitsreichen Lebens an den biblischen Grundeinsichten festhielt, wie sie sich für ihn im Begriff der Missio Dei konzentrierten.

Dazu muß noch ein Zweites gesagt werden, das ebenfalls mit seinem Verständnis von Missio Dei zusammenhängt: bis in seine letzten Lebensjahre nahm er, auch noch nach seiner Emeritierung vom Lehramt, theologisch beratend und kritisch am Geschehen in der weltweiten Kirche teil. Dabei maß er Kirche immer daran, wie weit sie sich ihrem innersten Wesen nach der Missio Dei öffnete — oder auch verschloß. Letzteres ließ ihn zum unentwegten Mahner werden. Ja, auch er kannte ein »Leiden an der Kirche«, bis hinein in seinen Stil der Konjunktive, die eigentlich Optative waren: was wollte er mehr, als daß die Kirche insgesamt und seine eigene Kirche im besonderen, willige und bereite Instrumente der Missio Dei wären — und gerade darin echt und ganz Kirche. Deswegen war er auch am Leben der verfaßten Kirche aktiv beteiligt, nicht nur

[16] Rechtfertigung, S. 11
[17] Actio Dei, S. 10 (Bibliogr. Nr. 40)
[18] Die hier gegebene Entfaltung hält sich bewußt an seine grundlegenden frühen missionstheologischen Schriften. Er hat in seinem späteren reichen Schrifttum diesen Grundansatz vielfach wiederholt und populär variiert, aber nie mehr verlassen.

als Mahner und Kritiker, sondern als Mitarbeiter, wo immer man ihn brauchte, in den Räten und Fachausschüssen der Mission, im innerdeutschen und internationalen Bereich, in gesamtkirchlichen Gremien, Synoden und Konferenzen. Er war fast pausenlos unterwegs im Dienst der Verkündigung und Lehre, zum theologischen Gespräch, im Vortragsdienst in Gemeinden und Pfarrkapiteln. Und selbstverständlich am meisten in seinen akademischen Lehrämtern, genau 50 Semester an der Augustana-Hochschule in Neuendettelsau und 12 Jahre lang auch an der Erlanger Fakultät.

Von diesen ihn theologisch bewegenden Themen soll hier im weiteren die Rede sein.

Jüngerschaft

Es gehört mit zu dem Besonderen in Vicedoms Schaffen, daß er sich stets im Gespräch mit anderen befand. Er las theologisch sehr vielseitig und gleichzeitig selektiv, so daß man bei ihm Zustimmung zu Autoren oder Zitate findet aus Quellen, wo man es kaum vermutet. Dementsprechend findet eine laufende Auseinandersetzung und Verarbeitung von neuen Gedanken statt, ohne daß diese in extenso zu Wort gekommen oder im anderen Falle ausdrücklich abgelehnt worden wären. Das macht das Nachvollziehen seiner Gedanken und seines theologischen Gesprächs nicht immer leicht. Es ist wohl auch manche Äußerung oder Kritik von anderer Seite auf dieses Konto zu buchen, daß er manchmal sogar von seinen Gesprächspartnern nicht verstanden wurde, wenn er ihren Beitrag positiv aufnahm und dann in seinem Sinne weiterführte.

Es war schon darauf hingewiesen worden, daß unmittelbar nach dem Kriege die deutsche Missionswissenschaft unter das harte Gericht der Schweizer wie der holländischen Missionstheologen gekommen ist. Vicedom, obwohl bis dahin missionstheologisch kaum hervorgetreten, bekam diese Kritik als Schüler Christian Keyßers und als Neuendettelsauer Missionar auch dort zu spüren, wo er energisch den Versuch machte, die Anstöße von anderer Seite positiv aufzunehmen. Das gilt besonders von der holländischen Apostolatstheologie.

Die holländischen Impulse[19] waren aufregend genug für die deutsche

---

[19] J. C. Hoekendijk, op. cit. (Anmerkung 6); ders., Die Kirche im Missionsdenken, in: EMZ 1952, S. 1 f; A. A. v. Ruler, Theologie des Apostolats, in: EMZ 1954, S. 1 f. Dort auch die Literatur zur Genealogie des neuen Sprachgebrauchs von »Apostolat«. Die Apostolats-Theologie hat sich niedergeschlagen in der Kirchenordnung der Niederländischen Reformierten Kirche von 1950 (übersetzt von O. Weber, Zeitschrift für Evang. Kirchenrecht, 1953, S. 225 ff). Siehe dazu auch: E. Jansen-Schoonhoven, Der Artikel »Vom

Theologie; versuchten sie doch die Apostolizität der Kirche neu, d. i. im Apostolat ihrer Glieder zu sehen. »Das heißt ganz praktisch, daß die ganze Gemeinde im Apostolat steht. So wie es in einem Körper keine funktionslosen Glieder gibt, gibt es im Leibe Christi keine dienstlosen Glieder[20].« Damit wird die Kirche anstatt in statischer Wesensbeschreibung in pneumatischer Aktivität gesehen; und noch mehr: Die Sendung der Kirche in die Welt (Apostolat) wird somit zu ihrer zentralen Aufgabe auf das Reich Gottes hin.

Vicedom hat energisch versucht, diesen Neuansatz für eine Theologie der Mission aufzunehmen. Er tat es freilich in typischer Umprägung, indem er den Apostolat der Glieder zu interpretieren versuchte mit dem biblischen Begriff der Jüngerschaft und der Nachfolge. Das ist nicht Wortklauberei. An der Jüngerschaft war Vicedom darum so viel gelegen, weil dieser Begriff das persönliche Verhältnis des Herrn zu den Seinen, auf seiten des Menschen also die persönliche Jesusnachfolge, als Voraussetzung für den apostolischen Dienst betonte. Ganz zweifellos schlägt hier auch das Herz von Georg Vicedom. Als junger Mann hatte er solche persönliche Berufung vernommen; als Pioniermissionar in Neuguinea war er zu der restlosen Hingabe der eigenen Vorstellungen und aller persönlichen Bedingungen zum Dienst bereit gewesen. In dieser Situation hatte er erfahren, daß das persönliche Jünger- und Nachfolgeverhältnis die pneumatische Gabe des Herrn ist für seine Mission: »durch den Geist werden also die Jünger zu Zeugen und Mitarbeitern des Herrn«, und zugleich ist diese »Jüngerschaft als die innigste Gemeinschaft mit dem Herrn ... die Voraussetzung für den apostolischen Dienst der Kirche[21].«

Damit hat Vicedom, auch wenn er einen durchaus gebräuchlichen Begriff dafür einsetzt, entscheidende Impulse aus der holländischen Apostolatstheologie aufgenommen, ohne freilich deren direkter Parteigänger zu werden[22]. Theologie mußte bei ihm so persönlich werden. Der »abstrakte, philosophisch bestimmte Denkansatz der deutschen Theologie«[23] war ihm zeitlebens ein Greuel. Sein eigenes Verhältnis zur Theologie war das des persönlich betroffenen Glaubens- und Gehorsamsentscheids[24]. Des-

---

Apostolat der Kirche« in der Kirchenordnung der niederländischen reformierten Kirche, in: Basileia (Freytag-Festschrift), Stuttgart 1959, S. 278 ff
[20] J. C. Hoekendijk, Zustimmend von Vicedom zitiert, in: Actio Dei, S. 58
[21] Missio Dei, S. 62 ff
[22] Während er sich in seiner Missio Dei noch vorsichtig und kritisch der Apostolatstheologie näherte (S. 53, bes. S. 57), bedauert er es in seinem Letztwerk, der Actio Dei, daß diese von deutscher Seite nicht energischer aufgenommen worden ist (S. 57 ff)
[23] Actio Dei, S. 60
[24] Im Zitat (von E. Brunner), Theologie und Glaube, Neuendettelsau 1968, S. 8 (Bibliogr. Nr. 36)

wegen konnte er so scharf reagieren, wo er bloße gedankliche und Wortakrobatik vermutete. In dieser persönlich engagierten Theologenexistenz vermochte er sich auch seinen Studenten im Hörsaal mitzuteilen. So schuf er in seiner Person bei den Studenten der Augustana-Hochschule der Missionstheologie ein Heimatrecht.

So war bei Vicedom die holländische Apostolatstheologie im lutherischen Raum wirklich aufgenommen und verarbeitet worden.

Mission und Leiden

Mit seinem Verständnis von Apostolat als Jüngerschaft hängt es auch zusammen, daß Vicedom so tief verstanden hatte, wie Mission und Leiden zusammengehören. Weil Mission Nachfolge Jesu ist, muß sie auch die Leidensnachfolge einschließen. Diese hat Vicedom freilich nie nur als ein Erdulden angesehen, sondern er war zutiefst davon überzeugt, daß der Herr selbst durch das Leiden der Gemeinde und ihrer Boten auf »paradoxe Weise« seine Herrschaft kundtut. »Er wirkt in der Ohnmacht, im Widerspiel der Macht[25].«

An diesem Punkte konnte Vicedom wiederum zum harten und lästigen Mahner von Kirche und Missionsleitungen (und auch für Missionare) werden, wenn diese aus Verantwortung für die ihnen anvertrauten Missionarsleben meinten, sie aus den politischen Krisenzonen der Welt zurücknehmen und ihren Missionsauftrag dementsprechend begrenzen zu müssen, wenn Leib und Leben nicht mehr gesichert waren. Es waren manchmal harte Worte, die Vicedom in dieser Hinsicht sagte. Man hätte es einem anderen auch nicht so ohne weiteres abgenommen, wenn er ganz konkret im Blick auf den Missionar schrieb: »Leiden ist, so paradox das klingt, Hilfe zum Leben, weil dem Christen im Leiden Kräfte von Gott zuwachsen, die er sonst nicht hätte ... Leiden ist ein Teil der Sendung[26].«

Diese Sätze gehören auch mit zur Biographie von Georg Vicedom. Manchmal schien es, als habe er zeit seines Lebens schwer daran getragen, daß er durch seinen 1939 angetretenen Heimaturlaub seiner jungen Ogelbeng-Gemeinde gerade in der Leidenszeit des Zweiten Weltkrieges entzogen worden war. Der noch tiefere Grund ist aber wohl dort zu suchen, wo sich Vicedom immer und überall selbst in der Jesusnachfolge gesehen hat. An vielen Stellen tauchen gerade in seinen paräneti-

---

[25] Das Geheimnis des Leidens der Kirche, München 1963, S. 20 (Bibliogr. Nr. 26)

[26] A.a.O., S. 29. Ähnlich schon in seiner frühen Programmschrift »Rechtfertigung«, S. 33 ff, bis in sein Letztwerk Actio Dei, S. 134 f

schen Schriften und in seinen Vorlesungen, wo er seine Studenten für ihren praktischen Dienst, sei es als Pfarrer oder Missionare, vorbereiten wollte, gewisse Wendungen auf, die uns in sein eigenes Herz blicken lassen. »Die Gebote Gottes erweisen sich immer in dem Maße als wahr, in dem man nach ihnen lebt«, heißt es in einer Kolleg-Nachschrift über den »Gemeindeaufbau«. Oder in seiner Vater-Unser-Auslegung: »Unser Gebet ist immer davon bestimmt, wieviel wir ihm zutrauen ... Je mehr der Glaube um die Größe und um die Liebe Gottes weiß und sich von ihr bewegen läßt, desto reicher, gewisser, gezielter und überzeugter wird auch das Gebet sein[27].«

Solche Erfahrungssätze weisen auf die eigene Jüngerschaft, auf den eigenen Gehorsam unter dem Ruf Christi zurück. Vicedoms Begriff von Missio Dei und Actio Dei ist ohne diese Dimension von Jüngerschaft und Gehorsam nicht denkbar.

Die anderen Religionen

Auch Vicedoms Verständnis der nichtchristlichen Religionen hängt mit seinem eigenen Lebensweg zusammen.

In den zehn Jahren seines Missionarswirkens hat er zwei Missionsstationen aufgebaut, zunächst Mumeng in den Küstenbergen und dann Ogelbeng im Inland Neuguineas. Wer die Arbeitsweise der Neuendettelsauer Mission kennt, weiß, daß Stationsgründungen immer dort erfolgt sind, wo eine neue Arbeit in Angriff genommen werden sollte, also Pionierstationen zu erneutem Vorstoß ins Heidenland. War Mumeng sozusagen eine Grenzstation mit einer christlichen Gemeinde im Rücken, so war Ogelbeng eine Missionsstation in Insellage, und dies kulturell wie missionarisch, mitten im Hochland Neuguineas, das kaum noch Weiße betreten hatten[28]. Vicedoms nur teilweise veröffentlichten Lebenserinnerungen lassen den Leser noch etwas von den unvorstellbaren Mühen solchen Neuanfangs miterleben[29].

Auf beiden Stationen seines missionarischen Wirkens hatte Vicedom un-

---

[27] Gebet für die Welt, München 1965, S. 113 (Bibliogr. Nr. 30)

[28] Mumeng wurde 1931 als Zentrum der Missionsarbeit unter den Goldgräbern am Bulolo-River gegründet. Die Gründung von Ogelbeng, am Fuße des Mount Hagen gelegen, erfolgte (nach einem ersten Erkundungsflug im Jahre 1933) Ende 1934. Von der Küste aus brauchte man für diese Strecke zu Fuß 20 Tage. Siehe Georg Pilhofer, Die Geschichte der Neuendettelsauer Mission in Neuguinea. Bd. II, Neuendettelsau 1963, S. 148 ff und 228 ff

[29] Vicedom hat über Mumeng und vor allem über die Arbeit in Ogelbeng ausführlich berichtet, sowohl in populärem Kleinschrifttum und Beiträgen zu Missionsblättern wie in wissenschaftlichen Veröffentlichungen. Siehe Bibliogr. Nr. 1—7 und 42—75

mittelbaren und Erstkontakt mit der archaischen Religion Neuguineas. In seinem großen dreibändigen Werk über die Mbowamb legte er in systematisch aufbereiteter Form seine völkerkundlichen und religionskundlichen Forschungen vor, die zwanzig Jahre später durch seinen Nachfolger in Ogelbeng, D. Hermann Strauß, in einem ebenso gewichtigen Band noch ergänzt wurden[30]. Vicedom selbst setzte freilich in seiner ersten großen Arbeit kaum theologische Akzente. Aber es ist nicht vorstellbar, daß dieser Teil seiner Lebensarbeit ohne Einfluß auf sein späteres theologisches Verstehen der Religionen geblieben sein sollte.

Von allen Veröffentlichungen Vicedoms sind seine beiden Schriften über die Mission der Weltreligionen[31] am bekanntesten geworden. Vicedom lenkte bei uns in Deutschland als erster den Blick auf die sich wandelnden Weltreligionen. Dementsprechend zündend war auch der Titel seiner kleinen Schrift: Die Weltreligionen im Angriff auf die Christenheit. Das Interesse der Leserschaft haftete zweifellos an der hier gegebenen Information. Aber Vicedom wollte mehr als nur informieren: Er verstand seine Aufgabe so, daß er zur Begegnung mit den Religionen aufrufen wollte. Begegnung aber heißt bei ihm »Zeugnis ablegen«. »Wie in allen Zeiten, so ist auch heute die Zeugnisfreudigkeit der Christenheit die einzige Rettung der Kirche ... Wenn es einmal so geworden ist, daß Missionare der Fremdreligionen das Land durchziehen, wenn in den höheren Schulen und unter Studenten Übertritte zu ihnen vorkommen, wenn die Studentengemeinden Angriffen der farbigen Studenten kaum standhalten können und man sogar in Bierzelten sich über die ›Richtigkeit‹ der Religionen auseinandersetzt, dann ist es Zeit, daß die Kirche aufwacht und sich auf ihren Auftrag besinnt[32].« Diese Zeit hielt Vicedom damals offenbar für gekommen. Was er wollte, wozu er seiner Kirche die Augen öffnen wollte, ist die Begegnung. Wie sollte sie geschehen? Sicher nicht als Kreuzzug. Ganz sicher auch nicht vom Standpunkt des Besserwissers aus, der von vornherein immer schon weiß, was beim andern falsch ist. Wer Vicedom so interpretiert oder kritisiert, ist kein aufmerksamer Zuhörer gewesen. Sein Gespräch mit den Religionen ist tiefer, man möchte fast sagen, intimer. Das erweist sich schon darin, daß er den Aufruf stets auch an die eigenen Glieder ergehen läßt. Das ist nicht Kriegsruf, sondern Bußruf! Und zugleich ist es Weckruf, sich der Herausforderung zu stellen, die die Mission der Weltreligionen für die Christenheit darstellt.

---

[30] Die Mbowamb (Bibliogr. Nr. 5); Hermann Strauß, Die Mi-Kultur der Hagenberg-Stämme im östl. Zentral-Neuguinea (= Monographien zur Völkerkunde, Bd. III), Hamburg 1962

[31] Siehe Bibliogr. Nr. 11, insgesamt vier Auflagen. Ausführlicher: Die Mission der Weltreligionen, München 1959 (Bibliogr. Nr. 15)

[32] Mission der Weltreligionen, S. 10

Vicedom ist viel zu sehr Missionar gewesen, als daß er je Religionen abstrakt sehen könnte. Er zitiert immer wieder Hendrik Kraemer, um den sozio-kulturellen Ganzheitscharakter der Weltreligionen und der archaischen Religionen, die er besser als andere kannte, herauszustellen. Und in dieser sozio-kulturellen Religionsgestalt sah er nicht nur ein System von Religionen, sondern zuallermeist den Menschen, der fragt und der von seiner Religion auch Antwort erhält auf die Fragen seines Lebens. Keine Theorie von der Unvollkommenheit oder angeblichen Offenheit aller Religionen kann geben, was hier in der unmittelbaren Nähe zum Menschen erspürt wird. Erst in diesem intimen Gespräch mit den Religionen, das Vicedom führte, ist sein Satz von der Erlösungssehnsucht der Menschen zu begreifen. Er spricht ja gar nicht wie von einem feststellbaren Objektiven, sondern er hat zugehört und dabei eine Frage vernommen, die sich oft gar nicht als Frage, sondern vielmehr im Gegenteil als stolzer Besitz, in Ritus oder heiligem Wissen, gibt. Mit wie eindrücklichen Worten konnte Vicedom auf einer Missionarsretreat seinen jüngeren Brüdern diese unterschwellige Frage der Menschen in ihrer Religion interpretieren, als jene Missionare angesichts vielfältiger synkretistischer Bewegungen zu frustrieren drohten. Mit diesem Vordersatz vom tiefgründigen religiösen Leben im Ohr wird es dann voll verständlich, wenn Vicedoms nächste Antwort heißt: Das Evangelium muß dem Hörer eine bessere Antwort geben, als seine Religion sie ihm bietet[33].

Unablässig war Vicedom bemüht, seine Studenten davon zu überzeugen, daß sie nicht nur Religionen, sondern den Menschen in ihrer Religion kennen müßten, also auch die eigentlichen Nöte des Menschen in seiner Religion. In der praktischen Missionsarbeit vollzieht sich also eine »innere Berührung zweier Glaubensformen«. Ganz persönlich fuhr er dann fort: »Je mehr dabei die Kraft (scil. christlichen Glaubens) an dem Zeugen selbst sichtbar wird, desto mehr erfaßt er andere Menschen[34].« In dieser Nähe zu den Menschen also erfolgt die Begegnung mit der anderen Religion, sei es nun, wie in seinem persönlichen Leben, in der Situation des Pioniermissionars, oder sei es in der neuen Situation im eigenen Lande, die Vicedom für die Christenheit heraufkommen sah und für die er sie so wenig zugerüstet wußte.

Hier ergibt sich bei Vicedom der fruchtbare Gesprächspunkt mit den Theologen aus den Kirchen der Dritten Welt, denen der Dialog mit den Religionen so sehr am Herzen liegt. Dieses Gespräch hat Vicedom intensiv im Anschluß an die Weltkirchenkonferenz 1961 in Neu Delhi geführt. »In Neu Delhi ging es nicht um lehrmäßige Formulierungen; es

---

[33] Jesus Christus und die Religionen der Welt, Wuppertal 1966, S. 135, 150; vgl. auch S. 56, 98 (Bibliogr. Nr. 31)
[34] A.a.O., S. 135

wurde versucht, die Menschen innerhalb der Wirklichkeit ihrer Religionen zu sehen und nach dem Dienst der Kirche in ihrer durch die Religionen bestimmten Umwelt zu fragen[35].« Dabei ist er, ohne die Verpflichtungen zur Mission zu verleugnen, über seine früheren Äußerungen noch hinausgegangen. Schon deswegen, weil er die neue Situation vor allem in Indien erkannte, wo es offensichtlich Kenntnis und Liebe zu Jesus unter den Nichtchristen gibt, und das abseits der christlichen Kirche. Es ist gerade typisch für Vicedom, daß er sich in dieser Diskussion nicht nur um dogmatische Aussagen über Offenbarung und Geschichte bemüht, sondern um eine theologische Wertung des neuen Faktums, daß heute praktisch »durch die christliche Missionstätigkeit alle Religionen unter dem Einfluß des Evangeliums stehen«[36]. Auch dies ist Religionsgeschichte, und Vicedom nimmt sie ernst. So hatte er ein offenes Ohr und Herz für das Gespräch mit den asiatischen Theologen, besonders mit dem Inder Dr. Devanandan[37]. Ja er wußte sich gerade mit ihm darin einig, daß weder die Erkenntnis der kosmischen Herrschaft des Christus noch der Werke Gottes in den Religionen heute die Christenheit entbindet von der klaren Verkündigung der Kirche unter den Völkern. Vicedom setzt freilich noch dazu, »daß sie sich zum Gehorsam des Glaubens führen lassen, der sich in der Gemeinde verwirklicht«[38].

Der Ansatz seiner Missio Dei ist auch hier nicht verlassen, wo er sich im Gespräch weit geöffnet hat für seine indischen Gesprächspartner. Man übersehe nicht den Zusammenhang mit seiner eigenen missionarischen Erfahrung: Auch dort verwehrte es ihm sein Glaube nicht, unter der Maske von Religion und Ritus den Menschen zu sehen, den Gott retten möchte. So weit also läßt sich eine Theologie der Missio Dei öffnen.

Kirche

Vicedom konnte sich anscheinend nie sein Forschungsgebiet heraussuchen und tun, was ihn am meisten gelockt hätte. Dazu war er viel zu sehr in das aktuelle Geschehen von Mission und Kirche einbezogen. Es ehrt ihn als Missions- und Kirchenmann, daß er sich den wechselnden Themen der Ereignisse jeweils gestellt hat. Sein Schriftenverzeichnis spiegelt einiges von der Fülle der Konferenzen wider, die er von 1948 an besucht hat,

[35] Die Religionen in der Sicht von Neu Delhi, in: Fuldaer Hefte 16, S. 9 (Bibliogr. Nr. 287)

[36] Jesus Christus und die Religionen der Welt, S. 142; s. auch S. 90 ff

[37] Fuldaer Hefte 16, S. 22. Siehe auch die von ihm mitherausgegebenen Bände »Theologische Stimmen aus Asien, Afrika und Latein-Amerika«, München 1965–68

[38] Jesus Christus und die Religionen der Welt, S. 143

besuchen mußte. Dementsprechend war er auch im letzten Jahrzehnt seines Lebens, besonders während der letzten Jahre, als ihn schon seine Krankheit deutlich gezeichnet hatte, mit der zunehmenden Polarisierung im deutschen und außerdeutschen Missionsleben befaßt. Auf Anhieb befragt, würden die meisten seiner Freunde ihn wahrscheinlich dem konservativen Flügel zurechnen, wie er ja auch zu den Mitvätern und Erstunterzeichnern der sog. Frankfurter Erklärung von 1970 gehört. Als man im Verlauf der ökumenischen Diskussion seit 1966 die Formel der Missio Dei gegen seine, Vicedoms, Intentionen in Anspruch nahm, um alles revolutionäre und verändernde Handeln in der Geschichte als Gottes Wirken zur Befreiung des Menschen zu erklären, mußte er sich dann auch folgerichtig dagegen wenden. Die Mission als »Gottes Weg zu den Menschen«[39], diese Grundweichenstellung hat er nicht und konnte er auch nicht mehr verlassen.

Es war eine streng trinitarische Auslegung von Missio Dei, die er im Einklang mit seinem Freund und Kollegen Wilhelm Andersen seit der Weltmissionskonferenz von Willingen 1952[40] konsequent und nachdrücklich vertrat. Darin eingeschlossen war auch der instrumentale Charakter der Kirche für die Sendung in die Welt. Wer immer von Gottes Handeln anders als durch das Evangelium und zur Sammlung in der Gemeinde sprach, konnte mit Vicedoms Widerspruch rechnen. Er artikuliert sich am schärfsten in seinen Vorträgen von 1968/69 über die Aufgaben der Mission in einer Zeit der sozialen Erneuerung[41]. Säkularisierung, Humanisierung, Fortschritt und Entwicklung, wie auch immer gewendet, Vicedom war und blieb skeptisch und kritisch gegenüber allen Versuchen, die Missio Dei woanders als in einer trinitarischen Theologie anzusiedeln. »Mission gibt es nur unter dem Missionsauftrag. Bleibt die Kirche diesem treu, dann greift Gott durch die Kraft seines Wortes auch in die Geschichte ein. Von seinem Wort gehen erneuernde Kräfte für die ganze Menschheit aus[42].«

Vicedom müßte ja nicht ein Schüler Christian Keyßers gewesen sein, wenn er nicht davon zu reden gewußt hätte, was Erneuerung aus dem Evangelium in der Heidenwelt bedeutet. In dem Augenblick aber, wo Vicedom Erneuerung sagt, denkt er an Bekehrung, Taufe, Wiedergeburt und neues Leben in der Gemeinde[43]. Ziel aller kirchlichen, missionari

---

[39] So der Titel seines Beitrags zur Andersen-Festschrift, München 1971 (Bibliogr. Nr. 359)

[40] Siehe Anmerkung 9

[41] Mission in einer Zeit der Revolution, Wuppertal 1969 (Bibliogr. Nr. 37)

[42] A.a.O., S. 46

[43] siehe Die Taufe unter den Heiden, München 1960, bes. S. 19 ff, 31 ff (Bibliogr. Nr. 17). In einer Art Missionskatechismus formuliert Vicedom: »Da Schöpfung und Erlösung zusammengehören, richtet sich die christliche Bot

schen und diakonischen Arbeit kann nie die Kultur, können auch nicht veränderte Strukturen der Gesellschaft als solche sein, sondern es geht allemal darum, was Gott an den Menschen tut — und das läßt sich nur mit »Erneuerung nach seinem Willen« beschreiben.

Von hier aus ergibt sich auch der Stellenwert, den bei Vicedom die christliche Gemeinde einnimmt. Er zeigt sich unbeeindruckt von den modernen und auch in der Missionstheologie so beliebten[44] Angriffen gegen die Kirchlichkeit. (Deutlicher drückt die englische Vokabel Churchism = Kirchismus den abträglichen Akzent der Wortbildung aus.) Wo Actio Dei erfolgt, wird sie immer missionarische Kraft haben, und dort am stärksten, »wo die Gemeinden zu einem Wahrheitserweis des Evangeliums durch ihr Leben werden«[45]. Vicedom war zu sehr Glied seiner eigenen Kirche und einer zu seiner Zeit überaus lebendigen Gemeindemission in Neuguinea gewesen, als daß er an der Sichtbarkeit des Leibes Christi hätte vorübergehen können. Woran er zeitlebens litt, war nicht, daß es in dieser Kirche Ämter und Ordnungen, Jurisdiktion und Spezialdienste gab, sondern daß sich die vorfindlichen Volkskirchen, zumal in seiner eigenen Heimat, der Actio Dei entzogen, sich nicht in den Retterwillen Gottes für die Welt einbeziehen ließen — und eben darin ungehorsam waren. Sein ganzes leidenschaftliches Ringen um die rechte Gestalt der Kirche ist von dieser Ausrichtung auf die Actio Dei zu sehen[46]. Nicht das Strukturproblem der sog. Integration von Mission und Kirche war das leitende Motiv, sondern die missionarische Intention, daß Kirche nur so wirklich Kirche sein kann, daß sie teilhat an der Missio Dei in der Welt, also selbst zur Actio Dei wird.

---

schaft immer an den ganzen Menschen. Er bekommt ein neues Verständnis für die Mitmenschen, die Arbeit, ein neues Verhältnis zur Welt. Es findet eine Bewußtseinsänderung statt ... Das Ziel der Mission ist, die Menschen zum Glauben zu führen und sie durch die Taufe in die Gemeinde Jesu Christi einzugliedern. Der Heilige Geist bewirkt eine Umkehr der Menschen, so daß sie sich der Herrschaft Gottes unterstellen. Die Gemeinde Jesu Christi ist der Ort, wo das Evangelium gelebt und für die anderen Menschen sichtbar wird ... Die Gemeinde stellt sich in den Dienst Gottes und hilft den Mitmenschen. In dem neuen Leben der Gemeinde entstehen neue Formen des Gesellschaftslebens.« Grundlagen der Weltmission, Breklum 1971, S. 22 f, (Bibliogr. Nr. 39)

[44] Signal war J. C. Hoekendijk's Vortrag auf der Kontinentalen Missionstagung in Freudenstadt (1951): »Die Kirche im Missionsdenken«, abgedruckt in EMZ 1952, S. 1 ff

[45] Andersen-Festschrift, S. 218 (Bibliogr. Nr. 359)

[46] Hierzu siehe besonders: Kirche in der Entscheidung, Neuendettelsau, 1949 (Bibliogr. N. 8); Das Dilemma der Volkskirche, München 1961 (Bibliogr. Nr. 20) und den Schlußteil seiner Vater-Unser-Auslegung, Gebet für die Welt, München 1965 (Bibliogr. Nr. 30), sowie zahlreiche Beiträge in kirchlichen Blättern

So ist seine Kritik an der Kirche grundverschieden von moderner Kritik; ebenso wie sein Begriff der Missio Dei nicht auf einen Nenner zu bringen ist mit dem modernen Gebrauch, wonach Gottes Wirken direkt auf die Welt ziele, ohne sich der Gemeinde als seines Instrumentes zu bedienen. Vicedom hat sich nicht gescheut, diese seine Position in den letzten Jahren unbeirrt durch Kritik, die er dafür einstecken mußte, zu vertreten. Das bedeutete, Widerspruch auszusprechen und zu erleiden. Daß dieser in den letzten fünf Jahren seines Schaffens so oft ergehen mußte, war sicher nötig und ist auch nicht ohne Wirkung geblieben. Doch dies sollte nicht das Bild von Georg Vicedom für immer bestimmen.

Trennung und Abkapselung war nicht sein Wesen. Zeit seines Lebens besaß er persönlich viel Vertrauen bei den Evangelikalen aller Schattierungen und blieb doch bis zuletzt den sog. kirchlichen Missionen treu. Das war nicht kirchenpolitisches Agieren; seine theologische Redlichkeit war viel zu groß und er selbst viel zu unabhängig im Denken, als daß er taktische Verengungen und kirchenpolitische Abgrenzungen mitvollzogen hätte[47].

Insofern ist Vorsicht am Platze, wenn man Vicedom so ohne weiteres »dem konservativen, evangelikalen Flügel« zurechnen möchte. Kirchenpolitik war nicht sein Metier. Er konnte von seiner Theologie her nicht an der Kirche vorbei, konnte sie auch nicht abschreiben. Und noch weniger konnte er sich mit ihrer derzeitigen Gestalt abfinden. Die Missio Dei, wie er sie verstand, muß kirchliche Gestalt stets sprengen und ausweiten, um sie dem Heilshandeln Gottes für die Welt einzuordnen.

Noch einmal: Vicedom selbst

Kritiker haben Vicedom zuweilen mangelnde Systematik vorgeworfen; und in der Tat ist es nicht immer leicht, der Systematik seiner theologischen Gedankenführung zu folgen. Mancherlei Formulierungen legen es nahe, in ihm einen Missionstheologen der ausklingenden dialektischen Epoche zu sehen[48], wenn er schon nicht den evangelikalen Kreisen zuzurechnen sei. Rechtens müßte in einer solchen theologischen Etikettierung auch noch das Prädikat »lutherischer Prägung« vorkommen. Doch mit solcher Grob-Orientierung wird man ihm sicherlich nur in sehr allgemeiner Weise gerecht.

Einen Hinweis, wie man ihn tiefer verstehen und wohl auch im Gedächt-

---

[47] Zur ganzen Diskussion über die sog. Grundlagenkrise der Mission vgl. seine abschließenden Äußerungen in Actio Dei, S. 79 ff

[48] So der katholische Missionswissenschaftler Horst Rzepkowski in einem Nachruf auf Georg F. Vicedom im Bistumsblatt Bamberg

nis behalten möge, hat er selbst gegeben, wenn er sich im Freundeskreis am allermeisten zu seiner Vater-Unser-Auslegung »Gebet für die Welt« als der Veröffentlichung bekannte, wo er sein Anliegen am besten und am meisten sachentsprechend ausgedrückt habe. In dieser Schrift von 1965 legte er das Herrengebet als Missionsgebet aus, und zwar in dem tieferen Sinne, daß er das ganze Evangelium als auf Sendung hin ausgerichtet erfaßte.

In dieser Schrift, die man weder der exegetischen noch auch so ohne weiteres der systematischen missionstheologischen Literatur zuordnen kann — am ehesten ist sie wohl als Paränese oder biblische Besinnung zu umschreiben — zeigt der Missionswissenschaftler Vicedom seinen tragenden Wurzelboden. Man könnte es auch seine evangelische Spiritualität nennen. »Gott antwortet dem Betenden so, daß er ihn seiner Existenz und seiner Liebe gewiß macht ... Wer nicht zu Gott betet ..., kann nicht von der Wirklichkeit Gottes reden. Wie bei so vielem im Christenleben gilt auch hier: wir müssen etwas wagen, um seinen Sinn zu erkennen[49].«

Die Freunde und Mitstreiter im Kreise der deutschen Mission und seine vielen Hunderte von ehemaligen studentischen Hörern werden in diesen Sätzen Vicedom ganz persönlich wiedererkennen. Gewiß war er nach außen hin eher spröde; er hat sein Herz und seine Frömmigkeit nicht auf der Zunge getragen. Aber wenn er *von* Gott redete, dann war es immer zugleich der Herr, *zu* dem er redete, von dem er sich in Beschlag genommen wußte. Man kann Vicedoms Theologie ohne diesen konfessorischen Hintergrund nicht recht verstehen, auch wenn er längst nicht überall so deutlich wie in seiner Vater-Unser-Auslegung zu greifen ist. Sieht man den Menschen, den Christen und Missionar Vicedom dahinter, dann allerdings wird es von seiner Person her deutlich, wie in seiner Theologie die Missio Dei und die missiones hominum unmittelbar miteinander verzahnt sind.

»Gott erhört das Gebet immer so, daß er den Betenden an dem beteiligt, was er von ihm erbittet[50].« Von diesem Ansatz aus ist nicht nur die Erkenntnis Gottes mit Gehorsam verbunden, sondern auch das gehorsame Handeln des Menschen mit dem Heil Gottes für die Welt. Unter dieser Voraussetzung, aber nur so, kann Vicedom selbst revolutionär-aktivistische Töne anschlagen. Sein Beitrag über das Social Gospel in der Augustana-Festschrift zum 25 jährigen Bestehen der Hochschule (1972) war für manche seiner Freunde eine Überraschung, wie weit er sich darin mit dem älteren Social Gospel identisch erklärte. »Die Kirche muß tatsächlich um ihrer selbst willen die kapitalistischen Dämonen bekämp-

---

[49] Gebet für die Welt, S. 114
[50] A.a.O., S. 116

fen, denn die jetzigen Wirtschaftssysteme machen es weithin den Menschen unmöglich, Jesus nachzufolgen[51].«
Dieser letzte Hinweis auf die Jesusnachfolge sichert gegen jegliches Abgleiten in die von Vicedom stets bekämpfte Kulturmission, in welcher Form auf immer; zeigt auf der anderen Seite aber, wie sehr Vicedom daran gelegen war, die Missio Dei aktiv als Actio Dei zu verstehen, und das als Jesus-Nachfolge. So war es auch keine schriftstellerische Marotte, daß Vicedom als eine seiner letzten Schriften auch ein Heftchen mit ganz persönlichen Gebeten veröffentlicht hat[52]. Es war nicht sprachliches Künstlertum, das ihn zu diesem Schritt bewogen haben dürfte. Vielleicht ist es jetzt gegen Vicedoms persönliche Bescheidenheit, wenn hier zu seiner eigenen Charakterisierung zwei gesperrt gedruckte Sätze aus seinem liebsten Büchlein, der Vater-Unser-Auslegung, stehen. Er schreibt: »Je tiefer unsere Gotteserkenntnis ist, desto größer ist unsere Gebetsfreiheit und die Gebetsmöglichkeit«, und hundert Seiten später kehrt er diesen Satz scheinbar um: »Es gibt Menschen, die im Gebet schrittweise Gott gefunden haben, weil sie sich von ihm selbst immer tiefer in seine Geheimnisse ziehen ließen[53].«
So, meine ich, wird die Tiefe, die Offenheit und die Weite seiner Theologie der Missio Dei zu verstehen sein.

[51] Die Lehre vom Social Gospel und ihre Folgen für die Gegenwart, in: Kontinuität im Umbruch, München 1972, S. 196 (Bibliogr. Nr. 360)
[52] Gib neue Kraft. Gebete, Neuendettelsau 1971 (Bibliogr. Nr. 38)
[53] Gebet für die Welt, S. 13 und 113

b2

DATE DUE

GAYLORD			PRINTED IN U.S.A.